La Ménechme

Chantal Valois

La Ménechme

Catalogage avant publication de Bibliothèque et Archives nationales du Québec et Bibliothèque et Archives Canada
Valois, Chantal, 1966-
La Ménechme
I. Titre.
PS8643.A462M46 2011 C843'.6 C2011-942405-3
PS9643.A462M46 2011
ISBN 978-2-9811696-8-6

Infographie des pages couvertures et intérieures: Yvon Beaudin
Correction: Josyanne Doucet
Mise en page: Marcel Debel
Conception de la page couverture: Janick Ericksen et Gabriel Lampron
Imprimeur: Transcontinental

La maison d'édition désire remercier tous les collaborateurs à cette publication.

Les Éditions Belle Feuille
68, chemin Saint-André
Saint-Jean-sur-Richelieu (Québec)
J2W 2H6
Téléphone: 450 348-1681
Courriel: marceldebel@videotron.ca

Distribution:
Bayard Novalis Distribution Ginette Saindon: 514 844-2111 poste 247
4475, rue Frontenac,
Montréal (Québec)
H2H 2S2

Dépôt légal
Bibliothèque et Archives nationales du Québec—2011
Bibliothèque et Archives Canada—2011

à mon époux François
à mes enfants Anthony, Gabriel et William
à mes parents Nicole et Roger

Remerciements

J'aimerais remercier mon époux, François, qui croit fortement en mes possibilités, pour sa patience et le temps précieux qu'il a bien voulu m'accorder pour l'arrangement informatique de mon texte. Je remercie également mes enfants, Anthony, Gabriel et William pour leur intérêt tout au long de l'écriture de mon ouvrage, pour leurs encouragements ainsi que pour leur implication personnelle dans ce grand projet.

Merci à mes parents pour la confiance et le soutien qu'ils m'ont manifesté dès le départ. Merci de croire en moi, de m'aider et de m'appuyer dans cette démarche et pour le temps que vous m'avez maintes fois accordé pour me permettre de construire ce roman. Merci à mes beaux-parents pour leur support et leurs encouragements pendant le processus et pour le temps qu'ils ont également donné sans compter.

Je remercie aussi mes premières lectrices : Nicole, Ginette, Michelle, Lise et Pierrette pour leurs critiques constructives et leurs compliments encourageants.

Merci à mon frère, Patrick, pour l'intérêt et les encouragements qu'il m'a démontrés malgré la distance qui nous séparait.

Merci à tous mes amis et mes proches qui m'ont suivie de près ou de loin dans cette formidable démarche qu'est l'écriture d'un livre.

J'adresse un merci spécial à Hernan Viscasillas ainsi qu'à Alain Leduc qui m'ont fourni le coup de pouce et les conseils nécessaires dans l'entreprise de ce projet.

Finalement, mes remerciements vont aussi à mon éditeur, Marcel Debel ainsi qu'à son équipe pour m'avoir permis cette chance et de m'avoir guidée dans cette nouvelle aventure, car sans eux, mon roman ne serait encore qu'un texte dans mon ordinateur.

Table des matières

La Ménechme

Prononciation: [menɛkm].

Synonyme: Sosie. C'est son Ménechme (Littré).

Étymologie: 1803 subst. pluriel. « deux personnes qui ont entre elles une ressemblance frappante » (Boiste); 1819 singulier, « personne qui ressemble parfaitement à une autre » (*ibid.*: l'homme le plus extraordinaire a eu son **Ménechme**). Personne qui présente une ressemblance frappante avec une autre.

Histoire du nom des *Ménechmes*: personnages d'une comédie de Plaute (184 av. J.-C.), qui étaient frères jumeaux; cette comédie a été imitée par Regnard en 1703; *les Ménechmes ou les Jumeaux*. Bbg. Rem. lexicogr. *R. Philol. fr.* 1913, t. 45, p. 170. La fable roule sur les erreurs ou confusions auxquelles donne lieu la ressemblance de deux frères jumeaux nommés Ménechme.

Figuré: Il se dit de deux frères ou de deux sœurs ou même de deux personnes étrangères l'une à l'autre, entre lesquelles il existe une grande ressemblance. Ce sont des Ménechmes.

Prologue

Samantha quitta l'allée dallée qui menait à la rue, abandonnant derrière elle le parfum des fleurs qui la bordaient. En cette fin de septembre, où une dernière vague de chaleur les frappait, les bosquets de pivoines cernant la porte d'entrée ne fleurissaient plus depuis quelques semaines déjà. Les marguerites, et les pensées fanées depuis peu pendaient au bout de leur bouquet de verdure. Cependant les St-Joseph multicolores, plantés dans une lisière aménagée le long du pavé uni, conservaient leur éclat sous un soleil radieux.

Le jeune étudiant engagé à temps partiel par un Marc-Alec Fortin trop occupé pour jardiner, accomplissait bien son travail remarqua-t-elle une fois de plus. Il entretenait bien les fleurs et la pelouse. Le vaste cottage de briques rouges datant du début du siècle, derrière les massifs bien taillés, ressemblait aux autres construits de part et d'autre de la rue. Elle respira à fond. Elle aimait bien cette odeur de gazon fraîchement coupé qui flottait dans l'air.

En marchant d'un pas décidé vers l'arrêt d'autobus, inconsciemment Samantha souriait. Elle songeait à celui qu'elle aimait et allait le rejoindre à l'endroit où il travaillait, au centre-ville. Ils n'habitaient pas ensemble, car le centre hospitalier où elle œuvrait à titre d'infirmière se trouvait à Montréal, à trois heures de route d'où habitait Marc-Alec. Cependant, ils se voyaient le plus souvent possible les fins de semaine qu'ils étiraient volontiers d'une journée ou deux.

Voilà plus d'un an qu'ils se fréquentaient et ils commençaient à ébaucher des projets de vie commune. Ils en avaient longuement discuté la veille. Le sujet était apparu, vaguement, à quelques reprises, mais ils souhaitaient se donner le temps de bien se connaître et Samantha hésitait à laisser derrière elle son emploi et ses amies, car c'est elle qui déménagerait dans la belle région de Québec, son cher Marc, y possédant sa propre entreprise, s'était établi depuis plusieurs années.

Mais cette fois, c'était vraiment sérieux. Les amoureux en avaient assez de ne se voir que quelques week-ends de temps en temps et du long trajet qui les séparait. Conscients que leur amour ne cessait de croître, la jeune femme emménagerait bientôt chez lui, avaient-ils décidé à cette même soirée. C'était sans doute une des raisons qui la faisait sourire alors que la jeune femme s'engageait dans la rue. Il en existait au moins une autre...

Arrivée chez lui, la veille, ils s'étaient offert une soirée romantique où ils avaient mangé pétoncles et crevettes délicieusement apprêtés par le grand chef Marc-Alec Fortin et fait l'amour à la lumière de chandelles. Ce matin, au réveil, il lui avait demandé de la rejoindre à son travail à la fin de la journée et il lui avait promis une surprise. Elle n'avait aucune idée de ce qui l'attendait, mais Marc était ainsi. Il adorait l'ébahir et elle s'en réjouissait.

Cependant, Samantha n'allait pas arriver sans le surprendre, elle aussi. Marc-Alec méritait bien une petite gâterie également. D'abord une visite chez le bijoutier, car Samantha avait remarqué que sa montre avait passé son temps. Puis elle se rendrait à la boutique de musique lui acheter le dernier CD de Simple Plan, son groupe préféré. Toute à ses pensées, ses pas l'avaient guidée vers l'arrêt d'autobus et elle s'apprêtait à y monter, car il arrivait justement.

En ville, ses emplettes dans son sac à main, Samantha venait de contourner l'abribus près duquel elle était descendue un peu plus tôt. Elle tourna à droite dans une ruelle, prête à franchir à pied les trois blocs qui la séparaient de la rue-même où travaillait son bien-aimé.

La jeune femme avait dépassé l'arrêt d'autobus depuis quelques minutes lorsqu'une luxueuse voiture noire tourna au coin de la rue et s'arrêta à sa hauteur. Un homme assis derrière abaissa la vitre fumée et l'interpella. Il portait des verres fumés et une casquette noire trop petite pour lui. Prudente, Samantha s'avança, mais demeura à une distance respectueuse. Après les formules de politesse pour la mettre en confiance, l'homme qui se disait perdu, l'invita à venir lui montrer sur la carte où ils se trouvaient. La carte lui tomba des mains et atterrit sur le trottoir. L'homme d'âge moyen, estima Samantha, s'excusa abondamment et fit mine d'ouvrir la portière pour la ramasser.

— Laissez, dit Samantha en se penchant vers la carte.

D'un geste sec, l'homme ouvrit la porte de l'auto et assomma Samantha, qui la tête encore penchée, ne se doutait de rien. Fragilisée par une commotion cérébrale antérieure, elle ne fut pas longue à tomber dans les pommes. Agrippant les deux bras de Samantha, étalée sur le trottoir, l'homme à la casquette la tira à l'intérieur de l'auto en s'assurant de ne pas être vu. Sa main puissante cacha sa bouche pour le cas où la jeune femme se réveillerait et lui viendrait la folle idée de crier. Il ne voyait personne autour et peu de gens circulaient dans ce coin mais, valait mieux prévenir.

Quelques minutes plus tard, l'esprit encore embrumé, elle prit conscience qu'on lui avait bandé les yeux. Sur sa bouche, on avait solidement fixé du ruban adhésif et elle avait les poings liés. Ses chevilles lui faisaient mal. Les avait-on attachées également? Elle ne pouvait le dire. Et sa tête, quelle douleur lancinante la tenaillait, elle était si lourde. Samantha pressentait qu'elle ne devait pas bouger et continuer de faire comme si elle n'avait pas repris connaissance. Samantha sentait le roulis de l'auto et le corps de l'homme près d'elle. Autour d'elle le silence régnait, mais dans sa tête atrocement meurtrie, des questions se bousculaient.

Qui étaient-ils? Que lui voulaient-ils? Vers où l'emmenaient-ils? Quel sort lui feraient-ils subir? Reverrait-elle son Marc-Alec chéri? S'en sortirait-elle indemne? Angoissée, la jeune Samantha Cartier se demandait vers quel enfer elle se dirigeait, car c'est vers là qu'ils l'emmenaient, assurément.

Chapitre 1

Se réveiller dans la peau d'une autre

Elle savait que dehors, il pleuvait. Le bruit rythmé de la pluie, tambourinant sur le toit, parvenait à ses oreilles. Debout, dans le milieu de la grande pièce, elle imaginait bien les gouttes d'eau s'écrasant brusquement sur un des murs de brique ou de vinyle, terminer leur course dans une glissade réticente en direction du sol où quelques touffes de gazon, encore étouffées par quelques plaques de neige, cherchaient à pointer vers le ciel. Très fréquemment, dans cette pièce, Samantha s'était servie de son imagination.

La jeune femme ne pouvait dire avec exactitude quelle date c'était ce jour-là. À être tenue enfermée dans cette maison, Samantha avait perdu la notion du temps. Cependant elle pouvait affirmer que le printemps était bel et bien commencé. En écoutant la pluie, elle se dit que l'été arriverait probablement sans l'attendre. Mais peut-être que Marc, lui, l'attendait. Son Marc-Alec, son cher amour, à qui elle ne cessait de songer.

Ses mains se portèrent à ses oreilles, ses yeux se fermèrent. Il pleuvait également dans son cœur et lorsque ses paupières se levèrent, après quelques secondes, des larmes coulaient doucement sur ses joues. Des larmes qui constamment lui piquaient ses magnifiques yeux turquoise.

Lentement, presque avec effort, Samantha avança vers le mur du fond et appuya ses paumes et ses avant-bras sur la tapisserie fleurie que Nanny avait fait poser peu après son arrivée quelques mois auparavant. La tête penchée entre ses bras, le front contre le mur, chagrinée, découragée, déprimée, elle sanglotait légèrement, en silence se demandant quand elle sourirait à nouveau, quand ses larmes se tariraient.

Au début, pendant les jours qui avaient suivi son arrivée, elle n'avait fait que ça; pleurer, du matin au soir. Assise dans un coin ou au beau milieu de la pièce, recroquevillée sur son lit ou sur la chaise berçante, elle pleurait sur son malheur. Si ses pleurs n'avaient pas complètement cessé, ils avaient diminué avec le temps. Cependant, l'arrivée du printemps, du beau temps qui l'appelait, sans que rien ne soit changé à son triste sort, la décourageait, l'enrageait même et les larmes avaient repris de l'intensité.

Le chuchotement de jupons se frottant sur des jambes, guidées par des petits pas pressés, se rapprochait. Samantha, dont les oreilles toujours aux aguets s'étaient habituées au moindre son de la maisonnée, reconnaissait les pas de chacun des résidents. Elle sécha ses larmes et se retourna. Le dos contre le mur, elle entendit les deux coups discrets sur sa porte que Nanny exécutait toujours de la paume de la main avant de tourner la clé.

Mais cette fois, la porte ne s'ouvrit pas. La voix haut-perchée de la vieille Nanny retentit de l'autre côté. D'une voix ferme, mais empreinte de douceur elle annonça:

— Chérie, nous ne sortirons pas aujourd'hui. Il pleut à verse et ce n'est pas bon pour toi. Nous ne risquerons sûrement pas que tu attrapes une vilaine grippe.

La jeune femme savait très bien que sa sortie promise serait annulée dès qu'elle avait entendu l'averse s'abattre sur le toit. Aussi ne fut-elle pas surprise de la nouvelle que la gouvernante lui apportait. Cependant, la tristesse envahit son cœur de plus belle. Ces sorties plus ou moins régulières qu'on lui permettait, bien que trop peu fréquentes selon elle, lui étaient importantes, salutaires. La gorge serrée, incapable de parler, elle apprécia la visite de Nanny.

Le souvenir des paroles que la vieille dame répétait inlassablement lui vint en tête ``*je t'expliquerai tout, même si tu peux deviner ou déduire, car cela pourra sans doute t'aider à retrouver ta mémoire*``. Cette pauvre femme faisait du mieux qu'elle pouvait dans le rôle qu'on lui avait assigné pour l'aider à se souvenir.

Très limitée dans ses déplacements et ses loisirs, Samantha songeait souvent, très souvent. Elle pensait régulièrement aux moyens de se sortir de là, au jour atroce où elle était arrivée ici. On lui avait bandé les yeux et mis du ruban adhésif sur la bouche se souvenait-elle encore. La voiture s'était promenée un bon moment, elle n'aurait su dire combien de kilomètres, avant de la conduire dans cette maison d'où elle n'était jamais sortie, sinon occasionnellement, sur le perron ou la terrasse de la cour arrière, clôturée et ceinte de grands arbres. Cette journée revenait la hanter fréquemment de façon cruelle.

Une fois à l'intérieur, lorsqu'il avait deviné qu'elle avait repris conscience, l'homme à la casquette lui avait avoué ne lui vouloir aucun mal, mais qu'ils avaient dû prendre certains moyens pour s'assurer qu'elle les suivrait sans se défiler. Il fallait absolument qu'elle entende ce qu'il avait à lui raconter.

******

Elle était loin d'avoir perdu la mémoire comme le mentionnait fréquemment Nanny. Pourtant, ce cauchemar, Samantha aurait souhaité l'oublier. Elle avait cru mourir ce jour-là. Elle se culpabilisait et se demandait sans cesse ce qu'elle aurait pu faire ou ne pas faire pour éviter cet enlèvement dont elle était la victime. Une victime qu'on gardait contre son gré dans un luxueux manoir dont elle n'avait jamais vu la façade.

Elle s'y trouvait depuis plusieurs mois maintenant, elle ne savait plus trop combien. Elle avait cessé de compter avec exactitude. Mais ça devait faire un bon bout de temps, car le printemps semblait vouloir s'installer pour de bon. Probablement plus de six mois se dit-elle. Elle n'était pas maltraitée physiquement, au contraire, mais les personnes si chères à son cœur qui peuplaient sa vie avant cet enlèvement et dont elle n'avait eu aucune nouvelle depuis son entrée dans cette maison, lui manquaient assurément.

Sa vie, ses occupations, son travail lui manquaient également. Depuis son réveil dans la luxueuse voiture ce jour-là, Samantha n'avait plus de vie. Sa vie avant cet enlèvement n'existait plus. Les questions suscitées par sa disparition et demeurées sans réponse pouvaient amener ses proches, voire la police, à conclure à une disparition définitive, sans appel et sans espoir. Les gens de son entourage avaient probablement abandonné toute recherche.

En se référant à d'autres disparitions annoncées auparavant par les médias, elle pouvait affirmer que s'il y avait eu enquêtes et recherches intenses les premières semaines, tout devait être pratiquement cessé maintenant. Elle supposait qu'après tout ce temps, pour beaucoup de personnes, Samantha Cartier devait être décédée. Son dossier serait relégué aux affaires non résolues et on l'oublierait, un peu, peut-être. Ces sombres pensées revenaient souvent la hanter mais, après s'être laissée aller à une période de grande tristesse, Samantha sortait de son marasme et souhaitait plus que jamais s'en sortir. Elle tentait de se raisonner, de trouver des solutions qui se révélaient chaque fois impossible. Mais malgré son immense chagrin, elle gardait encore espoir de quitter cet endroit.

Mi-impatiente, mi-inquiète de ne pas recevoir de commentaire, Nanny s'informa:

— Jennifer, m'entends-tu?

Maintenant habituée de se faire interpeller ainsi, Samantha ne protesta pas.

— Oui je vous ai entendue. Je suis déçue, c'est tout. C'est tout, répéta-t-elle pour elle-même. Comme si c'était vraiment tout!

— Nous pouvons remettre ça à demain. La météo annonce du beau temps. Pour aujourd'hui c'est hors de question. Je suis désolée ma chérie, je comprends que tu trouves le temps long dans cette chambre, mais tant que tu n'auras pas retrouvé complètement la mémoire, il y a des risques à te laisser sortir.

Elle avait envie de crier une nouvelle fois qu'elle n'était pas et ne serait jamais celle que tous, ici, prénommaient Jennifer et qu'elle possédait, au contraire, toute sa mémoire. Et Dieu sait qu'elle souhaitait fréquemment ne plus se souvenir de son merveilleux passé qui la rendait pourtant si triste. Mais aucun son ne sortit de sa bouche. Ça ne servait à rien. Elle avait déjà essayé tant de fois depuis l'enlèvement, depuis qu'on lui avait expliqué la raison de celui-ci, de leur faire comprendre leur erreur. On n'a jamais voulu ni la croire, ni l'écouter jusqu'au bout. Tous semblaient convaincus que Samantha n'existait pas. Ici, Jennifer Lacroix restait sa seule et véritable identité.

— Je reviendrai plus tard pour t'apporter ton dîner et peut-être que dans la soirée, si j'ai le temps je te tiendrai compagnie poursuivait Nanny.

— D'accord, fit tout simplement Samantha, résignée. Et elle entendit le frou-frou des jupons décroître en direction de la cuisine.

Toujours appuyée le dos contre le mur, Samantha promena son regard dans la pièce qu'on avait redécorée, pour elle, en une magnifique chambre. Avant d'entreprendre la décoration, on l'avait consultée afin de s'assurer que cette chambre lui plairait. Sans enthousiasme, elle avait tout de même donné son avis.

Aujourd'hui, elle l'appréciait, car ayant elle-même choisi des couleurs qu'elle estimait, cela rendait ses moments de solitude moins pénibles. Pour la jeune femme, cela signifiait qu'elle possédait quelque chose qui n'appartenait pas à cette Jennifer. Elle pensait ainsi profiter de sa propre chambre, de son univers à elle. Ce faisant, elle avait imaginé créer une chambre pour Marc-Alec et elle.

Sur du papier peint, des formes plus ou moins régulières, semblables à des fleurs, dansaient çà et là sur un fond nacré. Autour de teintes d'un bleu d'eau qui dominaient, erraient des taches jaunes et roses, du rose tendre, comme le préférait Samantha. Les quatre murs, qui ne comprenaient aucune fenêtre, étaient habillés de papier peint aux trois quarts de leur surface. Une peinture d'un bleu pâle, très semblable à celui du papier peint, colorait le quart restant.

Un lit de bois, datant du 18e siècle, dominait la chambre de son imposante stature. Une douillette bleue, bordée de dentelle fine, placée sur le lit, s'agençait parfaitement avec les couleurs du papier peint. On disait de la commode, achetée chez un antiquaire à un prix exorbitant quelques années auparavant, qu'elle allait avec le lit comme s'ils avaient été achetés ensemble. Placée près du lit, elle semblait diminuer un peu l'importance du lit de bois. Un miroir ovale au fin cadre de bronze, également pris chez l'antiquaire, était suspendu au-dessus de la commode.

Une mini bibliothèque ornait un coin de la chambre. Elle était remplie de livres traitant de divers sujets, dont Samantha avait déjà lu une grande majorité. Il n'y avait, dans la pièce, qu'une chaise berçante pour tout autre meuble. Sur le mur, face à la porte, une photographie de la vraie Jennifer y était accrochée. Sur la photo, la jeune fille aux longs cheveux clairs, s'apparentant au blond-roux de ceux de Samantha, devait tout juste sortir de l'adolescence, et tenait de sa main droite un chapeau de paille, lequel, posé sur sa tête, paraissait vouloir s'envoler au vent. Assise en tailleur dans l'herbe haute, elle souriait à la caméra.

Sa ressemblance avec cette jeune fille la frappa une fois de plus. Samantha n'aurait jamais pensé autant détester être le sosie de quelqu'un. Ses yeux s'illuminèrent de colère encore pour cette fille innocente qui lui causait tout ce malheur.

******

Se regardant dans le miroir ovale, elle se comparait à la jeune fille de la photo. Elle avait joué à ce jeu bien des fois, mais ne pouvait s'empêcher de le répéter, se défiant, chaque fois sans succès, de trouver une nouvelle différence.

Ses cheveux châtains clairs possédaient les mêmes reflets blond-roux que Jennifer. Sensiblement de la même longueur, ils tombaient en cascades sur ses épaules aussi ondulés que les siens. Des yeux turquoise à faire rêver tous les hommes et à faire rougir les femmes de jalousie brillaient sur les deux visages.

Leur différence résidait dans leur nez. Et il fallait un œil très attentif pour la distinguer. Plus fin et légèrement plus long, celui de Samantha accentuait sa féminité. Sans être grosse, Samantha se trouvait faiblement plus en chair que son sosie. Cependant, son état actuel ne permettait plus de comparaison.

Installée ainsi sur l'image que la captive avait maintes fois examinée, Jennifer paraissait posséder de plus petites jambes qu'elle. Aussi avec son 1,64 m, la jeune femme pensait qu'elle dépasserait Jennifer de trois ou quatre centimètres si elle avait pu se mesurer avec elle.

Samantha avait constaté en regardant d'autres photographies, afin de stimuler sa mémoire selon la gouvernante, où la vraie Jennifer posait avec cette dernière, qu'elle avait effectivement raison à propos de leur grandeur. En effet, Jennifer paraissait aussi grande que Nanny alors que Samantha la dépassait visiblement. Elle en était venue à des conclusions identiques en regardant également des images de Jennifer et de son père, mais ce fait, personne ne semblait vouloir le remarquer, allant jusqu'à prétexter que Jennifer pouvait avoir grandi.

Samantha regardait toujours le reflet que lui rejetait le miroir. Elle essaya de se sourire. Ses lèvres, aux contours plus définis, dessinèrent pourtant un sourire identique à celui qu'affichait la fille de la photo. Sa ménechme.

« *Tu as le même sourire. Dans tes yeux d'un bleu-vert profond, où voulaient se noyer tous tes prétendants, je rencontre le même regard.* »

Ces paroles lui revenaient fréquemment. Il les avait prononcées après son discours cette journée-là. Il avait tout d'abord lentement enlevé sa casquette découvrant son épaisse chevelure grisonnante. Ses lèvres minces avaient esquissé un faible sourire, à peine perceptible et ses yeux verts exprimaient la bonté et la désolation. Il s'était présenté puis avait gentiment demandé de ne pas l'interrompre.

Il se nommait Édouard Lacroix. Il avait reconnu en elle sa fille disparue dans un accident d'avion. On n'avait jamais retrouvé son corps et il avait toujours gardé espoir qu'elle se soit enfuie du lieu de l'accident ou qu'on l'ait recueillie et qu'elle soit toujours vivante.

Il croyait fermement que le choc lui avait fait perdre la mémoire, qu'elle avait refait sa vie ailleurs et qu'il la reverrait un jour.

— Et ce jour est là. Je t'ai enfin trouvée! Tu es maintenant devant moi, ma chérie, avait-il ajouté, ému en se passant une main dans les cheveux.

Poursuivant le récit de sa découverte, Samantha l'avait écouté. Oh! Elle avait bien voulu l'interrompre à plusieurs reprises pour lui expliquer son erreur, mais la jeune femme avait promis de l'écouter jusqu'au bout. Parler devenait de plus en plus difficile pour l'homme. Il était manifestement remué: ses lèvres tremblaient et il les pinçait pour éviter de pleurer, mais c'était peine perdue. Ce pauvre fou semblait sincère et convaincu de ce qu'il racontait.

Il avait marché près d'elle en ville quelques semaines auparavant. Elle n'avait pas réagi, mais lui, son cœur lui avait manqué. Elle avait pourtant levé les yeux sur lui, lui expliqua-t-il. Ces magnifiques yeux, il les aurait reconnus n'importe où.

Même s'il s'y attendait, il fut ébranlé que sa propre fille ne le reconnaisse plus. Ils étaient si proches. Il l'avait suivie, à pied puis en taxi jusqu'à la maison. Il l'avait espionnée pendant quelques jours, toujours persuadé que le choc de l'accident avait provoqué l'amnésie dont elle souffrait de façon évidente.

Un après-midi, lorsque son propre taxi, suivant le sien, les conduisit, au terminus d'autobus, et qu'il comprit les paroles du jeune homme qui l'accompagnait énoncer qu'ils se reverraient au même endroit dans deux semaines, il s'était informé au comptoir où se rendait l'autobus no 75 dans lequel elle était montée et à quelle heure il arriverait dans deux semaines pour être là à son retour.

Il avait alors planifié l'enlèvement pour pouvoir enfin serrer sa fille chérie dans ses bras. N'ayant pu être présent lors de son retour par l'autobus, car en voyage d'affaires jusqu'au lendemain de son arrivée, il s'était rendu, avec sa propre voiture et son chauffeur, à l'adresse où il l'avait déjà vue s'arrêter. Il s'apprêtait à attendre la journée entière, s'il le fallait, qu'elle sorte de la maison. Mais son plan avait dû être modifié.

Au moment où sa voiture tournait le coin de la rue, non loin de l'arrêt d'autobus, l'homme expliquait encore qu'il avait vu son regard, remarquable entre tous. Les yeux turquoise étaient dirigés vers l'autobus de la ville qui s'approchait. Ils l'avaient donc suivie jusqu'à ce qu'il puisse l'aborder sans témoin. Il jurait ne pas avoir voulu lui faire de mal, mais il n'avait pas su comment se débrouiller autrement pour la faire monter.

Elle semblait prudente et avait eu raison. Mais il ne pouvait se permettre de rater sa chance. Il lui assura qu'il prendrait tous les moyens pour l'aider à retrouver la mémoire et serait patient. Mais au bout du compte, elle devait garder en tête qu'il ne désirait que leur bonheur à tous deux, dans la demeure de son enfance remplie de merveilleux souvenirs, dans cette maison-même où elle se trouvait présentement. Ce somptueux manoir, songea-t-elle, qu'elle n'avait même pas visité au complet, elle s'en fichait complètement cependant, et où elle habitait maintenant depuis plus de… six mois probablement sept, Samantha ne savait plus.

******

Plus de six mois qu'elle n'avait pas vu la ville et tous ses attraits: les musées, les zoos, les cinémas, les endroits branchés, les spectacles. Elle rêvait tant de ballades en voiture, d'allées et venues à pied dans ses rues et boulevards, de magasiner dans les mails et boutiques, parmi la foule. Fini les promenades en forêt ou au bord d'un lac. Terminé le travail en pédiatrie et les copines. Elle rêvait d'accomplir des choses qui lui semblaient si insignifiantes auparavant. Elle soupira, n'avait jamais tant soupiré.

Un sourire, plutôt un réflexe, vint puis repartit: elle détestait tellement faire ses achats dans la foule. Mais elle donnerait tant, ferait n'importe quoi pour s'y retrouver au moment présent. Mais « *il* » lui interdisait toute sortie hors de la propriété, laquelle semblait barricadée et très bien gardée. Chaque allée et venue était contrôlée, pour son bien lui avait-on expliqué.

« *Il* » avait terriblement peur de la perdre une seconde fois cet homme un-peu-fou-mais-si-gentil qui s'était mis dans la tête qu'il avait retrouvé sa fille bien-aimée, portée disparue suite à un crash aérien, le jour où il avait vu Samantha à la sortie d'une boutique du centre-ville. Pour éviter tout malheureux incident, il fallait attendre qu'elle recouvre sa mémoire. Il ne voulait pas la perdre une seconde fois.

Samantha croyait avec raison qu'il craignait plutôt qu'elle se sauve puisque ayant toujours nié être Jennifer, elle ne démontrait aucun signe de progrès. Elle avait essayé de faire semblant, mais ça n'avait pas fonctionné, car elle ne pouvait expliquer des faits ou raconter des souvenirs qui unissaient ces gens à Jennifer. D'un naturel optimiste et croyant fermement qu'elle retrouverait sa mémoire un jour ou l'autre, il usait de beaucoup de patience à son égard. Mais s'il la gâtait énormément, il était également très ferme et n'avait jamais cédé à ses requêtes pour quelque sortie que ce soit à l'extérieur de la propriété, laquelle, entourée d'arbres assurément centenaires, ne paraissait posséder aucun proche voisin.

Perdue dans ses pensées, Samantha n'avait pas vu le temps s'écouler lorsqu'un cliquetis se fit entendre dans la serrure de la porte. Surprise, elle détourna les yeux de la glace qu'elle regardait encore sans la voir et dirigea son regard vers le bruit. Concentrée, elle n'avait pas entendu les pas venir. Elle était pourtant familière aux pas de la chère Nanny qui devait lui apporter son repas.

Lentement la porte s'ouvrit. Un visage aux tempes grisonnantes, dont les yeux verts s'harmonisaient avec les cheveux poivre et sel, apparut dans l'entrebâillement, rayonnant de gaieté.

— Bonjour ma Jennifer chérie !

— Bonjour M. Lacroix, fit-elle sur un ton moins enjoué que son interlocuteur. Elle ne pouvait se résoudre à accéder à la demande de ce dernier et l'appeler papa, ni s'abaisser à jouer cette comédie.

Le sourire de l'homme tomba. Il avança vers Samantha, la déception se lisait sur son visage.

Vêtu d'un complet gris et d'une chemise blanche à fines rayures bleu ciel, Samantha le trouva élégant. Une cravate, de couleur noire, bleue et blanche dont le dessin représentait un couple abstrait sur un quai au bord de la mer au clair de lune, venait compléter le tout. Les souliers noirs, importés d'Italie, impeccables, le guidèrent vers la chaise berçante, où il prit place.

Silencieuse, Samantha s'assit sur le rebord du lit et attendit qu'il prenne la parole. À son air affecté, elle comprenait qu'il lui préparait un petit discours. Le silence se poursuivait, durant quelques secondes qui parurent plutôt longues à la demoiselle, mais elle patienta. Il se décida enfin à parler et sa voix grave se fit entendre :

— Écoute Jennifer, voilà un bon bout de temps que tu es revenue parmi nous, à la grâce de Dieu, par je ne sais quel miracle. Je comprends que pour toi, je sois un étranger puisque, souffrant d'amnésie, tu ne peux établir de contact avec tout ce qui a rapport, de près ou de loin, à ton passé.

Posant ses paumes sur le lit sur lequel elle se trouvait toujours, un peu à l'écart de chaque côté et à quelques pouces derrière elle, elle fit ainsi basculer son corps en mettant son poids sur ses mains. La tête légèrement penchée sur le côté, elle prit un air sérieux, attentive à ce qu'il allait répéter une fois de plus. L'homme d'âge mûr encore très attirant, poursuivait ses propos :

— Mais crois-moi, je souffre autant que toi, sinon davantage. Le fait que tu ne me reconnaisses pas alors que moi, me souvenant de tout, que je me rappelle avoir été si proche de toi, m'est bien pénible. J'ai osé espérer qu'en cette plus longue absence, tes souvenirs…

Il ne termina pas sa phrase. Sa voix tremblait, l'émotion transperçait sa gorge. Samantha ne souhaitait pas prendre pitié de lui. Pas aujourd'hui, et ce, malgré son absence de la maison depuis plus d'une semaine ! Elle en avait assez de se laisser attendrir par ce pauvre homme en mal de sa fille chérie. Elle gardait en tête que la victime se trouvait assise sur ce lit. Peu importe les nobles raisons de sa présence en ce lieu, il était l'instigateur de son malheur.

Se levant de la berceuse, il s'avança vers elle. La jeune femme se leva à son tour et marcha à quelques pas de lui, dans la direction opposée. Elle voyait venir le scénario qu'elle avait vécu, déjà à maintes reprises au cours des six derniers mois. Il lui prendrait la main et la supplierait de se souvenir avant de la quitter sans doute pour pleurer en cachette d'elle.

— Ne te sauves pas ma chérie commença-t-il doucement. Je ne désire qu'une chose. Reconnais que j'ai été patient jusqu'à présent. Maintenant, j'en ai assez que ma propre fille me traite en parfait inconnu et m'appelle « *monsieur* ».

S'en était-il rendu compte? Samantha ne le savait, mais constata son ton de voix haussé, l'impatience qui pesait lourdement dans ses propos et recula d'un pas, instinctivement.

L'autre continuait son monologue sur le même ton, tentant toujours de l'approcher.

— Ne peux-tu pas m'appeler « *papa* », pourquoi ne te rappelles-tu pas de l'histoire de ta vie que nous t'avons, Nanny et moi, si souvent racontée? Je suis désespéré continua-t-il sur un ton un peu radouci. Tu me manques tellement. Fais un effort cette fois. Cherche, fouille dans tes souvenirs! Appelle-moi Papa. Peut-être qu'à force de le dire les souvenirs de ta vie reviendront.

— Justement, je m'en souviens, je la connais par cœur la vie de Jennifer, mais ce n'est pas mon histoire. C'est l'histoire d'une autre qui n'est plus de ce monde. Elle est morte, monsieur Lacroix, M-O-R-T-E épela-t-elle. Acceptez-le une fois pour toutes et laissez-moi partir, bon Dieu. Il s'agit purement d'une coïncidence, d'une parfaite ressemblance sans plus. C'est à vous de faire un effort et d'accepter que je sois quelqu'un d'autre que Jennifer Lacroix.

Elle criait presque et avait la désagréable sensation de se répéter. Elle était, cette fois, à la différence des autres, au bord des larmes. Elle n'en pouvait tout simplement plus. La peur de devenir folle la hantait fréquemment. L'espoir de pouvoir s'en sortir diminuait. Elle ne se sentait soudainement plus capable de rester optimiste. On ne la retrouverait pas. Les recherches avaient cessé, elle en était persuadée. Il s'était écoulé trop de temps. Mais d'un autre côté, elle refusait d'admettre que ses parents, que Marc-Alec l'aient abandonnée complètement.

D'abord secoué, puisque le prenant en pitié dans cette situation complexe elle n'avait jamais élevé la voix en sa présence, il réagit finalement, calmement, mais le regard sévère qu'il posa dans celui de la jeune fille exprimait une grande colère.

— Je ne pense pas obtenir quelque chose de ta part, ni même avoir une conversation décente avec toi, vu l'état dans lequel tu t'es mise commença-t-il, ignorant qu'il avait élevé la voix le premier. Je ne tolérerai, en aucun cas, que tu me parles sur ce ton, même si dans ta petite tête je ne suis pas ton père. Je reviendrai lorsque tu te seras calmée et j'ose espérer que tu te montreras plus réceptive. Moi qui se faisait une joie d'être rentré plus tôt que prévu, acheva-t-il en se dirigeant vers la sortie.

Avant de refermer la porte, il lui dit, d'une voix imprégnée de sa douceur habituelle, ses yeux vidés de toute colère :

— Tu devrais te reposer, ton état ne requiert aucunement cette colère dont tu es la proie.

Samantha, à présent debout près de la commode, jouait machinalement avec le cadran blanc en forme de cœur, qui autrefois appartenait à la fille de monsieur Lacroix. De la tête, elle acquiesça sans le regarder et la porte se referma. Elle n'avait pas essayé de lui rappeler qu'il s'était fâché avant elle, ça n'aurait servi à rien.

Aussitôt des larmes amères de douleur, de tristesse et de rage coulèrent sur ses joues.

Elle regrettait que la discussion se soit terminée ainsi. Si presque chaque fois leurs conversations se terminaient mal cette fois c'était pire. Elle prenait généralement en pitié cet homme qui faisait d'elle une fixation, mais qui dans le fond, ne lui souhaitait aucun mal et se montrait même bon avec elle. Mais aujourd'hui sa compréhension avait atteint ses limites. De plus, elle n'avait rien entrepris pour le retenir afin de s'excuser ainsi qu'elle en avait l'habitude. Mais elle était tellement lasse de ces conversations qui revenaient toujours au même.

Elle n'avait rien tenté, car la douleur la rongeait affreusement. Malgré sa gentillesse, les bons soins et les délicates attentions qu'il lui destinait, souvent à travers la gouvernante, Samantha n'en pouvait vraiment plus. Elle en avait plein le dos de jouer à essayer de devenir la Jennifer-qu'il-adorait-tant. C'en était assez d'habiter sa chambre, de dormir dans son lit, de porter quelques-uns de ses vêtements et de se faire rappeler constamment certains moments de sa vie passée.

« *Combien de temps vais-je encore tenir ? Quelqu'un me sauvera-t-il bientôt* ? » se demanda-t-elle, désespérée.

Les joues humides de chagrin, elle détourna les yeux du petit cœur blanc et releva la tête. Ses yeux s'arrêtèrent à nouveau sur la photo de la disparue. À travers la brume de larmes, elle la vit, souriante, heureuse. Elle se mit sincèrement à la détester comme elle ne l'avait jamais fait auparavant.

Empoignant le cadran-réveil en forme de cœur dans sa main droite, elle s'élança pour le jeter avec force à l'autre bout de la pièce. Cependant, elle se ravisa et cessa son mouvement. Il demeurait le seul contact avec la réalité temporelle qui la reliait à sa véritable identité. De plus, elle ne voulait alerter personne par le bruit que son acte causerait et ça ne lui serait d'aucune utilité. Elle avait besoin de cette présente solitude qui lui permettrait de verser toutes les larmes qu'elle s'était minutieusement employée à retenir en présence d'Édouard Lacroix.

Reposant le cadran-réveil à sa place, elle se précipita à son lit de bois. Recroquevillée sur elle-même, le couvre-lit recouvrant ses pieds, elle pleurait de plus belle, ses mains soutenant son ventre alourdi.

— Oh ! Marc, je t'en prie, fais-moi un signe ! Envoie-moi, à travers un geste, une parole, le message que tu penses toujours à moi ! gémit-elle.

Elle pleura longuement, le corps secoué de spasmes et de sanglots en pensant à celui qu'elle aimait, cherchant à retrouver, avec détails chaque trait de son visage. Mais, se rendait-elle compte depuis quelques temps, le visage aimé devenait flou, tellement le nombre de semaines qui les séparait de leur dernière rencontre augmentait.

Après plusieurs minutes, son corps cessa peu à peu ses tremblements, ses larmes avaient séchées et un demi-sourire se dessina sur ses lèvres sans maquillage. Puis Samantha glissa lentement, sans véritablement s'en apercevoir, dans un sommeil agité alors qu'elle rêvait du temps, où insouciante des malheurs qui lui arriveraient, elle se préparait plutôt à de beaux projets.

Chapitre 2

Une bonne nouvelle au goût amer

Elle remerciait le ciel que la nuit soit enfin terminée. Une autre, enfin. Elle imaginait que la fin de celle-ci n'arriverait jamais. C'était une nuit, comme elles se disaient souvent entre elles, à oublier. En temps « *normal* », plus d'une demi-heure se serait déjà écoulée depuis le moment où elle aurait pris le volant de sa voiture. Elle pourrait probablement être déjà confortablement installée entre ses draps. Mais il arrivait que ses fonctions l'obligent à effectuer du temps supplémentaire.

Mais elle ne s'avéra pas la seule dans cette condition. Lucie et Anita l'avaient saluée à peine quelques minutes plus tôt. Quant à Élisabeth, à qui elle avait offert son aide en la voyant se rendre à une chambre une bouteille de lait à la main, elle avait refusé avec reconnaissance, affirmant qu'elle terminait également.

Après s'être lavé les mains, elle se rendit au vestiaire afin d'enfiler ses bottes et son manteau. Ce faisant, elle se remémora la nuit exténuante que le jour avait maintenant remplacée.

Il y eut d'abord le petit, admis en soirée pour acidose diabétique, qui exigeait beaucoup de soins. Avec les glucomètres aux heures, prélèvement d'une goutte de sang afin de mesurer le taux de sucre dans le sang, les signes vitaux, pris également aux heures, afin d'éviter tout changement brusque de la tension artérielle, il y avait fort à faire. Sans parler des poches de sérum glucosé dont il fallait reconstituer une nouvelle recette selon les résultats des glucomètres, jusqu'à la stabilité du taux de sucre sanguin.

La petite asthmatique, qui semblait pourtant stabilisée, les avait inquiétés en entrant soudainement en crise sévère. Les médecins résidents prescrivirent une perfusion d'aminophylline en continu; ce dilatateur de bronches permet à l'air de mieux passer jusqu'aux poumons et diminue les difficultés respiratoires. Il fallait, évidemment, surveiller la lente évolution.

Enfin, ce mignon bébé branché sur moniteur puisque porté à faire des périodes d'apnée durant son sommeil, avait causé de désagréables surprises, heureusement rentrées dans l'ordre grâce à leur vigilance. C'est à de telles situations qu'on peut constater qu'un enfant a réellement besoin d'un moniteur respiratoire qui sonne l'alarme dès que l'enfant va au-delà de quinze secondes sans respirer.

Les soins usuels n'étaient pas exclus non plus. Les médications à administrer, les boires à donner, les douleurs à soulager, les enfants, s'éveillant au milieu de la nuit dans un endroit inconnu, à la recherche de leurs parents, qu'on devait consoler. Même les quelques parents présents, nécessitant d'être rassurés, car inquiets du sort de leur enfant, devenaient une part importante du travail de l'infirmière.

Mais la jeune infirmière aimait son métier. Elle adorait les enfants et se valorisait à pouvoir contribuer à leur guérison. Elle n'aurait cependant pas pu s'habituer à travailler avec des petits cancéreux et les regarder mourir. D'autres, qu'elle admirait, mais avec lesquelles elle n'aurait pas changé de place, accomplissaient très bien leurs tâches.

L'infirmière acheva de boutonner son manteau de cuir. Le mois d'avril s'était pointé quelques jours plus tôt. La clémence de la température durait depuis. Néanmoins, la neige couvrait encore la majeure partie du sol. En rangeant ses souliers blancs dans son sac de coton vert, elle aperçut dans la pochette intérieure restée béante, l'enveloppe beige qu'elle avait pratiquement oubliée tellement la nuit l'avait tenue occupée. Les yeux brillants, le sourire aux lèvres, sa main la porta contre elle pendant un instant. Sans l'ouvrir, elle la remit dans la pochette du sac.

Elle quitta le vestiaire restreint, contigu au poste des infirmières, son sac sur l'épaule. En passant devant le poste, elle salua les quelques infirmières du service de jour qui finissaient de noter leur plan de travail ainsi qu'Élisabeth qui terminait ses dossiers.

À sa sortie du département, elle emprunta le large corridor qui servait de liaison jusqu'au département chirurgical, situé à l'autre extrémité. Au centre du dit corridor, deux ascenseurs, occupés à peu près continuellement, faisaient face à une sortie d'escaliers.

Habituellement, Samantha prenait l'ascenseur pour monter au sixième étage et descendait à pieds, le matin à la fin de son travail. Cette fois, trop épuisée par la nuit folle qu'elle venait de faire, elle choisit de prendre l'ascenseur qui se faisait pourtant attendre.

Bien sûr, ce n'était pas la première fois qu'une nuit semblable se présentait et la fatigue ne constituait pas l'unique raison à son choix. L'euphorie qu'elle ressentait avait contribué à sa décision. Elle la reliait à la précieuse enveloppe beige.

En appuyant de nouveau sur le bouton d'appel situé entre les deux ascenseurs, elle songeait à l'enveloppe. Annexée à l'enveloppe blanche contenant son talon de paye, elle l'avait trouvée dans son casier postal de la salle du personnel, en débutant son quart, la veille.

Elle se doutait de son contenu et avait hâte de tenir dans ses mains la confirmation de ce qu'elle présumait savoir. Elle n'en pouvait plus d'étouffer le cri de joie qui ne demandait qu'à sortir de sa gorge.

Perdue dans ses pensées, Samantha n'entendit pas les pas derrière elle.

— Penses-tu pouvoir trouver le sommeil ?

Sursautant légèrement, elle se retourna en direction de la voix. Une jeune femme du même âge qu'elle se tenait à sa gauche. Ses longs cheveux bruns tirant sur le roux ramenés ensemble par un élastique de fantaisie, assorti avec la robe bleu ciel qu'elle portait sous son manteau brun déboutonné, restaient sa fierté. Ses yeux bruns aux longs cils noirs et épais la regardaient, d'un air entendu.

— Oh! laissa échapper Samantha, surprise. Ne t'inquiète pas, après un bain chaud je ne serai pas longue à tomber dans les bras de Morphée. Je suis si crevée.

— Je ne parlais pas du tout de cette nuit d'enfer annonça la nouvelle venue fronçant légèrement les sourcils et hochant la tête en signe de négation. Elle l'avait aperçue remettre son enveloppe dans son sac et lui en fit part.

Affichant un air perplexe, Samantha détourna les yeux du cadran lumineux qui indiquait que l'ascenseur, descendant, s'arrêtait à présent au neuvième des douze étages de l'hôpital et reposa ses yeux turquoise sur son amie.

— Rassure-toi, je n'en parlerai à personne fit cette dernière en remarquant la perplexité dans son regard. Je te laisserai annoncer la nouvelle à qui tu voudras et lorsque tu te sentiras prête. En revenant vers le poste tout à l'heure j'ai cru reconnaître le logo du concours sur ton enveloppe et j'ai conclu à ta victoire, car c'en est une c'est sûr, et je suis très heureuse pour toi, crois-moi expliqua Élisabeth.

Samantha ne douta pas un instant de la sincérité d'Élisabeth et sourit. Elle ouvrit la bouche pour la remercier, mais l'ascenseur annonça son arrivée par un bruit sourd ressemblant à celui d'une sonnette d'entrée. La porte s'ouvrit et les deux femmes y pénétrèrent en se pressant auprès d'autres travailleurs déjà entassés à l'intérieur.

Dehors, le printemps leur soufflait son soleil en plein visage. Il serait chaud aujourd'hui et percerait de ses rayons les restes du tapis blanc qui semblaient décidé à ne pas partir. Çà et là, la neige fondrait enfin. Les oiseaux, revenus depuis peu de leur long voyage au sud, chantaient à travers les branches et sur les toits. Un moineau passa près d'elles et Samantha le regarda voler jusqu'à son nid dans un arbre du parc voisin du centre hospitalier pendant que son amie débitait des commentaires sur la température. La nature accompagnait son humeur. Réalisant qu'elle se laissait distraire, elle se concentra sur ce qu'exprimait Élisabeth.

— Tu sais, je n'avais pas l'intention de te cacher la nouvelle avoua ensuite Samantha, contrite.

— Je sais, t'inquiètes pas. T'avais besoin de savourer ça pour toi toute seule un moment. Je te comprends. J'aurais sûrement agi pareil à toi, la rassura sa copine.

Comme sa propre voiture était garée dans une direction opposée à celle de son amie, la jeune femme la salua chaleureusement, mais un peu distraitement avant de s'y diriger, car ses pensées ne cessaient de se tourner vers l'enveloppe qu'elle avait vraiment hâte d'ouvrir. Samantha aimait pourtant beaucoup Élisabeth. Embauchées dans la même période trois ans auparavant, elles s'étaient immédiatement liées d'amitié.

Les deux femmes n'étaient pas que collègues de travail. Elles se voyaient parfois, surtout lorsque des occasions de célébrer se présentaient. Il faut dire qu'elles les provoquaient assez souvent. Elles essayaient de nouveaux restaurants, allaient danser ou voir le dernier film. La plupart du temps leurs petits amis les accompagnaient.

Il arrivait certaines fois que les filles désirent sortir seules, mais ces derniers mois c'était plus compliqué. Avec le temps, son copain se montrait de plus en plus jaloux. S'il ne mentionnait pas qu'il détestait qu'elle sorte seule avec son amie, il s'arrangeait fréquemment pour faire partie du groupe. Cependant, à la fin du compte, Samantha estimait que leurs soirées s'avéraient toujours très réussies. C'est pourquoi elle ne prêtait pas une grande attention à la jalousie grandissante de son copain.

Après avoir fait quelques pas dans le stationnement en direction de sa petite Fiesta rouge, Samantha s'entendit interpellée par son amie.

— Samantha ma chère, il faudra fêter ça!

La jeune femme leva le pouce bien haut en signe d'assentiment, un sourire illuminant son visage et son autre main serrant machinalement son sac de coton vert contenant la précieuse enveloppe.

******

Samantha referma la porte de son appartement. Déposant en hâte son manteau sur la patère, après avoir enlevé ses bottes et mis les clés sur leur crochet, du moins elle avait essayé, mais dans sa hâte elle n'avait pas réussi et elles étaient tombées par terre, elle courut les laissant sur le parquet de bois, avec son sac vert qu'elle n'avait pas lâché, en direction du salon. Elle prit place dans une des deux causeuses qui s'y trouvaient.

Assorties l'une à l'autre, les causeuses à fond noir offraient le spectacle de minuscules fleurs roses et lilas étendant leurs pétales sur leur feuillage. Entre les causeuses, se dressait une table vitrée sur laquelle reposait une lampe de porcelaine rose, donnée par sa grand-mère, dont l'abat-jour blanc était cerné à son extrémité supérieure d'une bande de dentelle rose.

Disposées en « *L* » une seule des deux causeuses se trouvait contre le mur. En haut de celle-ci un tableau représentant un voilier voguant sur une mer légèrement agitée avait été suspendu.

C'est sur cette même causeuse, faisant face à la bibliothèque de bois verni, tout comme le plancher sur lequel reposaient les meubles, que Samantha prit place, son sac vert à la main.

Les jambes repliées sous elle, calée au fond du fauteuil et bien appuyée sur le bras de ce dernier, ses doigts nerveux cherchaient l'enveloppe dans le sac. La déchirant, elle en sortit le feuillet explicatif et le déplia d'un geste sec, sûr et rapide. Ses yeux se promenèrent hâtivement sur la lettre. Laissant échapper un petit cri, elle recommença sa lecture à voix haute, plus lentement :

Madame Samantha Cartier,

Dans le cadre de la campagne interne de levée de fonds pour la recherche médicale, les hôpitaux pédiatriques du Québec se sont associés pour établir ce qui est une première dans la province. Ce concours s'adressant seulement aux employés médicaux fut un énorme succès. Comme vous savez, pour chaque don de vingt dollars, l'employé(e) se voyait remettre un billet de participation au tirage.

Après l'appel téléphonique que vous avez reçu de madame Perron, il y a deux semaines, vous expliquant que parmi les cinquante noms tirés au hasard, dont le vôtre, vingt-cinq seraient gardés après étude de cas afin de favoriser celles et ceux qui se valoriseraient le plus. Un seul nom devait être pigé parmi ceux-là. J'ai l'honneur, madame Cartier, de vous annoncer votre victoire, car celui de Samantha Cartier fut le nom chanceux.

Chaque tirage fut effectué selon les normes par la firme Picard et Villeneuve Inc. Le concours, clôturé lors du tirage final le trente et unième jour du mois de mars, vous proclame gagnante du prix suivant:

Trois semaines en Californie, dont vous passerez les deux premières en stage de perfectionnement dans une aile pédiatrique de l'hôpital de San Francisco aux États-Unis. Le transport en avion, les couchers à l'hôtel avec petits déjeuners sont inclus dans le prix. Vous n'aurez qu'à payer les taxes, les repas non compris et vos dépenses personnelles.

Afin de vous procurer les billets d'avion ainsi que tous les détails concernant votre séjour en Californie, vous devrez rencontrer Mme Perron à son bureau, à la direction des soins aux hospitalisés, le lundi 12 avril, situé au...

Ses yeux quittèrent l'imprimerie noire qui dansait sur la feuille de papier. Dans le reste du texte, la direction exprimait sa fierté que la gagnante travaille dans son établissement, expliquait qu'elle devait se rendre au bureau de Mme Perron avec certaines cartes et/ou papiers d'identité, d'aviser si le rendez-vous fixé ne correspondait pas à sa disponibilité... Elle ne pouvait plus lire, elle rêvait déjà à la Californie qui l'attendait. Elle ne pouvait surtout pas croire encore qu'elle, Samantha Cartier était LA gagnante d'un tel tirage.

L'heureuse gagnante déposa enfin la précieuse lettre sur la petite table devant elle. Se levant lentement de la causeuse, elle se dirigea vers sa chambre à coucher, ayant presque oublié sa fatigue.

En se préparant pour dormir, elle pensa à Élisabeth. Elle avait vu juste: la petite Samantha serait probablement incapable de dormir, même si le miroir de la salle de bain lui renvoyait l'image d'une fille épuisée.

— WOW! YAOU! YOUPPPPPI! Se laissa-t-elle aller enfin, incapable de contenir sa joie plus longtemps.

— La Californie, te rends-tu compte? murmura-t-elle à l'image du miroir qui la fixait.

Samantha, étendue dans son lit depuis près d'une heure ne cessait de tourner et se retourner. Dans un soupir, n'y tenant plus, elle tendit sa main en direction du téléphone noir et blanc en forme de voiture ancienne, qui reposait sur la table de chevet en mélamine blanche et composa un numéro. Autant la prévenir tout de suite puisque le sommeil tarde à venir et je dois le révéler à quelqu'un décida-t-elle.

Assise dans son lit, elle replaça ses oreillers de manière à être plus confortable. Le combiné, tout le toit de la voiture, sur l'oreille, elle regardait les rayons solaires filtrer à travers ses stores verticaux, et éclairer les tons de vert qui constituaient sa douillette.

Sa mère l'avait aimée dès que ses yeux s'étaient posés dessus. Sur un fond blanc, des motifs de quatre verts différents allant du très pâle au turquoise, la recouvraient çà et là. Elle lui en avait fait cadeau à son départ de la maison familiale près de deux ans auparavant. Exerçant son métier, elle voulait voler de ses propres ailes et s'était cherché un appartement pas trop loin de son lieu de travail. Son père l'avait aidée à peindre les murs d'un vert pâle identique à un des tons de la douillette.

Son oreille entendait la sonnerie pour une quatrième fois, lorsqu'on décrocha enfin le téléphone.

— Bureau des docteurs Doyon, Doyon et Lajeunesse, bonjour! répondit la voix qu'elle espérait entendre.

— Maman? c'est moi, Samantha, j'espérais tellement que tu sois arrivée. Écoute, tu es bien assise, j'espère, j'ai une nouvelle formidable à t'annoncer.

******

Madame Cartier écouta sans l'interrompre le récit de sa fille. Nullement mise au courant de ce fameux concours, elle en resta bouche bée. Fière de pouvoir contribuer à améliorer le sort d'enfants malades, elle avait fourni un don plusieurs semaines auparavant puis, persuadée qu'elle ne gagnerait pas, Samantha n'en avait parlé à personne sauf à Élisabeth et avait pratiquement oublié cette formidable levée de fonds et ce qu'elle pouvait rapporter. À la fin de son bref résumé, Samantha, qui n'obtenait aucune réaction, demanda:

— Maman, tu es toujours là?

— Oui, bien sûr.

— Alors? La déception s'amorçait dans le cœur de Samantha.

— Chérie, c'est merveilleux, c'est même plus que merveilleux, je ne trouve pas les mots... La surprise, j'imagine.

Samantha esquissa un léger sourire à ces paroles, mais connaissant sa mère, elle pressentait qu'il se passait bien des choses dans sa tête. Sa mère s'inquiétait à propos de tout et avait parfois une tendance exagérée à la prudence. Aussi attendit-elle la suite qu'elle devinait et qui ne tarda pas à venir.

— Samantha je suis très heureuse pour toi, mais as-tu pensé que tu serais seule dans un endroit inconnu? Je le reconnais, c'est une belle chance que tu as, mais penses-y, tu seras dans une ville inconnue, dans un hôpital inconnu, parmi des gens inconnus.

— Je te connais, maman-poule je me doutais bien que tu t'inquiéterais. Maman, j'ai vingt-quatre ans, je pense être assez intelligente et débrouillarde. Je serai sûrement accueillie par un des responsables à mon arrivée là-bas. De plus, le stage est fixé pour les deux premières semaines, j'aurai donc le temps de me faire des amis qui me conseilleront et m'aideront à apprivoiser la région.

— J'avoue que tu possèdes là un bon point. Cependant, ce sera la première fois que tu effectueras un voyage seule et avec tout ce qu'on entend ça m'inquiète.

— Chère maman, je serai très prudente et on ne doit pas s'arrêter à ces pensées sinon plus personne ne réaliserait ses rêves. Et j'ai si hâte d'y être. Je sais que je sortirai « *grandie* » de cette expérience.

— Je suis en mesure de comprendre que je peux te faire confiance, c'est juste que... Mais bon, tu as sans doute raison. Tu es plus fonceuse que je ne l'étais à ton âge et tu fais bien. Mais dis-moi, en as-tu parlé avec Robert ? demanda madame Cartier, soudain inquiète du compagnon de sa fille.

Madame Cartier connaissait son futur gendre et pour travailler régulièrement avec lui, connaissait les difficultés qu'il éprouvait à se contenir lorsqu'il se trouvait séparé de sa fille pendant quelque temps. Elle appréhendait donc la réaction qu'il manifesterait en apprenant cette nouvelle.

La jeune femme soupira. Si sa mère, qui avait toujours été très couveuse pour elle et ses frères, et cela devenait agaçant parfois, cherchait encore une raison pour la retenir ici, elle avait toutefois mis le doigt sur quelque chose qui méritait qu'on s'y arrête.

— Pas vraiment avoua-t-elle après un long silence. J'ai mentionné la levée de fonds, mais pas ma participation. J'étais si convaincue de ne pas gagner, je ne désirais pas de discussions désagréables et inutiles. La jalousie qu'il manifeste ces temps-ci l'aurait sans doute amené à essayer de me convaincre de retirer ma candidature et par le fait même, mon don, car l'idée de me voir partir seule ne l'aurait certainement pas enchanté.

— Il t'aime chérie. Il s'inquiète peut-être un peu trop, mais il ne veut pas te perdre, et si tu lui expliques calmement peut-être comprendra-t-il à quel point ce voyage est important pour toi. Cette omission de ta part ne t'a pas avancé parce que tu en es au même point. Vous aurez tout de même une discussion désagréable !

— Je sais et je n'ai pas du tout hâte. Mais ce n'est pas normal que je doive m'expliquer constamment. Lorsqu'il part à ses conférences, je ne lui fais pas de scène.

— J'imagine que pour lui ce n'est pas la même chose et il a toujours très hâte de te revoir lorsqu'il doit quitter la région. Il t'aime tellement. Il ne cesse de me le dire.

— Hum! ça tourne à l'obsession quelquefois.

— Samantha! Tu n'es pas juste, s'il s'inquiète de ton absence tu devrais être flattée qu'il t'aime ainsi. Parle-lui, il comprendra, j'en suis sûre.

Samantha n'était plus certaine que ce soit une chance et ne voulait pas discuter avec sa mère. Cette dernière avait toutefois raison pour ce qui regardait l'amour que Robert lui portait. Il le lui démontrait souvent et savait se montrer très tendre avec elle. Mais maman ne savait pas tout à propos de la vie de couple de sa fille ainée.

Samantha reposa le récepteur et se recoucha. Songeant à Robert, elle se sentait coupable de n'avoir rien révélé. Il lui en voudrait et à présent qu'elle avait gagné, il serait difficile de lui faire accepter sans devoir subir une scène, le fait qu'elle partirait pour trois semaines. Bien qu'il lui ait fait confiance à quelques reprises, il était parfois difficile d'obtenir une seule soirée sans lui, alors trois semaines seraient dures à avaler. Mais elle trouverait les mots, à moins que...

******

Elle avait vu Robert Doyon pour la première fois, plus de deux ans auparavant en allant voir sa mère à son travail. Exerçant le métier de secrétaire médicale, elle travaillait pour les pédiatres André Lajeunesse et Robert Doyon. Le fils de ce dernier, également prénommé Robert, universitaire se spécialisant également en pédiatrie, sortait du bureau de son père.

Elle avait tout de suite remarqué ses grands yeux bruns et ses longs cils, ses cheveux blonds cendrés dont les boucles encadraient son visage carré au teint légèrement bronzé. Plutôt grand, il l'avait saluée en souriant.

— Tu es sûrement Samantha! avait-il commencé. Ta mère m'a quelquefois parlé de toi.

— Ah oui? avait-elle murmuré, à demi surprise.

La mère de Samantha lui avait souri d'un air entendu et avait fait mine d'aller chercher un dossier dans le classeur du fond de la pièce afin de les laisser parler. Il avait continué de parler, sûr de lui, alors qu'elle, encore sous l'effet de surprise, semblait incapable de dire quoi que se soit.

Sa mère lui avait, à elle aussi, parlé de ce jeune fils qui se spécialisait en pédiatrie cette année-là, et souhaitait s'associer avec son père bientôt. Mais elle avait omis de lui dire à quel point il était beau. Tout en buvant ses paroles, Samantha se demandait ce que par contre, elle avait bien pu dire de sa fille à ce jeune résident, alors âgé de vingt-six ans.

Ils avaient discuté pendant une vingtaine de minutes où la jeune fille avait finalement retrouvé sa langue. Non seulement il était beau, mais elle le trouva également intéressant. Puis prétextant un examen à étudier, il était sorti, laissant derrière lui un doux parfum de musc.

Chaque matin, à la fin de son travail durant les trois jours suivants, elle n'avait pu trouver facilement le sommeil séduite par ce beau médecin, cherchant par quel moyen subtil elle pourrait le revoir. Au matin du quatrième jour, un vendredi, et dernière nuit de travail avant son long congé pour la fin de semaine, déçue de n'avoir fait aucun effet sur lui, elle s'était endormie rapidement s'efforçant de ne plus penser à lui.

Ce soir-là, elle se préparait à sortir avec Élisabeth pour célébrer l'anniversaire de cette dernière quand la sonnerie du téléphone retentit. Certaine qu'Élisabeth annonçait un petit retard, comme souvent, elle répondit:

— D'accord je te prendrai une vingtaine de minutes plus tard, Élisabeth.

— Élisabeth?

La voix l'interrogeant à l'autre bout du fil n'avait rien de celle de son amie. Elle aurait reconnu cette voix n'importe où, n'importe quand. Mal à l'aise suite à cette méprise, elle écoutait son interlocuteur poursuivre avec un brin d'humour:

— J'ai dû changer de sexe en composant le numéro, car j'étais encore un garçon en sortant de la douche!

— Pardon Robert, c'est que je ne m'attendais pas à ton appel s'excusa-t-elle en songeant que plutôt, elle ne l'attendait plus.

— Je vois bien et je suis content de constater que l'appel attendu ne provient pas d'un gars.

Samantha réalisa à ce souvenir qu'avant même qu'ils soient ensemble, il faisait déjà preuve de jalousie. Mais elle n'y avait pas porté attention. Puis elle se rappela qu'elle avait émis un petit rire gêné. Son cœur battait à tout rompre et elle attendait avec impatience de savoir ce qu'il voulait. Robert ne la laissa pas s'impatienter longtemps.

— Écoute, je m'excuse de te déranger, mais j'aimerais t'inviter à venir voir avec moi un spectacle d'humour.

— Ce soir?

— Non, demain. Je suis conscient de te le demander à la dernière minute, mais je les ai achetés d'un ami, hier qui n'était plus libre pour y aller. Et j'ai osé penser que tu accepterais de m'accompagner. J'aimerais beaucoup te revoir…

Samantha, le poing serré contre elle, les yeux fermés, le sourire aux lèvres avait accepté après l'avoir laissé languir plusieurs secondes. C'est ce fameux soir que leur idylle avait débuté. Ils avaient été bien ensemble jusqu'à récemment. Bien qu'il en ait fait légèrement preuve dès le début de leur relation, le jeune homme se montrait de plus en plus possessif et lui avait fait subir quelques accès de jalousie que Samantha comprenait difficilement.

Et maintenant, ce qu'elle aurait à lui révéler au sujet du voyage en Californie n'allait pas s'avérer une petite affaire. Mais il finirait bien par comprendre.

— Il le faut, pensa-t-elle tout haut. Sentant l'épuisement la gagner, elle s'endormit enfin et rêva que Robert l'avait accompagnée à l'aéroport et lui souhaitait un bon voyage, un immense sourire sur les lèvres.

******

Lorsqu'il revint de sa conférence, le lendemain soir, la première chose à laquelle il pensa, fut de lui téléphoner. De son petit appartement, situé non loin de la maison de ses parents, il composa le numéro de sa bien-aimée.

Finissant cette année, il avait été invité pour la deuxième fois à une conférence sur les maladies infantiles. C'est avec joie et fierté qu'il s'y était rendu pour la fin de semaine, avec toutefois un brin de tristesse, car il s'éloignait de Samantha.

Ayant passé par toute une gamme d'émotions pendant la fin de semaine, celle-ci avait mal dormi durant la journée. Décidée à se refaire un peu d'énergie, elle s'était recouchée pour quelques heures en soirée avant de devoir se rendre à son travail. Lorsque son téléphone-auto sonna à côté d'elle, Samantha dormait profondément, rêvant avec délices aux multiples joies que lui offrirait la ville de San Francisco.

Émergeant difficilement de son sommeil, elle chercha le récepteur à tâtons. Reconnaissant celui à qui elle parlait, elle se réveilla brusquement. Samantha déglutit. Un goût amer emplit sa bouche, car elle réalisa que les mots, maintes fois répétés mentalement, se coinçaient dans sa gorge.

Chapitre 3

J'ai vraiment gagné!

On l'introduisit dans une petite pièce comprenant un grand bureau et deux classeurs à trois tiroirs. Deux fauteuils attendant des invités éventuels se trouvaient devant le bureau. La jeune femme qui la fit entrer la pria de s'asseoir en attendant que Madame Perron revienne. La secrétaire referma la porte sur elle et demeurée seule, Samantha laissa errer son regard dans la pièce.

En admirant la décoration, Samantha pouvait presque deviner la personnalité de sa propriétaire. Décorés simplement et modestement, ses murs aux deux tons de coquille d'œuf et de beige ne comprenaient aucune tapisserie. Derrière le siège réservé à l'occupante des lieux, une peinture représentant le Rocher Percé avait été accrochée en haut dans la partie coquille d'œuf. Sur le bureau de style moderne séparant son propre siège du fauteuil de la propriétaire, Samantha pouvait lire sur une plaquette dorée: Micheline Perron. Juxtaposée à son nom, une photo encadrée montrait trois enfants souriants.

Madame Perron ne fut pas longue à revenir et après avoir bien vérifié l'identité de Samantha à l'aide de sa carte d'hôpital, lui présenta les documents nécessaires. Après lui avoir expliqué en détail les procédures du stage et du voyage, elle lui assura qu'elle serait bien prise en charge une fois sur les lieux. Madame Perron lui demanda ensuite si elle avait des questions à lui poser.

— Ça me semble assez clair. Je n'en ai pas pour le moment, mais si après avoir parcouru le feuillet il m'en vient, je vous contacterai.

— Alors d'accord. Il ne vous reste qu'à signer ici, dit-elle en dessinant un «*X*» dans le bas d'une feuille rose. Elle atteste que l'on vous a bien remis les billets et bons de réservation, ajouta-t-elle en guise d'explication.

Après avoir parcouru rapidement le feuillet rose, Samantha signa en tremblant d'émotion, réalisant qu'elle avait réellement gagné un prix qu'elle n'avait jamais osé espérer.

Déchirant la copie originale le long des pointillés, madame Perron la mit de côté, prit l'autre copie la plia et la mit dans l'enveloppe où se trouvaient les autres documents qu'elle tendit à une Samantha heureuse et enchantée.

En se levant, madame Perron dévoila son tailleur bleu poudre sous lequel une blouse de soie blanche révélait son goût à la fois sobre et bon pour les vêtements. Parmi ses cheveux noirs relevés en chignon, Samantha put distinguer quelques mèches grisonnantes, qui au contraire de la vieillir lui allaient à ravir.

Samantha prit la main que la femme lui tendait.

— Il ne me reste plus qu'à vous féliciter pour cette chance inouïe et de vous souhaiter un très bon voyage. C'est une belle expérience que vous vous apprêtez à vivre.

— Ne vous en faites pas, j'en suis très consciente. Je suis tellement heureuse et j'ai hâte de partir.

— Dans moins de deux mois commenta Micheline Perron souriant de l'enthousiasme de la jeune personne devant elle.

— Hé oui! fit Samantha dans un souffle, rêveuse. Merci beaucoup, je ferai sans doute un beau et bon voyage.

En disant ceci, la jeune fille n'avait aucune idée de ce que le destin lui réservait lors de cette fantastique expérience.

— Bonne nuit quand même, lui souhaita Micheline Perron d'un sourire entendu lorsque Samantha fut sur le point d'ouvrir la porte.

Sachant que la jeune infirmière venait de terminer son travail, elle s'imaginait bien que ce surcroît d'enthousiasme s'avérerait un obstacle à son sommeil.

Saluant et remerciant encore la dame de sa gentillesse, elle quitta le bureau de la présidente des soins infirmiers en serrant dans sa main l'enveloppe contenant son rêve, ses heures de sommeil perdu, son enthousiasme, en fait une partie de son âme et de son cœur.

Dans le hall situé à l'entrée du corridor d'administration qu'elle venait de laisser, elle s'arrêta pour ranger l'enveloppe dans la pochette interne de son sac. Ce faisant, Samantha ne pensait plus, depuis quelques temps déjà, à la querelle qu'elle redoutait, et qui s'amorcerait entre elle et Robert lorsqu'il apprendrait la nouvelle, car elle n'avait pas trouvé les mots pour lui annoncer son départ prochain pour San Francisco et ne lui avait encore rien avoué.

******

Robert, assis sur la causeuse du fond la regardait placer le vase rempli des orchidées pourpres qu'il venait de lui offrir, sur une tablette d'une des deux unités murales du salon. Samantha sentait l'inconfort installé entre eux et prenait son temps pour placer les fleurs de part et d'autres du vase. Ils s'étaient vus rapidement le lendemain du retour de Robert. Fidèle à ses habitudes, s'ils se parlaient fréquemment, ils se voyaient peu lors de sa semaine de travail, elle avait donc préféré attendre son congé la fin de semaine suivante pour lui annoncer la nouvelle.

Le jeune homme, qui avait recommencé le récit de sa longue fin de semaine, ajoutant multiples détails, immédiatement après avoir embrassé et serré contre lui sa compagne à son arrivée avait cessé son bavardage. Silencieux, il l'observa jusqu'à ce que son auditrice, plaçant toujours les fleurs constate son mutisme et sente les yeux plaqués dans son dos.

— Continues chéri. Je t'écoutais tu sais. Tu disais que le médecin conférencier avait un sens de l'humour qui donnait encore plus de vie à son discours déjà très intéressant.

— Je constate en effet que tu m'écoutais, sauf que j'ai l'impression que tu n'es pas complètement présente. Je te connais suffisamment pour savoir que quelque chose te tracasse.

Samantha tenait toujours le vase d'une main, l'autre allant délicatement çà et là sur les fleurs. La jeune femme décela la pointe d'agacement lorsqu'il la rappela à l'ordre dans un quasi chuchotement.

— Les orchidées sont très bien ainsi Samantha.

Voyant l'insuccès de sa tentative pour la détourner des orchidées, il tapota doucement la place à côté de lui.

— Viens t'asseoir, ma colombe. Dis-moi ce qui ne va pas, l'invita-t-il sur un ton plus doux.

Samantha délaissa finalement les fleurs, laissa tomber ses bras et avança lentement vers la causeuse ne sachant par où commencer.

— Oui tu as vu juste. J'ai quelque chose à t'annoncer et ça m'inquiète.

Le regard triste et compatissant de Robert changea. Les yeux inquiets, et interrogateurs, il se redressa sur la causeuse, mais son expression changea lorsqu'il comprit, ou crut comprendre.

— Oh ma chérie tu es enceinte ! s'exclama-t-il les yeux brillants d'un bonheur non feint. Tu ne dois pas t'en faire pour ça. Tu sais très bien que je t'aime et que je ne te laisserai pas tomber. Nous avions prévu nous marier l'an prochain et absolument rien n'est changé à ce sujet. C'est aussi mon enfant et je vous adorerai tous les deux...

Décontenancée par la réaction inopinée de Robert elle était d'abord restée sans voix. Tellement loin de s'attendre à ce qu'il pense à ça, elle mit un peu de temps à se ressaisir.

— Arrête, le coupa-t-elle enfin, réalisant pour elle-même qu'ils n'avaient pas discuté sérieusement de mariage non plus. Tu n'y es pas.

Croyant deviner soudain, au ton qu'elle venait d'utiliser, la possibilité de ce qui pour lui équivalait à la catastrophe, il se leva et exécuta quelques pas dans le salon. Hochant la tête négativement à plusieurs reprises il se retourna vers celle qui se trouvait sur le canapé. Les sourcils froncés, il s'avança vers elle. Samantha réfléchissait afin de bien choisir ses mots, car elle sentait la colère se profiler.

— Ce n'est pas mon enfant n'est-ce pas? l'interrogea-t-il en fin de compte avant qu'elle n'ait eu le temps de prononcer quoi que ce soit.

La question tomba lourdement dans l'appartement. Surprise par la tournure que prenaient les évènements, Samantha eut une irrésistible envie de rire, mais n'en fit rien. Après tout il l'accusait, à tort, d'infidélité.

— Robert, Robert, tu n'y es pas du tout. Je ne suis pas enceinte et je ne t'ai jamais été infidèle non plus. Tu me connais pourtant ajouta-t-elle d'un ton ferme pour lui faire comprendre qu'il n'avait pas raison de se montrer jaloux.

Soulagé, il alla rapidement s'asseoir à ses pieds et apposa sa tête sur les genoux de Samantha.

— Pardonne-moi d'avoir un instant douté de toi. Je ne voulais y croire, mais tu me semblais si troublée que...

Il n'acheva pas sa phrase et Samantha, hésitante, passa sa main dans les cheveux du jeune homme. Elle détestait ces scènes, mais les souvenirs des bons moments entre eux prenaient le dessus.

— Mais que se passe-t-il alors? demanda-t-il en levant les yeux vers le visage aimé.

Rassemblant enfin tout son courage Samantha entreprit de tout lui raconter. L'invitant d'abord à s'asseoir près d'elle, la jeune femme attendit qu'il soit installé. Elle ne chercha pas à retirer ses mains que le jeune médecin venait de prendre dans les siennes comme pour l'encourager à parler d'une chose qu'il pressentait difficile.

— Je t'ai vaguement parlé, il y a quelques mois, d'un tirage organisé par les hôpitaux pédiatriques du Québec au profit des recherches sur les maladies infantiles.

En parlant, elle avait remarqué son clignement des yeux à peine plus long que d'habitude. Elle avait également senti les mains de Robert se resserrer légèrement et de façon passagère sur les siennes, mais elle poursuivit le devinant accroché à ses paroles.

— J'ai participé à ce tirage. Je croyais sincèrement mes chances si minces que je ne t'en ai pas parlé... Je me sentais seulement heureuse d'avoir offert un don pour la recherche.

Samantha voyait les traits de son visage se crisper, mais il continua de l'écouter même croyant connaître la conclusion de son récit. Alors le plus doucement possible elle poursuivit.

— Mais le contraire est arrivé. J'ai gagné ce concours. Moi, Samantha Cartier, j'ai vraiment remporté ce concours. Je sais que tu m'avais conseillé de ne pas participer puisque le gagnant part seul et que tu t'inquiétais pour moi. Mais je l'ai fait parce que j'avais et j'ai toujours envie de cette expérience. J'apprendrai beaucoup autant sur le plan professionnel que culturel. C'est une chance inouïe qu'on m'accorde et elle ne reviendra pas. Et c'est décidé Robert, je partirai. Je suis une adulte responsable, je veux décider quoi faire de ma vie et je n'ai pas besoin de ta permission pour effectuer ce voyage. Je pars pour la Californie le mois prochain pour trois semaines, mais je reviendrai. Nous nous aimons Robert. Tu dois me faire confiance. Si tu ne peux plus me faire confiance, alors ... alors...

Samantha ne savait plus comment évoquer la possibilité d'une rupture. Elle le fixait souhaitant qu'il parle enfin.

Il demeurait silencieux, le temps de bien mesurer ses paroles. Après de longues minutes, il lui demanda si elle était consciente du sous-entendu qu'elle venait de mentionner, si c'était là son dernier mot. Comme elle acquiesçait, il répondit qu'il devait y réfléchir. Puis sans rien ajouter il s'était levé.

Elle l'avait regardé prendre son manteau et l'espace d'un instant, elle avait cru voir ses yeux lancer des éclairs de colère. Il la quitta en claquant la porte sans un autre regard derrière lui. Pour lui, d'une certaine manière, Samantha l'avait trompé.

Pour cette raison et pour la longue séparation lourde de la possibilité de la perdre, sa colère l'emportait sur son raisonnement. Alors il préférait la quitter sans dire un mot pour le moment, de peur de le regretter par la suite.

Samantha, que ce silence blessait davantage que les paroles qu'il aurait pu proférer, se laissa tomber sur le canapé et pleura longuement. Le torrent de craintes, d'angoisses, de tristesse et de fatigue coula à flot de ses beaux yeux verts. Il ne comprendrait donc jamais qu'il s'enlisait, qu'au lieu d'essayer de la garder auprès de lui, il tuait son amour à petit feu?

Chapitre 4

Un curieux visiteur

À son réveil, Samantha se sentait mieux. Elle n'aurait pu dire combien de temps ses larmes avaient coulé. Elle présumait cependant, que ses pleurs s'étaient prolongés sur une grande période, car l'oreiller en portait encore leur trace humide.

Étendue en position latérale face au mur, elle ramena son bras gauche vers son visage pour regarder d'un geste automatique sa montre, dont la pile morte depuis des lustres lui semblait-il affichait toujours la même heure. Un léger bruit de froissement de tissus parvint à ses oreilles et acheva de la réveiller.

Lentement elle se retourna et aperçut la douce figure aux cheveux gris qui s'approchait d'elle. Souriante, la vieille dame trichait sur son âge avec son visage à peine ridé. Ses doigts usés par ses soixante-douze années et surtout par les multiples tâches ardues qu'ils avaient accomplies, s'amusaient, comme souvent, à froisser le tablier blanc à minuscules fleurs mauves qu'elle portait régulièrement par-dessus sa robe.

Sursautant légèrement, la jeune fille se redressa sur ses coudes et sourit à la nouvelle venue.

— Pardon chérie, je ne voulais pas t'effrayer. Tu dormais assez profondément; j'ai frappé à deux reprises en t'appelant sans obtenir aucune réponse, alors je me suis permis d'entrer. J'étais inquiète, Jennifer.

— Pauvre Nanny ! tu t'inquiètes toujours pour moi. Je l'apprécie. Mais comme tu vois, il ne m'est rien arrivé. Et il ne pourra jamais rien m'arriver tant que je serai enfermée dans cette chambre pensa-t-elle.

Si Nanny avait décelé le ton un tant soit peu amer de Samantha, elle n'y fit pas allusion. Prenant place sur le rebord du lit, elle déposa une main sur le genou de sa protégée qui s'était complètement assise dans son lit.

— Monsieur Lacroix m'a parlé de la petite altercation que vous avez eue cet après-midi. Te connaissant, je suis persuadée que tu ne désires pas manger avec lui ce soir, alors je t'apporterai ton plateau dans ta chambre.

Samantha acquiesça, reconnaissante.

— Il y a autre chose pour laquelle j'étais venue te parler. Le docteur Saint-Onge a téléphoné pour confirmer le rendez-vous d'aujourd'hui. J'espère que tu ne l'avais pas oublié?

Samantha ne répondit pas tout de suite et afficha un air de réflexion. Elle avait pratiquement oublié ce psychologue connu d'Édouard Lacroix, qui la visitait à chaque semaine pour l'aider à retrouver la mémoire plus rapidement. Ce qui semblait un fiasco au grand désespoir de monsieur Lacroix vu l'absence de progrès. Samantha, têtue, persistait à vouloir les convaincre qu'elle n'était et ne serait jamais Jennifer. Elle ne souhaitait nullement jouer leur jeu.

Comme il devait s'absenter de la ville pour plusieurs jours, il y avait près de deux semaines qu'elle ne l'avait pas vu. Et comme son « *prétendu père* » n'avait confiance qu'en cet homme, elle n'avait pas eu d'autre séance avec qui que se soit. Elle n'avait pas détesté ce petit répit.

— Suis-je vraiment obligée de poursuivre ces séances?

Dans un soupir, Nanny lui répondit à peu près ce qu'elle lui avait répondu lorsqu'elle lui avait posé cette même question au début de la psychothérapie quelques semaines plus tôt.

— Oui Jennifer. Tu sais très bien que ce thérapeute travaille pour toi. Il t'aidera à te retrouver telle que tu étais, telle que tu vivais avant cet accident d'avion atroce. Le travail que ce professionnel accomplit en te faisant parler te remémorera progressivement ta vie antérieure à cette catastrophe aérienne.

— Mais nous ne faisons aucun progrès.

— Tu sais également que le recouvrement de ta mémoire est un long processus et qu'il nous faut tous être patient. Les gens qui t'ont recueillie suite à l'accident t'ont initiée à une autre vie. N'ayant aucun moyen de t'identifier, ils t'ont créé un passé, un présent et un futur auxquels tu t'es accrochée. Mais tu dois revenir à la vie qui t'appartient, parmi ceux qui t'ont vu naître.

— À quelle heure viendra-t-il? se rendit Samantha sachant que la partie était perdue.

— Si ça te va, il passerait vers les vingt heures.

— Si ça me va? Nanny, tu sais très bien que mon agenda ne contient que des pages blanches et je passe mes journées à ne rien faire, enfermée ici et tu en es pleinement consciente, s'impatienta Samantha.

— Pardon Jennifer chérie; c'était une simple formalité. Ne t'emporte pas ainsi. Je peux comprendre ton désarroi, mais les conditions dans lesquelles tu as été mise t'ont été expliquées plusieurs fois et je ne vais pas m'y remettre. Tu deviens amère avec moi et...

— Pardon l'interrompit-elle d'une voix douce. Je ne veux nullement te blesser, mais je suis au bord de la crise de nerf. Va pour vingt heures, mais j'aimerais rester seule pour l'instant s'il te plaît.

— D'accord. Repose-toi encore, tu as dû avoir un sommeil agité. Je reviendrai avec ton souper dans environ une demi-heure.

— Merci Nanny, murmura-t-elle dans un sourire forcé où ses yeux ne reflétaient que tristesse.

Elle ne regarda pas la dame s'en aller. Nanny, qui avait d'abord hésité à se lever, lui passa gentiment la main dans les cheveux et quitta la jeune fille le cœur gros, dans le frou-frou habituel de ses jupons.

Plus tard après le repas de poulet que lui avait servi la gouvernante, assise sur la berceuse, elle parcourait un des multiples livres que

Nanny lui apportait de la grande bibliothèque familiale chaque semaine. Traitant de sujets différents, ils consistaient en comédies, biographies, aventures, technologies modernes ou médicales, sciences-fictions, mais surtout en romans d'amour.

Celui qu'elle avait entre les mains, drame biographique, lui faisait découvrir Samuel Cunard, l'homme qui contribua à l'essor des bateaux à vapeur. Il s'avérait un bouquin fort intéressant, mais elle n'arrivait pas à se concentrer tout à fait.

La sonnette de l'entrée principale interrompit la savante lecture qu'elle tentait d'effectuer. Sa chambre se trouvant à proximité du hall d'entrée, Samantha entendait souvent cette sonnerie. La chansonnette aux ding-dongs répétitifs se termina enfin. Son premier réflexe fut de lever les yeux vers le fameux cadran en forme de cœur. Elle n'en revenait pas. Le psychologue s'amenait avec une avance de vingt minutes. Reconnu pour ses retards, Samantha se demandait bien ce que lui valait ce rendez-vous hâtif. Déposant son livre sur la commode à côté de la chaise berçante, elle se leva et avança lentement, sans bruit, pour écouter contre la porte la raison de cette avance.

— Bonsoir M. Lacroix. Alors, d'autres résultats? fit une voix étouffée qu'il lui sembla pourtant connaître.

Ce constat l'intrigua et elle espéra que cette voix probablement familière se fasse entendre à nouveau.

— Viens dans mon bureau, nous serons plus confortables pour en discuter.

L'oreille collée sur la porte, elle pria silencieusement pour que la voix prononce d'autres mots, ce qui pourrait l'aider à l'identifier. Mais en vain. Aucune autre parole ne fut prononcée. Elle n'entendit que le bruit décroissant des pas des deux hommes qui se dirigeaient vers le bureau, lequel se trouvait, elle l'avait deviné, à l'autre bout du couloir faisant face au hall d'entrée.

La voix retentit à nouveau dans sa tête. « *Bonsoir monsieur Lacroix* ». Toujours appuyée contre la porte, elle se répétait la phrase en elle-même, cherchant à associer cette voix à un visage connu.

Persuadée qu'elle connaissait cette voix, Samantha fouillait dans sa tête, mais demeurait impuissante à trouver une réponse.

Retournant s'asseoir, elle conclut finalement que probablement cet homme devait être une connaissance de celui qui la gardait enfermée chez lui. Cet homme, n'étant certainement pas à sa première visite dans cette demeure, elle avait sans doute retenu cette voix dans son subconscient.

Reprenant son livre, la jeune femme se remit à lire. Après quelques lignes, incapable de se concentrer, elle le referma. Une deuxième possibilité s'offrait à elle, ce qui la laissait perplexe: réellement inconnu d'elle, il se présentait ici pour la première fois, mais possédait une voix à peu près identique à quelqu'un qu'elle avait déjà rencontré. Mais qui? Samantha n'était pas plus avancée. Elle tournait en rond ragea-t-elle.

— Je ne suis pas amnésique pour vrai tout de même murmura-t-elle pour se rassurer en fronçant ses sourcils. Malgré que certains puissent en être persuadés, je ne le suis pas, ajouta-t-elle en se référant aux habitants de cette maison.

N'arrivant à aucune réponse satisfaisante, Samantha s'était obligée à abandonner et à se concentrer de nouveau sur sa lecture. Elle avait réussi lorsqu'une demi-heure après, le psychologue fit son entrée dans la maison. En entendant la sonnette, cependant la voix entendue plus tôt lui revint en mémoire apportant avec elle le lot de questions que Samantha s'était posées. Et elles trottaient encore dans sa tête pendant qu'elle suivait Nanny jusqu'au salon où elle rencontrait le thérapeute.

Chapitre 5

Un psychologue compréhensif

Parce qu'ils restaient seuls au moment de leur rencontre et par égard pour elle, son «*père*» avait aménagé un petit studio afin d'éviter toutes tentatives d'élans intimes et irrespectueux qu'aurait pu avoir le thérapeute envers sa cliente, s'ils s'étaient rencontrés dans sa chambre. Dans ce même ordre d'idées, il avait équipé le studio de deux fauteuils à une place aux coussinets de velours bourgogne assortis au tapis. Pour plus de précautions, supposait-elle, on les avait séparés par une table en chêne massif.

Samantha lui en avait été très reconnaissante, car leur première rencontre lui avait inspiré une certaine crainte. En effet, ce grand brun barbu aux cheveux un peu longs l'avait impressionnée. Ses mains larges qui cachaient complètement les siennes lorsqu'il lui serrait la main et ses épaules d'une telle carrure l'avaient enveloppée d'un malaise indéfinissable. Mais au fil des rencontres, elle avait apprécié sa gentillesse. Et elle lisait la douceur dans les yeux noirs entourés d'épais cils de la même couleur.

Il tenait la planchette qui lui servait de table sur ses genoux quand Samantha le rejoignit, escortée comme chaque fois par Nanny et Bruno qui servait à la fois de chauffeur et d'homme à tout faire. Un peu à l'écart de lui contre le mur d'en face, sur une petite bibliothèque, seul autre meuble de la pièce, quelques livres, photos et objets personnels de Jennifer y avaient été déposés afin de stimuler sa mémoire.

À sa vue, il se leva. Du haut de ses six pieds, ses yeux noirs, au même regard troublant que celui tenant à pénétrer à l'intérieur de vous et découvrir tous vos petits secrets, la fixaient pendant que son énorme main l'invitait à s'asseoir.

Elle prit la serviette portative du médecin qu'il avait laissée sur le fauteuil libre et après l'avoir déposée près du fauteuil de son propriétaire s'installa dans le sien et croisa les jambes. S'excusant se son oubli, ils se firent les salutations d'usage pendant que Bruno refermait la grosse porte de bois sculptée derrière lui et Nanny.

Le rôle de l'homme consistait à poser quelques occasionnelles questions pour inciter sa jeune cliente à s'exprimer, et donc parlait peu lors de leurs entretiens. Samantha, qui avait vainement espéré le ranger de son côté en lui expliquant la vérité à deux ou trois reprises, n'ayant plus rien à dire, ne répondait plus aux attentes de ce dernier et demeurait muette la plupart du temps.

Elle avait su que ses espoirs s'avéraient sans issue quand elle avait entendu le médecin s'entretenir avec monsieur Lacroix à la fin d'une rencontre et lui expliquer que sa fille, très malade, aurait beaucoup de travail à effectuer avant de retrouver sa mémoire. Aussi fut-elle confortée dans sa décision de ne plus participer activement à ces séances. Le silence avait donc beaucoup meublé leur dernière rencontre.

À sa grande surprise, brisant le silence quelques secondes à peine après que la porte fut refermée, il se fit presque suppliant.

— Je vous en prie mademoiselle, dites-moi si une fois de plus je dois me buter à votre mutisme. J'ai beaucoup de travail qui s'est accumulé sur mon bureau. Je ne peux venir ici éternellement et si cette rencontre doit vous être une fois de plus inutile, si vous ne faites rien pour vous aider…

— Ce que je me tue à vous dire est vrai, je ne suis pas sa fille ! Je n'ai pas d'autre identité que celle que je vous répète depuis le début de nos rencontres dit-elle brusquement en revenant à la charge malgré elle. Je n'ai jamais été Jennifer Lacroix.

Il ne fit aucun commentaire. Gardant le silence, il s'affairait à sortir papier et crayon de sa serviette. Le pressentant tout de même attentif à elle, Samantha poursuivit :

— Je lui ressemble énormément par un curieux hasard, mais ça s'arrête là. Nos vies sont totalement différentes. J'avais ma vie à moi, une enfance à moi, un métier autre que le sien dit-elle en décroisant ses jambes.

— Oui je sais; infirmière, fit-il sur un ton mi impatient, mi moqueur.

— Oui, bien sûr je vous l'ai déjà raconté fit-elle penaude. Mais avouez que cette histoire paraît impossible. Sa fille ne peut être de retour. Dans cet accident affreux il n'y avait pas un survivant

— Qu'ils ont dit!, mais je concède qu'en effet, ça relèverait du miracle. Mais il y a déjà eu d'autres miraculés. Et puis quelques corps n'ont pas été retrouvés, dont celui de Jennifer Lacroix si je me fie aux articles.

— Pas elle. Elle n'est pas miraculée affirma-t-elle, convaincue de ce qu'elle avançait. Pensez-vous réellement que ceux qu'on n'a pas retrouvés auraient pu survivre à cette tragédie? Ceux qui n'étaient pas morts lors de l'écrasement ont tous été réduits en cendre par le feu.

Le psychologue hocha légèrement la tête en clignant des yeux, reconnaissant sa logique.

— Je ne rêve que du jour où je retrouverai les miens poursuivit-elle sur un ton amer, j'ai tellement mal et je ne sais combien de temps encore je pourrai continuer à jouer cette tragédie.

Il la regardait intensément. Il désirait vérifier si elle s'en tenait encore à sa version. Car si elle disait la vérité, il la trouvait vraiment courageuse. Il ne l'avait jamais trouvé aussi belle malgré les larmes qui coulaient doucement sur ses joues. Elle ne faisait aucun effort pour se cacher ni pour essuyer ses pleurs. Il en fut attendri et une émotion, une chaleur intense l'envahit. Il s'en voulut de l'avoir laissé se mettre dans un tel état. L'homme aurait voulu la prendre dans ses bras, mais il se contenta de lui tendre un mouchoir. Il s'approcha d'elle, restée assise sur le bout de son fauteuil.

— Maintenant séchez vos larmes et écoutez-moi.

Elle essuya ses yeux, se cala au fond du fauteuil, à la fois intriguée et prête à entendre ce qu'il manifestait vouloir dire.

— Votre cas me préoccupait et j'ai fait certaines recherches que j'ai poursuivies pendant mes quelques jours de congé. Je ne désirais pas vous en parler tout de suite de peur de vous décevoir, car toutes les réponses ne sont pas encore rentrées.

Il marqua une pause pour mieux voir sa réaction. Ses beaux yeux verts s'étaient agrandis et elle semblait suspendue à ses lèvres. Sans dire un mot, elle attendait la suite patiemment. Il enchaîna donc son récit.

— Comme vous le savez, lors de votre... enlèvement j'étais à l'extérieur du pays pour plusieurs semaines. Je n'ai donc pas entendu parler de votre drame.

— C'est pour cette raison qu'il vous a choisi, vous ne pensez pas?

— Ne m'interrompez plus et écoutez-moi. Je disais donc que je suis neutre et veut donner une chance aux deux coureurs si je peux m'exprimer ainsi. J'ai cherché dans certaines archives de différents journaux ceux qui relataient cet accident d'avion. Un seul parmi les six trouvés mentionnait qu'on avait identifié le corps de Jennifer Lacroix. J'attends encore le résultat d'autres recherches qui me fourniront sans doute d'autres détails.

Samantha était sous le choc. Peut-être que les autres journalistes, n'ayant pas de preuve sur l'identité des corps n'avaient osé se prononcer. Mais celui-là avait sûrement poussé ses recherches plus loin. Une lueur d'espoir se pointait.

— Mais un c'est quand même suffisant finit-elle par articuler. C'est une preuve suffisante.

S'étant levée, heureuse de ce bonheur qui s'annonçait, son visage était tout sourire. Après quelques pas où elle semblait songer, elle se retourna:

— Vous voyez, je ne vous avais pas menti. Jennifer a déjà existé, mais elle est morte. Je suis quelqu'un d'autre.

— Ne vous emportez pas trop vite, il faut se parler. Revenez ici fit-il en désignant le fauteuil. Je me disais qu'un seul c'est peu, car ce journaliste aurait pu se tromper, ou écrire sans preuve, rien que pour vendre son journal. Après tout, monsieur Lacroix aurait dit avoir identifié le corps pour que ce journaliste l'écrive!

— Mais contactez ce journaliste. Il vous expliquera son article ou du moins certifiera l'existence passée de Jennifer Lacroix.

— J'ai déjà essayé, figurez-vous. L'homme en question ne travaille plus pour ce journal et cela a été long avant de le retracer. Et lorsque ce fut fait, je me suis laissé dire qu'il était parti en vacances. J'ai laissé un message, il doit me rappeler à son retour la semaine prochaine. Et si je n'ai pas de nouvelles, je promets de téléphoner de nouveau et discuter longuement avec lui.

Samantha était ravie, heureuse, elle se sentait légère malgré le poids de plus en plus lourd qu'elle portait. Elle voyait enfin approcher sa liberté et ébauchait déjà des projets. Elle pensait à Marc se demandant s'il l'aimait encore, s'il pensait encore à elle après tout ce temps. Ses pensées furent interrompues par l'homme en face d'elle.

— Je vous ferai connaître les développements lors de ma prochaine visite.

— Alors vous allez vraiment m'aider? Vous êtes prêt à faire quelque chose pour moi? questionna-t-elle osant à peine y croire.

Pour toute réponse il lui adressa un chaleureux sourire.

Chapitre 6

Un temps de réflexion

Étendue sur le travers de son lit, elle dressait la liste des items qu'elle emporterait en voyage. Elle passa en revue les articles à acheter avant de partir. Il ne restait plus grand temps à écouler avant le grand départ et il y avait encore tant à faire. Samantha, excitée par cette expérience, comptait désormais les jours qui la séparaient de l'embarquement.

Ainsi l'esprit de Samantha était préoccupé par ses préparatifs, mais il était également rongé par le souvenir de sa dispute avec Robert. Ses yeux quittèrent la liste pour regarder dans le vide et ses pensées se détournèrent vers lui. Il n'avait pas cherché à la revoir depuis ce fameux soir où il lui avait clairement manifesté qu'il n'appréciait pas son intention de partir en Californie. Cela faisait maintenant quelques jours et elle se demandait pourquoi il ne lui donnait pas signe de vie. Il lui en voulait énormément, supposa-t-elle, mais il la rappellerait très bientôt.

Il réagissait autrement d'habitude. Il s'empressait de communiquer avec elle pour discuter et trouver des solutions à leurs sujets de mésentente. Mais cette fois, si Robert ne la rappelait pas, elle n'allait sûrement pas effectuer les premiers pas. Il n'avait pas le droit de l'empêcher de vivre une telle expérience. Une tristesse pouvait l'affliger, certes, il pouvait dire qu'il s'ennuierait d'elle, mais il n'avait aucun droit d'exiger d'elle qu'elle refuse ce prix sous prétexte qu'il ne pouvait vivre longtemps séparé d'elle.

Ces crises de jalousie et de possessivité, de plus en plus significatives depuis quelques mois devenaient souvent un sujet de dispute. La jeune femme parvenait à les oublier, les ignorer à travers la tendresse, la générosité, le sens de l'humour qu'il démontrait. Elle s'expliquait mal ce changement progressif qui s'était opéré en lui.

Mais peut-être que son éducation l'a en quelque sorte conduit à un niveau d'insécurité à un point tel qu'il devenait possessif en tout.

Seul garçon et dernier de quatre enfants, presque six ans les séparaient de sa plus jeune sœur. Garçon inattendu, il avait été très gâté par ses parents et ses sœurs. Ayant toujours ou presque obtenu ce qu'il souhaitait, inconsciemment il en attendait de même de Samantha.

Cette dernière réalisa soudain que ce qu'il désirait acquérir ou possédait déjà, il le voulait à part entière. Ça lui revenait en mémoire, il avait fait preuve à quelques reprises d'une ténacité excessive lorsque ses goûts ou ses besoins n'étaient pas comblés comme il le voulait. Lors d'achats d'articles divers, de vêtements et aussi lorsqu'elle avait décoré son appartement, ils s'étaient disputé sur le choix des couleurs et des tables du salon. Même le vendeur qui lui souriait avait eu sa part d'injures une fois sortis du magasin parce qu'il ne se mêlait pas de ses affaires s'était-il exclamé devant la mine ahurie de Samantha.

Malgré cette facette de son tempérament difficile, il possédait de belles qualités et elle l'avait sincèrement aimé. Mais elle se posait de sérieuses questions et n'était plus certaine qu'il soit l'homme de sa vie. Elle éprouvait encore des sentiments pour lui, mais leur union la rendait également malheureuse. Et ça ne pouvait continuer ainsi.

Elle ne se sentait réellement pas bien dans cette situation depuis un bon bout de temps, réalisa-t-elle soudainement. Elle n'en pouvait également plus de ses crises d'enfant gâté et jaloux. Avant de rompre définitivement décida-t-elle, la jeune femme s'accorderait une période de réflexion, loin de lui. Ce voyage tombait à point et ça lui permettrait de remettre les pièces du puzzle en place à lui aussi.

Quand il se manifesterait, Samantha lui en parlerait et elle lui annoncerait que cette rupture pouvait n'être que temporaire, mais quelque part au fond d'elle, elle sentait bien qu'elle ne pourrait être de nouveau heureuse dans ses bras si la situation perdurait. Cependant elle souhaitait accorder cette ultime chance au couple qu'ils formaient elle et Robert même si ce n'était que par acquit de conscience.

Sa décision prise, Samantha se remit à la lecture de ses préparatifs. Mais elle fut bientôt interrompue par la sonnette de la porte d'entrée. Espérant silencieusement que ce fut Robert, elle se leva en se demandant qui d'autre cela pouvait être.

Samantha ouvrit la porte sur un jeune inconnu habillé en uniforme de couleur marine. Ses cheveux gras dépassaient d'une casquette qu'il portait le devant derrière. Il tenait un magnifique bouquet aux éclatantes couleurs. À la vue de Samantha il enleva sa casquette et sourit.

— Un bouquet pour madame Samantha Cartier annonça-t-il.

— C'est moi-même fit Samantha intriguée.

Samantha signa le feuillet que le jeune livreur lui tendait. Sans doute un boulot en attendant la fin de ses études songea-t-elle en remettant la feuille au jeune garçon.

Samantha jeta les vieilles orchidées, rinça le vase et disposa les nouvelles fleurs dedans. Après avoir admiré son arrangement, elle s'empressa de lire la carte annexée au bouquet. Elle reconnut l'écriture de Robert et son cœur fit un bond malgré elle.

« *Samantha, je t'en prie, pardonne-moi. J'ai mis du temps à me manifester, mais la colère et la tristesse m'envahissaient et j'avais besoin de recul. Cependant, je réalise que je ne peux plus vivre loin de toi. J'aimerais t'inviter à souper où nous discuterons calmement, (je te le promets) afin de trouver une solution. Je t'en prie, laisse-moi une chance ! Téléphone-moi au bureau cet après-midi.* »

Habituellement lorsqu'il lui écrivait des petits mots, Robert se trouvait des surnoms tendres, parfois comiques. Cette fois remarqua-t-elle, il avait simplement signé son prénom.

Dans ce petit mot, Samantha décelait la volonté de Robert d'essayer de la faire changer d'avis. « *Trouver une solution* relut-elle *à voix haute. Il veut sûrement tenter encore de me convaincre de ne pas y aller, mais cette fois je ne l'écouterai pas. Je prends le contrôle de ma vie. S'il m'aime vraiment, il comprendra.* » Tout espérant que ce soit le cas, Samantha prenait aussi conscience d'être amoureuse d'une image qui n'existait pratiquement plus. Et les chances semblaient bien minces pour qu'elle revive de nouveau.

******

Samantha attendait dans le petit café où ils s'étaient donné rendez-vous la veille. Assise depuis peu dans la confortable banquette de cuir brun, elle regardait distraitement le menu en prenant quelques gorgées d'eau. Il était près de treize heures et sentant la faim envahir son estomac, elle s'impatientait un peu du retard du jeune médecin.

Sur la banquette à côté d'elle, quatre hommes d'affaires en complet et cravate discutaient. Comme eux, la plupart des gens qui achevaient leur repas travaillaient près du restaurant et semblaient des habitués de la place. Elle le constata aux discussions qu'ils avaient avec la serveuse.

Comme les hommes d'affaires se levaient, environ une dizaine de minutes plus tard elle vit l'hôtesse faire signe à Robert en pointant la direction de la table où elle se trouvait. Le regardant venir vers elle, Samantha se dit qu'une fois de plus, bien mis dans son complet à cravate et bien coiffé comme à son habitude, il était beau comme un dieu. Mais elle se ressaisit et se dit qu'il avait sûrement très bien soigné sa mise pour l'attirer dans ses filets.

— Pardonne-moi mon retard commença Robert en s'asseyant.

— Tu sais comme moi, que tu as autre chose à te faire pardonner, le sermonna Samantha dans un chuchotement ferme, résolue à ne pas se laisser attendrir ni par sa belle apparence ni par son parfum épicé flottant autour de lui. Mais je ne souhaite pas en parler tout de suite, enchaîna-t-elle. J'ai une faim de loup. Si on mangeait et discutait plus tard, tranquilles, en marchant quelque part? suggéra-t-elle.

Le jeune homme accepta la proposition et le repas se déroula sans anicroche. Ils parlèrent de leur travail respectif, évitant le sujet de leur discorde.

Après le repas ils allèrent faire quelques pas sur le Mont-Royal. La fin du mois d'avril approchait et l'air était pur et doux sur la montagne. Le soleil irradiait et les oiseaux chantaient. Ils marchaient le long d'un sentier de terre légèrement empierré sinuant entre des arbres, dont les racines étaient parsemées de petites plaques de neige. Deux cyclistes passèrent près d'eux songeant probablement qu'ils faisaient une randonnée en amoureux. Comme on était vendredi après-midi, il n'y avait pas beaucoup de promeneurs autour d'eux, la plupart des gens se trouvant encore au travail.

La gorge serrée par un sanglot qu'elle parvenait non sans peine à étouffer, Samantha commença à parler. Elle croyait que l'émotion l'empêcherait de bien trouver les mots. Il était difficile de terminer une relation avec quelqu'un qu'on a beaucoup aimé. Mais les mots coulaient de sa bouche comme si elle les avait répétés inlassablement.

Elle fit part à Robert de la décision qu'elle avait prise la veille chez elle. À sa surprise, Robert l'écouta sans l'interrompre, sans tenter de la dissuader. Elle lui expliqua qu'elle avait eu très mal et voulait éviter qu'ils ne se blessent à nouveau. Elle avait besoin de temps pour réaliser jusqu'à quel point elle était prête ou non à endurer ces crises de jalousies et de possessivité et lui pour travailler ce comportement qu'elle jugeait inacceptable, inapproprié dans une relation de confiance. La jeune femme ajouta qu'il possédait de belles qualités, mais ils ne pourraient être heureux ensemble si cette jalousie maladive planait régulièrement au-dessus d'eux.

Ils n'avançaient plus maintenant. Ils se regardèrent pendant plusieurs secondes avant que Robert ne réagisse. Samantha peinait avec ce sanglot dans la gorge qu'elle arrivait toutefois à maîtriser. Elle aurait tant aimé qu'il la prenne dans ses bras comme il savait si bien le faire, qu'il lui promette de cesser ses crises et qu'il en soit vraiment ainsi. Mais elle savait que ça ne se réaliserait pas.

Samantha s'assit sur un gros rocher en bordure du sentier et jouait machinalement avec une branche de cèdre qu'elle avait ramassée par terre tout en se montrant attentive à ce qu'expliquait Robert.

— Je t'aime tellement que j'ai peur de te perdre. Souvent je me lève le matin n'arrivant pas à croire que tu es avec moi, mais c'est pourtant vrai et je veux tout faire pour te garder. Regarde-toi poursuivit-il la gorge serrée, tu es tellement belle, douce et gentille et lorsque tu projettes de t'éloigner quelque temps, j'enrage. J'imagine constamment qu'un autre te volera ton cœur et j'ai si peur de ne pas être à la hauteur. Je sais bien que mes colères ne m'aident en rien, mais c'est plus fort que moi et ensuite je le regrette. Maintenant je suis à deux doigts de te perdre et je te jure de travailler ce fichu caractère. Nous serons heureux à nouveau à ton retour.

Elle n'avait pas la force de lui avouer qu'elle n'y croyait plus, qu'au fond, sa décision était prise. S'il pensait que leur rupture s'avérait définitive, ça lui briserait davantage le cœur et elle n'en avait pas envie, pas maintenant. Il serait probablement plus facile d'éclaircir tout ça à son retour. Samantha avait simplement affirmé, sans possibilité de négociation, qu'il semblait préférable qu'ils ne se voient pas avant son départ non plus pour ne rien mélanger et ainsi faciliter leur réflexion. Son regard implorant la bouleversa, mais il avait fini par acquiescer et elle tint le coup sans pleurer.

Elle regarda la Toyota de laquelle elle venait de sortir, quitter la rue où elle demeurait. Leur étreinte avait été longue et réconfortante, mais Samantha, cette fois laissait libre cours à ses larmes. Elle toucha sa main qu'il avait pressée une dernière fois avant qu'elle ne s'extirpe de la voiture. Il l'avait touchée l'espace de quelques secondes, trop courtes... Car il ne recommencerait probablement plus. Malgré sa décision, ce geste lourd de sens la déchirait.

S'asseyant sur la bordure du trottoir, elle pleura longuement la tête sur ses jambes, son amour perdu sans se douter qu'à quelques coins de rue de là, Robert avait arrêté sa voiture et le front appuyé sur son volant pleurait et sanglotait comme il ne l'avait jamais fait.

Après plusieurs minutes, jugeant son corps vidé de toutes ses larmes, elle se releva lentement en séchant ses yeux turquoise. Ce temps de réflexion lui confirmerait qu'elle avait pris la bonne décision si pénible fut-elle à prendre, se dit-elle en montant à son appartement.

Chapitre 7

San Francisco, tu me fais trembler

Confortablement installée près du hublot, elle s'abandonna contre le dossier, ferma les yeux et soupira de bien-être. Savourer le moment présent, profiter de cette chance incroyable et faire abstraction des récents évènements, voilà ce sur quoi elle devait se concentrer pendant son voyage.

Après plusieurs secondes, elle ouvrit les yeux et regarda s'affairer des passagers à ranger leurs bagages à main pendant que d'autres étaient guidés vers leur siège par les agentes de bord. Samantha, toujours seule, se demandait avec quel genre de voisins elle ferait le trajet jusqu'en Californie. Elle osait espérer que ceux-ci ne s'avèrent pas trop dérangeants.

Les émotions vécues des dernières semaines lui rendaient le repos nécessaire. Surtout que du travail l'attendait là-bas également. La réponse ne se fit pas attendre. Deux jeunes hommes, élégamment vêtus s'arrêtèrent à sa hauteur. Ils portaient tous deux un pantalon de toile et un veston sport qui s'ouvrait sur un chandail Polo assorti à leur tenue.

D'un bref signe de tête et d'un sourire, ils saluèrent la demoiselle avec laquelle ils effectueraient l'aller. Elle répondit à leur bonjour et se permit quelques regards furtifs pendant qu'ils rangeaient leurs sacs dans le compartiment à bagages au-dessus de sa tête.

L'un châtain, l'autre brun, ils possédaient tous deux de pétillants yeux bleu ciel. Ils bénéficiaient de beaux traits malgré leur nez, un peu long et droit qui surplombait des lèvres charnues. L'homme brun, barbu, semblait légèrement plus grand que son frère:, car se ressemblant tellement, ils ne pouvaient qu'être frères. Le châtain, imberbe, révélait ainsi une mâchoire légèrement plus carrée que l'homme brun. Tous deux plutôt grands, dans les 1,80 m estimat-elle, possédaient une carrure athlétique. Ces derniers traits leur concédaient un attrait certain, conclut-elle soudainement intimidée par ces beaux jeunes hommes qu'elle s'était laissée aller à détailler.

Elle détourna la tête vers le hublot avant qu'ils ne remarquent l'examen dont ils devenaient l'objet. Elle y vit des hommes en salopette marine, casque d'écoute aux oreilles, entrain d'achever de placer les valises des voyageurs dans la soute. La pensée lui vint que bien que le charme du jeune homme châtain soit plus remarquable, elle se surprenait à trouver l'homme aux cheveux bruns également attirant, car généralement elle détestait les barbus.

Elle les entendit s'installer, mais ne détourna pas son regard du hublot préférant qu'ils la laissent tranquille. Lorsque l'avion se mit en branle afin de se positionner pour le décollage, celui assis près d'elle lui accrocha le bras et s'excusa. Elle dut se retourner pour lui signifier que ce n'était rien et constata que l'homme châtain sans barbe s'était assis à son côté.

Vu de plus près, le bleu intense de son regard et le fait qu'il lui rappelait vaguement l'acteur Mel Gibson en beaucoup plus jeune, la déstabilisa un moment. Elle appréciait le jeu de cet acteur et trouvait qu'il possédait beaucoup de charme. Sans paraître remarquer son léger trouble, le jeune homme enchaîna aussitôt.

— Comme nous ferons le voyage ensemble aussi bien se présenter, ça sera probablement moins long. Je m'appelle Marc-Alec.

— Moi c'est Samantha fit-elle en acceptant la main tendue.

— Et moi, Pierre-Antoine fit le barbu en allongeant le bras dans sa direction.

— Sûrement deux frères? risqua Samantha devant leur ressemblance.

À cette question les deux jeunes hommes sourirent puis se regardèrent.

— Vous avez perdu mademoiselle jeta Marc-Alec avec humour. Nos pères sont frères, nous sommes donc cousins, mais il est vrai que nous nous ressemblons beaucoup. Rassure-toi, tu n'es pas la première à te tromper.

La glace brisée, ils bavardèrent un peu jusqu'à ce que l'avion amorce son envolée. Samantha consentit avec plaisir à ce bavardage remettant à plus tard son intention de se reposer. Lorsque les signaux annonçant de boucler la ceinture s'éteignirent, Marc-Alec se mit à l'aise et enleva son veston qu'il plaça soigneusement sur le siège resté libre devant son cousin. Le veston pendait légèrement sur les genoux de Pierre-Antoine.

— Gêne-toi surtout pas, fit son voisin, feignant d'être contrarié.

— Je n'ai pas l'habitude, t'inquiètes pas répliqua le fautif.

Pierre-Antoine, poursuivant la blague, avisa Samantha de ne pas s'en laisser imposer si son voisin la dérangeait.

— Je n'ai pas l'habitude, t'inquiètes pas répéta-elle en se moquant à son tour de son voisin immédiat.

Affichant d'abord un air offusqué, Marc-Alec joignit ensuite son rire à celui de son cousin. Ne pouvant prévoir le genre de réaction qu'il manifesterait, la jeune fille s'était retenue de rire avec Pierre-Antoine, mais comme il ne fut pas long à exprimer sa bonne humeur, Samantha pouffa soudainement; ce qui accentua le rire des deux hommes.

Cette plaisanterie sans intérêt détendit l'atmosphère entre ces trois voyageurs. À la surprise de Samantha ils parlaient aussi facilement que s'ils se connaissaient depuis longtemps. Elle se détendit et oublia qu'elle avait souhaité ne pas être dérangée.

Lorsqu'il lui demanda la raison de son voyage en Californie, Marc-Alec s'étonna qu'on puisse donner de tels prix dans un réseau hospitalier, mais n'en fut pas moins heureux pour elle.

— Félicitations ! Tu verras c'est un très beau coin, la Californie, si évidemment c'est la première fois que tu vas la visiter !

— Oui. Je n'y suis jamais allée avant. Si je comprends bien, toi, tu y es déjà allé ?

Samantha apprit donc qu'hommes d'affaires dans l'informatique, ils n'en étaient pas à leur premier séjour en Californie. Marc-Alec l'informa également que ce présent voyage où ils devaient préparer et présenter un rapport important durerait environ deux semaines pour lui et que son cousin et associé, de son côté verrait son séjour plus court d'une semaine.

— Et toi, tu y resteras combien de temps ? questionna le barbu.

Trois semaines dont deux, comme je le disais, consacrées à un stage d'apprentissage et de perfectionnement à l'hôpital de San Francisco.

— C'est bien, on reviendra tranquillement chez nous chacun notre tour fit remarquer Pierre-Antoine et tous eurent un petit sourire à cette idée.

L'agente de bord passa peu après pour offrir des consommations. La jeune hôtesse aux cheveux noirs et relevés en chignon exhibant des yeux exagérément maquillés affichait un superbe sourire en servant un Bloody Caesar à Samantha et une bière aux messieurs. Après quelques gorgées de bière Pierre-Antoine s'excusa et quitta ses compagnons pour se plonger dans une lecture scientifique mentionnant que quelques articles lui seraient utiles ces prochains jours.

— Tu expliquais que ton stage se ferait au centre hospitalier de San Francisco, tu y séjourneras donc pendant les trois semaines ? interrogea Marc-Alec après une gorgée de bière. À San Francisco, j'entends.

— Oui, mais je projette de louer une voiture durant la dernière semaine et de faire quelques escapades dans d'autres villes importantes. Ou bien j'irai en taxi.

— Et tu sais déjà où tu comptes t'arrêter?

— Un peu. Je me suis planifiée un itinéraire basé sur un guide touristique que je suis allée chercher chez un libraire.

— C'est très bien, je constate que tu es une fille organisée, mais connaissant l'endroit, je pourrais sûrement t'être utile... si tu le veux, bien sûr!

— Merci, j'apprécie ton offre. Tu connais la Californie pour y être allé combien de fois?

Haussant légèrement les épaules, il ouvrit grand les yeux en prenant une grande respiration comme s'il voulait s'aider à réfléchir.

— Je ne peux pas te répondre d'une façon exacte, car il y a peu de temps nous y allions assez régulièrement dans une année, mais je ne pense pas être totalement faux si je t'affirme m'y être rendu pas loin d'une vingtaine de fois.

Impressionnée, Samantha ouvrit à son tour grandement ses beaux yeux turquoise dans lesquels s'imprimait un énorme point d'exclamation, ce qui fit sourire son nouvel ami.

— Tu dois assurément bien connaître ce beau coin du monde et je pourrais en effet, profiter de ton aide si gentiment offerte.

Les deux jeunes gens sourirent à cette éventualité et terminèrent rapidement leur boisson, car le repas s'annonçait. Une odeur de poulet commençait à se répandre dans l'avion.

Questionnant son voisin immédiat sur les endroits à visiter en Californie, spécialement à San Francisco, Samantha sentait monter en elle davantage le goût de ce coin du monde. Et il savait tellement bien le décrire. Elle ne cessait de lui demander des détails auxquels il se faisait un plaisir de répondre. Il semblait même heureux de lui décrire cette partie des États-Unis, devinant avoir trouvé une alliée intéressée dans sa passion pour cet endroit.

L'excitation du voyage l'avait réellement gagnée. Samantha buvait ses paroles. Encouragé, Marc dépeignait le paysage, les monuments, les sites qu'il avait vus et fréquentés d'une manière si précise que la jeune femme se croyait déjà en ces lieux.

— Je n'ai pas tout vu ce que je souhaite voir bien sûr. J'aimerais aller plus au sud de l'État, mais chaque fois que le travail m'y envoie c'est toujours la même chose : je n'ai pas beaucoup de temps.

— Et pendant tes vacances ? demanda Samantha.

— J'aime beaucoup voyager. Et il y a tant d'autres endroits que je désire voir, j'en profite pour en visiter ou je me repose tout simplement.

— C'est pareil pour moi. J'aimerais tant pouvoir visiter tous les pays que je veux, mais je sais que je n'aurai pas assez d'une vie pour ce faire.

— Ah oui ! Et quels endroits t'attirent le plus ?

— La Grèce, j'aimerais visiter sa belle architecture et ses multiples ruines, faire une croisière dans ses îles, l'Égypte aussi m'attire poursuivit Samantha rêveuse, le Sphinx, les pyramides, la promenade sur le Nil, l'Italie et ses monuments historiques, ses cathédrales et ses balades romantiques en gondole à Venise. L'Autriche, ses paysages alpins et le Danube qui traverse plusieurs pays, dont l'Allemagne, m'attirent également. La vie et la culture différente ainsi qu'une des merveilles du monde : le Taj-Mahal font de l'Inde une curiosité attirante pour moi. L'Australie, la Nouvelle-Zélande, Tahiti, le Kenya, la France, la Thaïlande, l'Écosse possèdent tous des richesses qui m'attirent, mais vivrais-je suffisamment vieille pour avoir la chance de les visiter ?

— C'est tout ? fit Pierre-Antoine, moqueur. Il rangeait sa lecture afin de se joindre à eux pour le repas et n'avait pu s'empêcher d'écouter la longue liste que Samantha venait d'énoncer.

— Par chance je t'ai demandé lesquels t'attiraient le plus. Qu'est-ce que c'aurait été si je n'avais pas spécifié « *le plus* » ? remarqua

Marc-Alec également impressionné. Je dois reconnaître cependant que ta liste m'apparaît très intéressante.

— Pardonnez-moi je me suis laissée emporter. Il y en a bien quelques-uns parmi ceux-là qui m'attirent davantage, que je ne voudrais pas manquer de visiter dont la Grèce, l'Italie, la France, l'Allemagne et Tahiti ou Les Seychelles un endroit de ce genre romantique à souhait et où le soleil et la mer vont de pair.

— Voilà qui est plus raisonnable annonça Pierre-Antoine qui attaqua enfin le poulet aux fines herbes que l'hôtesse lui avait servi.

— C'est vrai cette liste me paraît plus raisonnable et elle me plaît beaucoup.

— C'est vrai? Tu aimerais te rendre dans ces pays aussi? À moins que tu n'y sois déjà allé?

— Je suis déjà allé en Italie, au Maroc et en Espagne et j'ai passé tout près d'aller en France, mais je n'y ai jamais mis les pieds. Un projet avec un copain d'université qui est tombé à l'eau. Mais j'ai l'intention de me reprendre un jour et si je peux te confier un secret j'ai beau avoir trouvé ta liste longue, mais j'ai aussi l'esprit d'un voyageur et tout ces endroits m'intéressent également.

Ayant terminé son repas, Samantha s'épongea la bouche et s'adossa au siège en souriant, ravie. Robert n'étant pas un grand voyageur, elle n'avait pas pu réaliser de tels projets. Elle se surprit à penser que Marc servirait de charmant compagnon de voyage.

Soudain, elle eut honte de cette pensée. Elle le connaissait à peine, ne savait à peu près rien de lui et elle diminuait déjà son prénom et désirait voyager avec lui. Elle se demandait comment cette idée avait pu filtrer dans sa tête. Une petite voix à l'intérieur lui répondit. Ils nourrissaient les mêmes rêves, sa gentillesse émanait visiblement de lui et par surcroît il avait une très belle apparence. Elle détourna les yeux vers le hublot de peur que l'homme puisse y lire le malaise qu'elle ressentait à présent. De toutes manières, un homme tel que lui avait sûrement quelqu'un dans sa vie.

Elle fut soulagée d'entendre la voix féminine dans le haut-parleur intimant aux passagers de retourner à leur siège et de boucler leur ceinture, car on amorcerait l'atterrissage bientôt. Son soulagement fut de courte durée, car lorsqu'elle sentit près de son visage la chaleur de la joue de son voisin qui tentait de regarder par le hublot la ville de Los Angeles où ils devaient faire une escale, son trouble recommença.

Son esprit fou se demandait ce qu'il adviendrait si elle se retournait et ses lèvres frôlaient le beau visage à côté d'elle. Se traitant de stupide en mal d'amour, elle garda la tête droite, les yeux fixés, sans vraiment les voir, sur les buildings de la ville qui s'élevaient dans le ciel. S'efforçant de se concentrer sur Robert qui devait assurément songer à elle, la jeune femme regardait les minuscules voitures grossir progressivement sur l'autoroute.

— Plus impressionnant qu'à Montréal n'est-ce pas? questionna Marc-Alec en se reculant enfin.

Incapable de parler, Samantha fit oui de la tête en esquissant un faible sourire qui, elle le pensait, lui donnait probablement un air ridicule.

Dans l'immense bâtiment qui servait d'aéroport, ils avaient près de deux heures à attendre avant d'embarquer dans le petit avion qui les amèneraient à San Francisco. Comme ils se rendaient aussi à cet endroit, Pierre-Antoine avait suggéré qu'ils s'attendent et réservent des sièges ensemble pour la dernière partie du trajet. Secondé immédiatement par son cousin, la jeune femme n'avait pu qu'accepter avec le sourire.

Pierre-Antoine ne faisant plus de lecture, la conversation semblait moins intime sur les bancs de l'aéroport et le trouble de Samantha disparut peu à peu.

— Au fait Samantha, dans quel quartier est situé ton hôtel? demanda Pierre-Antoine à brûle-pourpoint.

— Dans Union Square.

— Vraiment? le nôtre également affirma le barbu. Comme c'est un coin que nous aimons, nous préférons loger là et prendre le taxi pour nous rendre au bureau. Lequel est-ce au juste?

— Le King George Hôtel.

— Mais c'est tout près du San Francisco Hôtel, où nous logeons! s'exclama Marc-Alec. Le King George est un bon hôtel à l'ambiance des années cinquante. Je ne pense pas que tu sois déçue. Comme nous habiterons à proximité et puisque tu ne connais personne et très peu l'endroit je propose que nous te servions de guide certains soirs, ainsi tu seras plus rassurée.

— Merci c'est très gentil, mais je ne voudrais pas vous déranger et de plus... tenta-t-elle de protester.

— Tu ne dérangeras pas, vraiment la coupa Marc-Alec très sérieux. Et même j'ajouterai qu'il vaudrait mieux de ne pas circuler seule.

L'autre homme confirma les dires de son cousin et lui expliqua qu'il n'aurait de toute façon pas la conscience tranquille de la laisser se débrouiller seule dans une ville inconnue alors qu'eux la connaissaient assez bien.

– De plus, comme c'est dimanche demain nous pourrons avec un immense plaisir passer le temps que tu désires avec toi commenta Marc-Alec.

Peu convaincue, Samantha acquiesça en leur faisant promettre de ne pas disposer de leur temps en fonction d'elle. Ne souhaitant pas devenir un poids pour eux, pourtant quelque chose en elle riait à la pensée de les revoir pendant son séjour, que tout ne se terminerait pas à leur arrivée à la chic cité de San Francisco, ne put-elle que s'avouer.

À sa demande, les deux hommes expliquèrent à Samantha qu'ils avaient des contrats avec une société près de Silicone Valley et qu'il leur fallait s'y rendre à trois ou quatre reprises dans l'année, parfois plus. Ils bavardèrent gaiement sur leur travail respectif et d'autres sujets avec intérêt.

Ils n'avaient pas vu le temps passer quand une voix annonça l'embarquement de leur vol. Ils se rendirent à l'endroit indiqué d'où ils effectuèrent une envolée sans problème. À bord du petit avion, ils planifièrent leur fin de journée et celle du lendemain.

Lorsque l'avion amorça sa descente, Pierre-Antoine tentait un peu maladroitement de décrire la magie du Chinatown. Il ne possédait pas les talents de Marc-Alec constata Samantha. Mais elle échangea avec ce dernier un sourire de connivence. Il lui en avait longuement parlé plus tôt lors de ses multiples descriptions. Il lui avait décrit le quartier et l'intérêt de son cousin pour ce dernier, mais son intuition lui clamait de se taire et d'écouter la description de Pierre-Antoine.

Ils attendirent que tout le monde soit passé avant de quitter leur siège. Lorsqu'ils descendirent la dernière marche du petit escalier qu'on avait accolé à l'avion, les deux hommes passionnés et intrigués par les petits avions se mirent en retrait pour examiner minutieusement l'appareil.

Samantha, un peu plus loin, attendait ses nouveaux amis. Constatant qu'ils en auraient pour un moment encore et n'éprouvant pas le désir de les gêner, elle partit vers l'intérieur en leur mentionnant qu'elle les attendrait au poste trois, place où arrivaient leurs bagages.

À une quinzaine de mètres du bâtiment, elle entendit un bruit sourd qui s'amplifiait. Levant les yeux vers le ciel, s'attendant à découvrir venant vers la piste un énorme avion, ils ne rencontrèrent que le bleu du ciel s'étendant à perte de vue.

Ses copains qui avaient eu le même réflexe eurent tôt fait de constater en quoi consistait réellement ce bruit. Cherchant Samantha des yeux parmi les gens qui courraient déjà vers l'intérieur, Marc-Alec s'affolait en hurlant son nom.

Pierre-Antoine agrippa rapidement le bras de son cousin et l'entraîna dans une course folle vers l'intérieur de l'aéroport, qui, ils le savaient, avait été conçu en prévention de ce fléau qui faisait souvent ses caprices à San Francisco.

Les gens, entassés près de la porte et pressés d'entrer, empêchaient les deux cousins de repérer Samantha. Quelques-uns s'espacèrent rapidement de Samantha et quand Marc-Alec l'aperçut enfin, il lui cria de rentrer immédiatement pour se mettre à l'abri. Mais Samantha, comprenant enfin ce qui se passait, demeurait figée et l'entendait à peine.

Le bruit sourd continuant de croître et les cris bouleversants des personnes courant de partout enterraient les paroles de Marc et de Pierre encore loin d'elle. Le visage hagard, les poings serrés, elle réalisait que sous ses pieds la terre tremblait. Connaissant les terribles caprices de la faille de San Andreas, elle songeait à son voyage, lequel n'avait pas encore commencé et semblait déjà vouloir se terminer. Elle essayait de courir, mais ses pieds semblaient soudés au terrain asphalté.

Les deux cousins continuaient de lui crier. Avançant toujours, Marc-Alec se sentait comme dans un rêve où on court très fort sans pour autant faire de progrès. Il aurait voulu aller plus vite. Les gens autour d'eux, habitués à quelques petits soubresauts, s'affolaient toujours, devant l'évidence d'un tremblement plus important.

Quelqu'un dans sa course bouscula Samantha qui reprit possession de ses moyens. Tout s'était passé si vite, quelques secondes qui parurent à Samantha une éternité. Prenant ses jambes à son cou, elle suivit le courant vers l'intérieur et se dit que sûrement tout n'était pas fini. Un cauchemar atroce se déroulait et elle en faisait partie. D'abord prise de panique, à présent elle réagissait.

Les gens s'entassaient devant l'entrée, ce qui ralentissait leur allure. Fait inattendu, quelques morceaux du mur et de la bordure du toit se détachaient et tombaient parmi les gens paniqués.

Impuissant Marc regardait la scène en criant toujours pour qu'elle se dépêche. Elle y était presque. En entendant son nom, elle retourna son visage en faisant voler ses longs cheveux couleur soleil vers celui qui criait derrière elle, cherchant à comprendre ce qu'il lui disait.

Quelqu'un la bouscula rudement dans sa course et sa tête heurta violemment le mur juste avant que Marc n'arrive à sa hauteur.

Marc eut le temps de l'attraper avant qu'elle ne tombe complètement par terre. Le corps mou, lourd s'écroula dans ses bras, un filet de sang ruisselant sur sa tempe poussiéreuse, là où le mur l'avait brusquement arrêtée.

Pierre-Antoine arriva à leur hauteur et l'informa qu'il allait chercher du secours. Marc-Alec, visiblement inquiet, gémissait sur le corps inerte qu'il tenait serré contre lui. La terre sembla déjà ou enfin diminuer lentement ses convulsions, pourtant le jeune homme sentait les tremblements de son propre corps aussi vigoureux qu'au plus fort du séisme. Il se disait que s'ils ne s'étaient pas arrêtés à examiner l'avion avec son cousin, il serait arrivé à temps pour la protéger. Un cri désespéré, rempli de culpabilité, sortit de sa gorge, mais Samantha ne l'entendit pas.

Chapitre 8

J'en suis toute commotionnée

L'ambulance filait dans les rues de San Francisco. Étendue sur une civière, le haut du corps surélevé, Samantha sentait le brassard se gonfler à son bras gauche. Sa tête semblait lourde et elle souffrait. La douleur qui martelait sa tête semblait parcourir tout son corps.

Le pansement temporaire qu'on avait effectué sur sa tempe lui couvrait partiellement l'œil droit et l'agaçait. Le brassard se dégonfla enfin et l'ambulancier parut content.

— Ça continue de descendre et elle est maintenant presque dans la normale: 138 sur 98 annonça-t-il en anglais à quelqu'un qui devait se trouver avec lui.

C'est alors qu'elle prit conscience de la main qui entourait la sienne, du bruit intermittent de la sirène. Le séisme lui revint à la mémoire. Elle réalisa vraiment son état et dans quel endroit elle se trouvait. Difficilement, lentement, elle entreprit d'ouvrir ses yeux.

Sa vision d'abord brouillée s'ajusta peu à peu. Un homme aux cheveux noirs et crépus, aux yeux noisette et à la peau foncée s'affairait à prendre son pouls. Il remarqua soudain les beaux yeux verts qui le fixaient.

— Bonjour fit-il simplement. Comment vous sentez-vous?

— J'ai mal à la tête murmura-t-elle dans un anglais pratiquement sans accent.

À ces mots elle sentit l'étreinte de la main se resserrer faiblement sur la sienne. L'ambulancier, lui souriant, lui fit comprendre que c'était normal et que bientôt la douleur s'atténuerait sous l'effet d'analgésiques qu'elle venait de recevoir. Elle remarqua le soluté qu'il lui avait installé sur un bras. Ses yeux suivirent la tubulure jusqu'au sac situé au-dessus de son épaule et bien fixé sur une tige. Elle aperçut l'étiquette rouge apposée sur le sac. Elle y lut le nom d'un médicament antihypertenseur qu'on avait ajouté à la solution qui coulait dans son bras. Ce mouvement de la tête qu'elle avait dû effectuer lui soutira une grimace de douleur.

— Ne bougez pas trop, ça ira mieux. Il y a quelqu'un ici avec vous qui est très inquiet ajouta-t-il en invitant l'intéressé à se rapprocher d'elle.

Il avait le visage couvert de poussière. La sueur, à moins que ce ne soit des larmes, avait tracé des sillons de saleté sur ses joues. Ses cheveux défaits n'avaient pas pu résister à la sueur qu'il avait dû promener de son front à sa nuque avec ses mains inquiètes. Son veston semblait déchiré à l'épaule, mais il n'avait l'air de s'en faire que pour elle. Et Samantha, malgré cette apparence négligée, ressentit une chaleur monter en elle et le trouva probablement plus beau que dans l'avion.

— Oh Sam ! tu m'as fait tellement peur.

C'était la première fois depuis bien longtemps qu'on la nommait ainsi. Samantha détestait les surnoms et surtout celui-là, mais à sa surprise, cette familiarité dans la bouche de cet homme ne lui déplut pourtant aucunement.

— Le Chinatown, ce soir c'est fichu, articula-t-elle faiblement.

Le jeune homme, rassuré de l'entendre blaguer et confiant que son état n'inspirait aucune crainte sourit à sa constatation puis mit son index sur les lèvres de la malade.

— Chut, tais-toi. Il faut te reposer. T'en fais pas, nous irons une autre fois.

— Pierre-Antoine ? interrogea-t-elle soudain inquiète.

— Il va bien. Après avoir récupéré tous les bagages, il attendra à l'hôtel que je lui donne des nouvelles. Repose-toi maintenant, ajouta-t-il en lui caressant les cheveux.

Docile, elle obéit et ferma les yeux. Le jeune homme recula un peu pour refaire de la place à l'ambulancier et reprit la main de Samantha. Peu de temps ensuite il vit s'élever devant eux le centre hospitalier et l'ambulance pénétra dans la cour arrière.

Dans le couloir de l'urgence, Marc-Alec écoutait attentivement les bonnes nouvelles que le docteur Andrews lui transmettait. Il était demeuré près de Samantha pratiquement tout le long de l'examen médical et avait bien hâte de se rafraîchir, mais pour le moment ce n'était pas important. Le médecin, les tempes grisonnantes, âgé d'une quarantaine d'années, à peine plus grand que lui, tenait ses lunettes dans sa main gauche et expliquait de sa voix chaleureuse ce qu'avait subi la jeune femme.

— Son électroencéphalogramme est normal, ses signes vitaux, inquiétants au départ, sont revenus à des valeurs très satisfaisantes et elle a toute sa conscience. Elle a fait une bonne commotion cérébrale, mais elle a été chanceuse. Tout est rapidement rentré dans l'ordre et il n'y a aucun signe d'hémorragie pour le moment. Mais je ne vous cacherai pas que le risque persiste pendant quelques heures à quelques jours après le traumatisme. Nous allons la garder sous observation pendant vingt-quatre heures et la relâcherons.

— Si tôt? demanda Marc.

— Oui, car plus le temps passe, plus le risque est minime. Nous lui referons d'autres tests demain et s'ils demeurent normaux, elle pourra partir. Cependant, si elle présente de violents maux de tête, des tremblements ou des nausées, il faudra la ramener.

— Oui, bien sûr docteur. Je peux aller la voir?

Dans un sourire compréhensif, le docteur fit un signe affirmatif puis se vit chaudement remercié par le jeune homme.

Marc-Alec avança lentement vers le lit de Samantha pour ne pas la réveiller. On lui avait donné un autre analgésique, son visage avait minutieusement été lavé et son pansement avait été soigneusement refait. Elle reposait calmement et avait l'air tellement bien. À quelques pieds du lit, il la regarda quelques minutes. Il sentait qu'il lui fallait partir et la laisser se reposer, mais quelque chose le retenait auprès d'elle.

Lorsqu'elle ouvrit les yeux, Samantha vit le dos du jeune homme qui s'apprêtait à s'éloigner. Son veston déchiré était également taché de sang séché. D'abord dans un murmure ses lèvres prononcèrent son nom puis sa voix s'éleva jusqu'à lui. Elle le vit revenir d'un pas rapide, un sourire accroché à ses lèvres.

Lui demandant comment elle allait, il prit place dans la chaise située près de la civière dans laquelle elle reposait. Un peu mal à son aise, il jouait nerveusement avec sa montre en cuir en l'écoutant parler.

— Ce n'est pas à titre de bénéficiaire que je croyais entrer dans un hôpital d'ici.

L'homme la regarda ne comprenant pas comment elle pouvait encore plaisanter. Mais il se rassurait qu'elle aille mieux et lui répondit par un sourire entendu.

— Écoute, je ne voudrais pas te fatiguer, tu dois prendre des forces. Dors encore un peu et je vais en profiter pour donner un coup de fil à Pierre qui doit assurément s'inquiéter.

— Oui c'est vrai… Marc-Alec, les gens à l'aéroport... as-tu entendu parler d'un bilan quelconque? J'espère que personne n'a souffert, j'ai été idiote, si j'avais réagi tout de suite, j'aurais pu aider... je…

Soudain elle fondit en larmes. Marc s'imaginait glisser sa main dans les cheveux couleur d'or, mais se retint. Il aurait voulu la prendre dans ses bras afin de la consoler, mais ce n'était plus à propos. Il lui prit la main. Dans sa propre souffrance, elle songeait à celle des autres et il la trouva remarquable.

— Arrête de dire des bêtises la gronda-t-il doucement. Tu ne pouvais pas savoir. Pour te rassurer, je pense que tu as été la plus gravement blessée. Ça paraît énorme lorsque tu le vis, mais les gens d'ici sont préparés et habitués. Et il y en a eu de bien pires. On a situé celui-ci à 6 sur l'échelle de Richter selon les ambulanciers. De ton côté, tu as été malchanceuse de te faire pousser contre le mur et de recevoir quelques débris. Tu dois te reposer maintenant. Je prendrai de tes nouvelles plus tard.

— Marc, merci infiniment dit-elle comme il partait.

Pour toute réponse, il lui fit le même sourire qu'elle avait reçu à son réveil dans l'ambulance. Elle songea à ce sourire un bon moment avant de se rendormir.

L'infirmière du service de soirée la réveilla afin de lui prendre ses signes vitaux et lui offrir un bouillon de légumes. Samantha se sentait beaucoup mieux. La douleur à la tête avait disparu et elle discuta avec la jeune infirmière à la peau basanée qui se montrait très attentive à son égard.

— Je dois commencer mon stage ici-même dès lundi matin. J'espère avoir la possibilité de le faire.

— Si tu continues dans cette voie, tu serais plutôt en forme pour le débuter, mais de là à le faire réellement, je ne sais pas. Il faudra en parler à ton médecin ajouta la brune infirmière. En tout cas pas de fièvre et la tension artérielle de mademoiselle est excellente maintenant, la rassura-t-elle.

Elle aida Samantha à terminer son bouillon et lui replaça ses oreillers. Ce faisant, elle lui fit le commentaire que son anglais était excellent.

— Merci. Il viendra quand le médecin? demanda-t-elle à l'infirmière comme elle s'apprêtait à la quitter.

— Oh! Il est toujours là à voir d'autres patients et il reviendra sûrement tantôt. En attendant, si tu veux lire je peux t'apporter quelques revues.

— J'apprécierais, merci répondit la jeune malade en songeant que sa lecture la distrairait de l'image de Marc-Alec lui tenant la main.

******

Marc faisait les cents pas dans leur chambre d'hôtel.

— Je ne comprends pas. Tu veux quand même aller au Chinatown après ce qu'il lui est arrivé ? Tu sais bien qu'elle est seule ici. Elle n'a jamais voyagé, ne connaît rien ici, ni personne à part nous. Nous nous sommes engagés à l'aider et lui servir de guide et je me sens un peu responsable d'elle.

— Samantha est une adulte et peut sûrement se débrouiller seule sinon elle n'aurait pas fait ce voyage.

— Je sais, ce n'est pas ce que je veux dire. Nous sommes devenus amis avec elle et je ne peux pas la laisser tomber. Ce n'est plus la même chose qu'au début. Elle est souffrante, seule et hospitalisée. Et elle doit trouver le temps long. Nous devons retourner la voir ce soir. Mets-toi à sa place bon sang !

— Marc, écoute-moi. Si elle ne nous avait pas connus, peut-être lui serait-il arrivé la même chose et serait seule de toute façon. Alors laisse-la un peu. De toute manière, elle dormira probablement, du moins elle en a besoin. Viens manger, ça te fera du bien à toi aussi. Nous irons à cet hôpital demain puis nous la ramènerons.

— Si elle avait été seule, rien de tout cela ne lui serait arrivé. Elle serait probablement sortie de l'avion une des premières, ne nous aurait pas attendus un moment en bas des escaliers et aurait atteint l'intérieur de la bâtisse avant ce terrible évènement.

— Non, oh non ! Tu ne vas pas te sentir responsable, se fâcha Pierre-Antoine en pointant un doigt dans sa direction. Tu dois éliminer ces idées noires de ta caboche. Ce n'est pas en te sentant coupable que tu l'aideras. Ça s'est passé parce que ça le devait. Et par surcroît, je suis persuadé que notre culpabilité ne lui a pas effleuré l'esprit une seule seconde.

Il marqua une pause et regarda attentivement son cousin. Celui-ci s'était nettoyé le visage dans une salle de toilette de l'hôpital, mais portait encore son veston taché et déchiré. Assis sur le bout du lit, ses coudes appuyés sur ses genoux, il supportait sa tête de ses deux mains en regardant par terre.

La dernière phrase de Pierre avait produit son effet. Lentement il releva son visage vers celui qui venait de parler.

— J'en suis certain aussi. Il n'y a pas l'ombre de malice dans ces yeux turquoise. Mais maintenant qu'elle nous a rencontrés...

— Marc, écoute-moi moralisa son cousin d'une voix calme commençant à comprendre la cause de l'état dans lequel son cousin se trouvait, Samantha est une gentille fille qui ne mérite pas qu'on la laisse là et nous l'aiderons c'est certain. Souviens-toi cependant qu'elle nous a fait promettre qu'en aucun cas nous ne devions modifier nos projets pour elle. La situation est délicate, j'en conviens, mais tu ne crois pas qu'elle serait mal à l'aise sinon fâchée de constater que nous avons aboli nos plans pour aller la voir cinq minutes ?, car on ne pourra pas plus longtemps, c'est certain.

Le coup sembla porter à Marc qui restait muet. Il savait que l'explication de Pierre était remplie de sens, mais il ne pouvait se résoudre à avoir du plaisir pendant qu'elle débutait si mal ses vacances sur un lit d'hôpital. Il le lui expliqua et ajouta :

— C'est surtout le risque d'hémorragie qui m'énerve.

— Samantha est infirmière, elle doit sûrement avoir une petite idée là-dessus. Si ça peut te rassurer, téléphone-lui afin qu'elle sente que nous sommes là et tu l'assureras de notre visite demain. Cher cousin crois-moi, je suis convaincu que nous aurions davantage eu de plaisir avec elle, mais nous n'y pouvons rien. Comme je te disais elle a besoin de repos et nous de manger.

La jeune malade reposa le combiné et remercia l'infirmière assise au poste de garde qui la gratifia d'un sourire. Le préposé la ramena ensuite à sa civière dans la chaise roulante qui l'avait conduite au poste.

Confortablement installée dans son lit de fortune, elle songeait à l'entretien qu'elle venait d'avoir avec Marc. Elle se disait contente qu'ils aient décidé de ne pas abandonner leur plan, mais secrètement déçue qu'ils ne soient pas venus la visiter. Le souvenir du contact de sa main sur la sienne, le réconfort de ses caresses dans les cheveux lui revenaient sans cesse et laissaient un vide immense. Elle aurait tant souhaité qu'il soit là pour lui tenir la main à nouveau.

Mais dans la noirceur qui venait de s'établir dans la petite salle où elle gisait avec trois autres malades, elle se ressaisit soudain. Il y avait quelque temps déjà que son corps n'avait bénéficié de la chaleur d'une main masculine et il s'était laissé emporter au contact du premier venu. Associant cette émotion au besoin de réconfort tant sur le plan médical que sentimental, elle se retourna et tenta de s'endormir. Marc se montrait gentil et restait un beau garçon, mais elle ne connaissait absolument rien de lui. Peut-être avait-il quelqu'un dans sa vie? se rappela-t-elle.

Elle se fâchait contre ce besoin stupide qui se manifestait une autre fois. Il n'était pas dans ses habitudes d'avoir envie d'une présence masculine lorsqu'elle se sentait seule et brisée par l'amour, au contraire. Elle détestait ce sentiment qui l'envahissait brusquement et sans raison. Et la honte la tenaillait d'avoir envie que le premier bel inconnu la prenne dans ses bras. Décidément, cette commotion l'avait beaucoup plus atteinte que le médecin le laissait suggérer. Il lui fallait repousser cette attirance purement physique qui se développait.

Elle tenta de raisonner son esprit un peu fou. Après avoir tourné plusieurs fois sur l'étroite civière, elle prit une décision à laquelle elle devait s'accrocher. Puis le sommeil l'enveloppa peu après, mais elle dormit peu et mal.

******

Vers la fin de l'avant-midi, alors qu'elle venait d'achever sa toilette à l'aide d'une infirmière, Samantha reçut la visite du docteur Andrews. Refermant le dossier qui la concernait, il souriait visiblement satisfait de l'évolution du traumatisme qu'elle avait subi.

— Miss Cartier, vous avez été une bonne patiente et vous vous êtes bien rétablie. Tous vos tests sont normaux. Je vous autorise donc à quitter l'hôpital cet après-midi. Cependant si vous souffrez de tremblement, de nausées, de fièvre ou de douleur subite à la tête, il faut vous présenter à l'urgence immédiatement.

— Bien compris, docteur. Et si j'ai besoin qu'on me prenne dans ses bras? eut-elle envie d'ajouter. Mais elle n'en fit rien, sachant que la décision qu'elle avait prise la veille l'aiderait à tempérer ses élans.

— Autre chose: l'infirmière qui a pris soin de vous hier soir m'a parlé d'un stage organisé avec votre hôpital du Québec que vous deviez accomplir dans cet établissement dès demain. Il est bien entendu hors de question que vous vous y présentiez avant mercredi. Le département pédiatrique est déjà avisé. Il ne vous reste qu'à vous reposer et surtout évitez les tensions.

— Oui merci beaucoup docteur Andrews pour ce petit dérangement que vous avez dû effectuer pour moi et surtout pour vos bons soins. Samantha aurait bien voulu protester et contester sa décision, mais elle savait que ça ne servirait à rien.

— Ce sont les infirmières que vous devez remercier, miss Cartier. Bonne chance et bon séjour à San Francisco.

Ils quittèrent le centre hospitalier vers quatorze heures. Vêtue de l'ensemble kaki qu'elle portait la veille à son arrivée à San Francisco, Samantha sortit escortée par ses deux compagnons dans le soleil de la Californie. Les infirmières avaient été assez gentilles pour nettoyer du mieux qu'elles pouvaient les taches de sang qui ornaient son ensemble, le rendant maintenant présentable pour sa sortie.

Dans le taxi qui les emmenait jusqu'à son hôtel, Samantha regardait partout ne désirant rien manquer de ce qui s'offrait à elle. Marc et Pierre souriaient devant ses exclamations. Elle se fixa même des points de repère pour ses prochaines sorties. Le paysage, les parcs et les maisons, tous si différents et si beaux défilaient devant ses yeux. La joie parcourait son corps encore fragile, mais un sentiment de bien-être l'envahissait. La jeune femme débutait ses vacances une seconde fois et sentait monter en elle tout le plaisir de la découverte de San Francisco.

La voiture avançait silencieusement à l'exception de la voix de la répartitrice qui parlait de temps à autre dans le haut-parleur. Assis tous trois à l'arrière, Samantha prit soudain conscience de ses voisins. Son impression de bien-être fit place peu à peu à l'inconfort.

Elle ne leur avait pas encore fait part de sa décision prise la veille et sentait qu'elle les décevrait. Ils en seraient probablement affligés, mais pas autant qu'elle.

Elle suggéra de descendre au prochain carrefour et de marcher jusqu'à destination si elle ne se trouvait pas trop loin pour profiter du beau temps. Ce qu'ils firent, car effectivement le King George n'était plus qu'à quelques coins de rue.

Ils marchaient en silence sur Geary Street au milieu des passants qui pour la plupart déambulaient sans hâte. Avec le Macy's et quelques autres magasins à proximité, beaucoup de gens s'attroupaient dans ce quartier à la recherche d'emplettes idéales. Ils croisèrent un stand où de jeunes adolescents offraient de cirer des chaussures pour un prix presque ridicule. Quelques clients déjà installés lisaient leur journal ou bavardaient entre eux, des chiffons dansant sur leur soulier, guidés par des mains expertes. Des effluves provenant de différentes sortes de fleurs parvinrent à leurs narines. La boîte, siégeant au coin de la rue, semblait trop petite pour la quantité de fleurs qu'elle contenait ainsi que pour la vendeuse qui se frayait difficilement un chemin derrière son comptoir.

En traversant la rue, l'Union Square Park s'offrit aux yeux de Samantha, laquelle ne cessait de s'exclamer depuis leur départ du centre hospitalier. Immense, le parc était ceint de palmiers, d'ifs et d'une haie bien taillés. Plusieurs personnes circulaient dans la partie centrale, dallée et décorée de plans de fleurs, pendant que d'autres discutaient ou flânaient assis le long d'un muret de béton. En son milieu, un obélisque érigé à la mémoire d'un Amiral lui expliqua Marc-Alec, s'élevait haut vers le ciel.

Ce ciel bleu, dépourvu de nuage, offrait son soleil particulièrement ardent pour la période actuelle. Confortablement installée à l'air climatisé du taxi un peu plus tôt, Samantha ne se souvenait plus qu'à l'extérieur il régnait une telle chaleur.

Les hommes parlant entre eux de la journée qui les attendait le lendemain, Samantha pouvait penser à son aise à ce qu'elle leur dirait. Elle avait songé à bien des formules la veille avant de s'endormir, mais comme c'était souvent le cas, les mots se bousculaient dans sa tête et elle devait y mettre de l'ordre.

D'abord, elle les remercierait de leur extrême gentillesse. Pierre avait bien voulu attendre à l'aéroport que chacun ait récupéré ses valises afin de s'assurer que celles qu'il prendrait soient réellement celles de Samantha. Il les avait bien vues lors de leur transfert à Las Vegas, mais il ne se rappelait plus exactement de leur aspect et ce procédé avait exigé un peu de temps. Celles-ci étaient marquées à son nom, toutefois, le jeune homme ne pouvait se permettre de regarder l'étiquette de chacune des valises qui tournaient sur le carrousel.

Il avait essayé de les faire transférer au King George Hôtel, mais le gérant ne pouvait prendre le risque de faire entrer des valises à son hôtel alors que leur propriétaire ne s'y trouvait pas. Pierre-Antoine avait bien compris et avait gardé les valises à leur chambre à lui et son cousin. Il en avait apporté une en allant chercher Samantha au centre hospitalier et on lui remettrait l'autre valise plus tard ou le lendemain.

Quant à Marc, il avait été si gentil et compréhensif envers elle, tellement qu'il avait réussi à semer la confusion dans son esprit. Elle ignorait sincèrement la signification de ces sentiments qui la gagnaient et à la fois inquiète et honteuse, elle sentait le besoin de faire le point. Et elle devait le faire seule.

Cependant leur dire qu'elle ne souhaitait plus les revoir lui semblait ingrat et ardu. Voilà où elle en était. Comment leur faire savoir sans les blesser? Et surtout, quelle raison invoquer?

Prenant une grande inspiration, la jeune femme décida de débuter là où il fallait et les mots viendraient sûrement.

— Les gars? fit-elle pour attirer leur attention.

— Oh pardon Samantha. Je suis désolé, nous parlons et...

— Ça ne fait rien Pierre-Antoine. Je voulais juste vous remercier pour tout ce que vous avez fait pour moi. Je ne saurai jamais comment vous exprimer toute ma reconnaissance.

— Sam, laisse tomber, commença Marc.

— Non j'y tiens insista-t-elle en mettant sa main droite au-dessus de ses yeux pour se protéger, car elle avait levé la tête vers eux, mais le soleil l'aveuglait malgré tout.

Samantha cessa de marcher. Le soleil l'ayant aveuglée, elle sentait sa vue troublée. De plus, reliant son état à la chaleur du soleil, elle commençait à se sentir étourdie. Baissant la tête, elle attendait que ça passe. Pourtant à sa surprise, l'étourdissement augmentait jusqu'à lui faire mal à la tête.

Voyant Samantha toujours immobile et sans voix, Marc s'inquiéta:

— Samantha, ça va?

Samantha ne répondit pas immédiatement. Sentant ses jambes devenir molles, elle cherchait des yeux un point d'appui. Elle commençait à voir des étoiles et entrevoyait avec effroi ce qui se pointait. Elle ne souhaitait pas retourner à l'hôpital.

— Marc, je me... fit-elle dans un murmure et incapable d'en dire davantage et sentant le sol se dérober sous ses pieds.

À deux pas d'elle et la voyant faiblir ce dernier se précipita pour la retenir. L'espace d'un instant Pierre, qui regardait son cousin, s'attendait à revivre la scène effroyable qu'il avait vécue à l'aéroport. Mais aucun son ne sortit de la gorge de son cousin. Aucune larme ne glissait sur ses joues. Juste avant de se précipiter pour l'aider il put cependant voir son regard. Craintif, inquiet, et désemparé, lisait Pierre-Antoine dans ce dernier, ce qui en disait long sur ce que représentait déjà Samantha pour son cousin.

Chapitre 9

La voix suit sa voix

À cette pensée Samantha sourit. Elle avait causé tant d'inquiétudes à Marc-Alec. Ce souvenir lui semblait tellement loin maintenant. Mais bientôt elle reverrait cet homme qui était sa raison d'être, sa force pour ne pas abandonner. Elle savait que ce moment de retrouvailles approchait, car le psychologue, monsieur St-Onge, l'aiderait. Il la tiendrait au courant de ses démarches. Elle avait un espoir et s'y accrocherait.

Plusieurs mois s'étaient écoulés depuis sa disparition. Elle était consciente que Marc avait pu refaire sa vie sans elle. Après maintes recherches vaines, et elle pressentait combien il avait dû en faire, aidé de la police, il se serait habitué peu à peu à son absence et avait peut-être fini par l'oublier... Ça faisait terriblement mal d'y songer, mais il existait une possibilité qu'une autre femme ait croisé sa vie même si au fond d'elle-même elle devinait que ce n'était pas le cas et qu'il pensait toujours à elle. Ils s'étaient trop aimés pour qu'elle cesse d'espérer, pour qu'il ose cesser lui aussi.

Un petit mouvement dans son ventre la rappela à l'ordre et elle plaça sa main instinctivement à l'endroit où elle avait ressenti le coup. « *Son état* » comme disaient souvent Nanny et monsieur Lacroix la raccrochait à ce passé qu'ils tentaient d'enrayer.

— Oui bien sûr, je ne t'oublie pas. Tu es mon autre unique raison de m'accrocher dit-elle tout bas à l'adresse de son ventre. Et nous en sortirons tu verras. Je vois déjà la lumière au bout du tunnel. Mais il te faudra m'aider.

Vérifiant l'heure sur le petit cadran, chose qu'elle avait faite à peine cinq minutes avant, elle se dit qu'elle trouverait le temps long, mais devrait s'armer de patience et de courage. Le docteur St-Onge avait affirmé pouvoir lui donner des nouvelles sous peu. Elle attendrait... le plus sagement possible que les jours passent jusqu'à celui qui lui apporterait la bonne nouvelle qu'elle comptait obtenir.

Assise sur la chaise berceuse, elle entreprit de se remettre à la lecture qu'elle avait commencée avant qu'on ne vienne la chercher pour sa « *séance* », surtout pour aider à égrainer le temps.

Elle avait réussi à garder son attention sur sa lecture sans penser à rien d'autre que ce qu'elle lisait. En tournant la dernière page elle remarqua que près d'une heure s'était enfuie.

Elle regrettait de s'être emportée avec Monsieur Lacroix, plus tôt, dans l'après-midi. Il lui permettait, parfois, surtout lorsqu'il rentrait de voyage, de quitter sa solitude et de l'accompagner à table. C'est dans ces moments qu'elle avait découvert l'homme doux et profond qu'il était. Ses conversations devenaient souvent intéressantes et il lui apprenait même certaines choses à l'occasion.

Elle regrettait une chose cependant: chaque fois qu'elle avait essayé d'obtenir quelque information que ce soit provenant de l'extérieur, il avait esquivé ses questions et changé immédiatement de sujet.

Il tenait vraiment à ce qu'elle soit coupée de tout pour oublier ce qu'elle était devenue, soit Samantha Cartier, et revenir à ce qu'elle était avant, en l'occurrence Jennifer Lacroix, mais l'enfant à naître compliquait les choses.

Lorsqu'elle avait réalisé qu'elle était enceinte, un mois environ après son arrivée, Samantha n'en avait parlé à personne, espérant être réunie avec Marc quand son état se verrait. Il n'en était rien puisqu'elle se trouvait encore là. Elle chérissait ce souvenir où elle et Marc avaient conçu le bébé la veille de son enlèvement. Dès qu'il fut évident qu'elle portait un bébé, monsieur Lacroix avait tenté de la persuader de se faire avorter, mais elle avait joué avec ses sentiments et il ne pouvait se résoudre à tuer ce petit être qui allait devenir son « *petit-enfant* ».

Ses pensées revenant aux occasions de prendre son repas avec lui, Samantha se dit que depuis quelque temps elles s'avéraient rares.

Il semblait souvent pressé de manger et Samantha entendait ses départs précipités dès qu'il terminait son repas ou presque.

Comme il rentrait d'un petit voyage, la jeune femme avait espéré que ce soir-là soit une « *soirée spéciale* » comme elle aimait les qualifier vu leur irrégularité évidente et qu'il l'inviterait à venir souper avec lui. Mais il n'en avait rien été.

Ce soir elle ressentait encore davantage ce besoin de sortir de cette chambre qu'elle commençait franchement à détester. Depuis qu'elle voyait une lueur d'espoir, la jeune femme prenait conscience de son dégoût progressif pour cette chambre bleue et rose qu'elle avait pourtant contribué à décorer.

Ses yeux qui venaient de parcourir la chambre s'attardèrent sur la photo de Jennifer qu'elle avait tant de fois souhaité retourner contre le mur.

— Toi, tu vas bientôt cesser de rire de moi. D'ici peu de temps je ne serai plus ton fantôme et je sortirai d'ici. Ta fin est proche, je le sais, je le sens.

Elle avait proféré ces paroles sur un ton fort et se mit à rire en se trouvant stupide de menacer une photographie. Pourtant ce court monologue lui avait procuré un certain soulagement.

Le livre de Cunard à la main, elle se dirigea vers la commode à côté de laquelle Nanny lui avait aménagé sa mini bibliothèque avec les quelques livres qu'elle s'était choisis quelques semaines auparavant dans la grande bibliothèque. Elle rangeait sur la tablette du bas les livres déjà lus.

En examinant le titre des livres de la rangée du haut, maintenus debout par deux appuis-livres, Samantha constata avec soulagement que la pluie avait enfin cessé. Elle pourrait donc continuer sa lecture sans la distraction de la pluie tambourinant sur le toit.

La jeune femme parcourut rapidement le titre des livres et en retira deux de la rangée. Hésitant entre deux romans d'époque, elle lirait leur résumé avant d'arrêter son choix.

S'assoyant dans le milieu du lit les jambes repliées l'une sur l'autre, en tailleur, elle prit un premier livre et lut le résumé sur la jaquette du livre. Elle n'avait pas terminé le premier paragraphe quand elle entendit des pas dans le couloir qui semblaient se rapprocher.

Bientôt des voix accompagnèrent ces pas. Distraitement, elle écouta la voix de monsieur Lacroix qui s'élevait dans le corridor. Songeant au visiteur qui l'avait intrigué plus tôt, elle accourut à la porte espérant avoir d'autres indices sur la voix qu'elle croyait connaître.

— Alors je vous recontacterai pour les détails, vous feriez mieux d'éviter ces voyages inutiles à l'avenir. Ça vaudra mieux pour tous. Vous devriez attendre de mes nouvelles ou téléphonez-moi sur ma ligne privée dans mon bureau.

« Ça vaudra mieux », se répéta Samantha. L'évocation d'un risque potentiel à venir au manoir éveilla la curiosité de Samantha. Elle se trouvait près de sa porte lorsqu'elle entendit la réponse de celui à qui étaient adressées ces paroles.

— Entendu, j'attendrai mais…

— Oui je sais, vous l'avez mentionné. À présent, à bientôt et bon voyage. Soyez sans crainte je m'occupe de tout, répondit Édouard Lacroix en refermant la porte derrière le visiteur.

Appuyée sur la porte, Samantha ouvrit grand ses yeux puis plissa le front comme pour se forcer l'esprit à retrouver l'origine de cette voix.

C'était la même qu'elle avait entendue avant sa séance et si elle l'avait momentanément oubliée, maintenant cette voix l'intriguait à nouveau. L'inconnu n'avait pas parlé beaucoup, mais il en avait assez dit pour la convaincre qu'elle connaissait cette voix et sûrement par le fait même, son propriétaire. La voix étant quelque peu étouffée par la porte, il était plus difficile de déceler à qui elle appartenait.

Samantha retourna sur son lit de bois, mais n'avait plus du tout la tête à lire. Se remémorant les paroles d'Édouard adressées à l'homme au sujet du risque à venir ici et celles où il confirmait qu'il s'occuperait de tout, sur sa figure se dessina un air préoccupé.

Elle aurait voulu considérer cet entretien dont elle venait d'être le témoin auditif comme un évènement anodin, mais son intuition l'avertissait que quelque chose de non négligeable se préparait. Mais une fois qu'elle eut repassé les mots de son « *supposé père* » dans sa tête, elle tenta de se raisonner. L'homme partait en voyage et demandait probablement que monsieur Lacroix s'occupe d'une quelconque tâche pour lui durant son absence. Il n'était pas le premier homme avec qui Édouard Lacroix transigeait.

Mais un petit malaise demeurait tout de même en elle. Une idée intuitive revenait planer au-dessus de cette explication pourtant très valable. Ce malaise, cette intuition se basaient sur cette voix. Cette voix qui ne cessait de trotter dans sa tête. Cette voix qui l'agaçait, qui la hantait même. Elle pensait, elle cherchait et se concentrait tellement pour trouver un indice sur cette énigme que pendant quelques secondes une image d'elle couverte de sueurs se présentait à elle et Samantha eut la réelle sensation d'en être parcourue.

Était-il petit ou grand, brun ou blond, maigre ou rondelet? Elle cherchait toujours. Cependant quelque chose la rassurait: le timbre de la voix indiquait plutôt une jeune personne. Un aspect était trouvé. Mais pour le reste... mais QUI est cette voix? se demandait-elle inlassablement. Cette voix cherchait vainement sa voie dans sa tête.

Un sentiment de colère montait en elle devant son incapacité à résoudre le mystère de la voix. Il fallait qu'elle trouve. Elle était tellement persuadée d'avoir été en contact de près ou de loin avec cette voix. Ne pouvant pas trouver sur le moment, elle abandonna craignant de craquer, mais pas totalement; elle finirait par trouver. Tôt ou tard d'autres signes révélateurs se manifesteraient.

S'allongeant les jambes sur le couvre-lit et s'adossant au mur, elle choisit de lire le premier volume qu'elle avait pris. Pénétrant progressivement au royaume de l'amour, elle en vint à oublier, une fois de plus, temporairement, la voix de l'inconnu qu'elle pensait connaître.

Le calme s'étant emparé de son corps, elle put bientôt profiter pleinement de sa lecture. Se mettant dans la peau de l'héroïne, Samantha oublia les questions qu'avait fait naître l'intrigante voix, transposa son histoire dans celle du livre et revécut pour la énième fois le merveilleux conte qui l'unissait à celui dont elle pleurait le souvenir presque chaque jour.

Chapitre 10

L'énigmatique monsieur Fortin

Ils s'étaient installés sur un banc de bois que Pierre avait rapidement repéré. Les passants continuaient leur chemin sans se préoccuper d'eux. De toute façon, ils semblaient bien s'en tirer. Marc et Samantha étaient assis côte à côte. Marc tenait Samantha légèrement penchée contre lui. Son bras gauche longeait le dossier du banc et effleurait les épaules de celle qui venait de reprendre conscience. Pierre, légèrement accroupi devant eux, se tenait prêt à interpeller un taxi pour les ramener à l'urgence.

— Je ne veux pas me rendre à l'hôpital se plaignait Samantha.

— Juste un petit examen, tentait de la rassurer Marc tout en sachant pertinemment que c'était pour se rassurer lui, afin de contrôler si tout va vraiment bien comme le médecin l'a demandé. Juste s'assurer que rien ne vienne compliquer les choses. Il serait dommage de débuter ce séjour du mauvais pied.

— Tout va bien, dit-elle en essayant de s'avancer sur le bout du banc. Je n'ai pas vraiment perdu connaissance vous savez! J'ai vu des étoiles, il est vrai, et mes jambes sont devenues molles, mais je n'ai pas perdu un instant de ce que vous avez dit ou fait. C'est la chaleur, il fait très chaud et puisque je suis un peu fatiguée... J'ai seulement besoin de repos et de manger puisque je n'ai presque rien avalé depuis hier. Je promets que si après un excellent repas et une bonne nuit de repos mes malaises reprennent, je retournerai à l'hôpital, dit-elle d'une voix qu'elle voulait sûre en levant la main droite pour appuyer sa promesse.

Les deux hommes demeuraient silencieux, hésitants. Puis Marc suggéra de ne pas travailler le lendemain après-midi et rester à ses côtés au cas où. Il décréta que sa présence n'était pas spécialement requise au travail et à sa surprise Pierre l'approuva.

Samantha savait qu'elle devait être raisonnable et accepter cette proposition. Par le fait même, elle ne pouvait plus leur faire part de ses intentions prises avant son malaise, celles de ne plus les revoir, car ils ne voudraient rien entendre ou bien ils l'enverraient à l'urgence. Mais au fond d'elle-même, elle s'avoua qu'elle n'avait sincèrement pas envie de couper le contact maintenant.

Après leur délicieux repas à l'élégant restaurant de l'hôtel King George dans le chic décor des années cinquante, les cousins constatèrent que Samantha allait effectivement mieux. Elle avait retrouvé son beau teint de pêche rosée.

Pour lui éviter la fatigue d'une nouvelle promenade, que la recherche d'un restaurant décent amènerait, les jeunes hommes l'avaient invitée à ce somptueux restaurant. Un serveur en livrée les avait installés près d'une large fenêtre arborant de longs rideaux de satin. Les riches couleurs aux tons de doré et bourgogne courant sur le tissu avaient attiré le regard intéressé de Samantha. Le repas, animé de conversations plaisantes et de projets pour les prochains jours, fut bientôt terminé, trop rapidement à leurs yeux, en fait.

Ses nouveaux amis l'escortèrent ensuite jusqu'à sa chambre où elle leur promit sagement de se mettre au lit tôt et de téléphoner pour donner de ses nouvelles ou au moindre malaise. Au moment de leur séparation, Marc-Alec lui glissa un papier dans la main qu'elle rangea dans la poche de sa veste, décidée à le réserver pour plus tard.

******

Les rayons du soleil filtraient à travers le rideau laissé légèrement entrouvert. La caresse du soleil chaud sur sa joue acheva de la réveiller. Elle étira son bras pour prendre sa montre sur la petite table de chevet. Sa main toucha un papier. Samantha le prit et le relut. Le numéro de téléphone à l'hôtel de Marc et Pierre ainsi que celui de leur téléphone cellulaire respectif y étaient inscrits.

Après avoir refermé la porte de sa chambre se souvenait-elle, Samantha avait vidé ses poches sur la table de chevet sans regarder immédiatement le papier que Marc-Alec lui avait filé la veille. Elle s'était gardée de le lire à ce moment, se réservant le plaisir, elle ne pouvait dire exactement pour quelle raison, de le lire juste avant de se coucher.

Elle avait commencé à ranger ses vêtements, mais vite épuisée, elle avait remis cette tâche au lendemain. Mais la jeune femme avait dû s'avouer qu'elle ne songeait qu'à la petite note. Samantha fit sa courte lecture. Sous les numéros de téléphone, le jeune homme avait ajouté: « *Si tu ne donnes pas de nouvelles, je supposerai que tout va bien, mais je t'appellerai tout de même demain matin. Passe une bonne nuit.* »

Et il avait tenu parole. Encore très endormie alors, la jeune femme ne se souvenait plus exactement ce qu'ils s'étaient dit plus tôt lors de son appel, mais la chaleur de sa voix résonnait encore dans sa tête. Elle s'était rendormie ensuite apparemment.

Samantha se retourna sur le dos et sourit en songeant à cet homme si gentil. Elle s'étonna une fois de plus que des étrangers s'inquiètent tant pour elle. Dans cette société où le chacun pour soi primait et où quelques esprits malveillants circulaient, il s'avérait réconfortant de constater qu'il existait encore des gens aimables.

Une chaleur envahit peu à peu son corps. Elle tenta de chasser le trouble qu'elle ressentait à la seule pensée de cet homme et se dit plutôt qu'il pourrait devenir un très bon ami. Elle attrapa sa montre.

— Déjà! s'exclama Samantha en s'étirant.

Elle se fit violence pour sortir du lit confortable qui l'avait abritée toute la nuit. La jeune femme, vêtue de son peignoir vert menthe, se rendit à la fenêtre afin d'admirer la ville et se changer les idées. Des tramways s'agitaient dans les rues en pente. Des tours et des buildings attiraient son regard et semblaient l'inviter à venir les visiter.

Après plusieurs minutes, à regret, elle délaissa la ville et ses attraits songeant que le « *Golden Gate Bridge* », qu'elle venait d'apercevoir plus loin, offrait une vue magnifique dans ce merveilleux paysage Californien. Elle mit l'air climatisé en fonction et décida de terminer de ranger ses vêtements dans les tiroirs et la penderie.

Ensuite, elle passa le coup de fil promis à sa mère. Pour une fois, Samantha fut soulagée de tomber sur le répondeur. Elle n'avait ni envie, ni le temps de répondre à ses multiples questions.

Après avoir mentionné à la boîte vocale qu'elle s'excusait pour le retard, car la fatigue du voyage avait eu raison d'elle, Samantha ajouta qu'elle allait bien, avait fait un bon voyage, qu'elle s'était déjà fait des amis et qu'elle redonnerait d'autres nouvelles plus tard. La jeune femme raccrocha ensuite, satisfaite. Elle n'allait surtout pas inquiéter sa mère avec ses mésaventures.

Ses pieds nus quittèrent le tapis gris moelleux pour marcher sur les carreaux de céramique blancs et frais qui recouvraient le plancher de la salle de bain. Elle fixa son reflet dans le grand miroir et plissa le nez. Il y avait du travail à accomplir pour venir à bout de cette mine déconfite. Mais d'abord une bonne douche aiderait sûrement.

Samantha consulta le miroir une fois de plus et en parut satisfaite. Elle avait relevé ses longs cheveux dorés en un chignon relâché. Ses yeux turquoise, soulignés par un mince trait de crayon vert, semblaient plus grands, plus brillants. Sa bouche, légèrement colorée d'un rouge-orangé pâle, se mariait parfaitement avec son habillement.

Sur un fond noir, de petites fleurs orangées, jaunes et blanches complétaient le coloris de sa chemise entrouverte jusqu'à sa poitrine d'où on apercevait la camisole blanche que Samantha avait enfilée dessous. Ses bermudas blancs, attachés à la taille par une ceinture noire, lui seyaient très bien. Des sandales aux fines lanières de cuir complétaient sa tenue. Reculant un peu pour mieux évaluer son apparence, elle se sourit, satisfaite espérant que Marc serait ébloui.

Elle se détourna à cette pensée. Pourquoi chercher à séduire son nouvel ami? lui qui était si gentil pour elle. Elle se devait de chasser ces pensées qui revenaient constamment. Il y avait à peine plus d'une journée qu'ils se connaissaient et Samantha se jugea ridicule une fois de plus, d'espérer l'impressionner.

Après avoir rangé la salle de bain, la jeune femme se rendit dans l'autre pièce et assise sur le lit ouvrit machinalement le poste de télévision essayant de tuer le temps avant l'heure du rendez-vous qu'ils s'étaient donné la veille. C'est alors que la sonnerie du téléphone retentit. Elle regarda l'heure. Les aiguilles de sa montre marquaient près de midi. Sans s'en apercevoir, elle prit une profonde inspiration avant de décrocher.

— Es-tu prête? fit la voix attendue à l'autre bout du fil, après lui avoir demandé comment elle allait.

— Pas tout à fait, mentit-elle afin qu'il ne découvre pas qu'elle attendait impatiemment son appel.

— Alors, dépêche-toi et descends, je t'attends en bas. Je suis déjà à l'hôtel.

— Déjà?, mais je croyais...

— Oui, pardonne-moi je sais, j'aurais dû t'appeler avant comme convenu, mais j'espérais te faire une surprise. Je suis désolé si je te prends au dépourvu.

— Non pas du tout, ce n'est pas grave. Je descends dans quelques minutes.

Heureuse, elle crut voir ses yeux briller lorsqu'elle l'aperçut venant vers elle en sortant de l'ascenseur. Mais probablement que ses espoirs lui jouaient des tours. Il resta d'abord sans voix puis la complimenta élogieusement.

— Tu me parais en parfaite forme. Une bonne nuit de sommeil a achevé d'effacer toute trace de commotion. Tu n'as pas du tout la même mine qu'hier et tu m'en vois très heureux. En un mot, tu es... magnifique, fit-il avec une émotion perceptible en lui tendant les mains.

Samantha lui retourna le compliment. Dans son pantalon de toile marine et son polo blanc, elle le trouvait sincèrement beau.

— Allez viens. Je crois bien que nous aurons un agréable programme aujourd'hui.

Il l'entraîna dans la rue sans qu'elle n'ait eu le temps d'ajouter quoi que se soit. Lui détaillant le programme qu'il avait prévu, elle se mit d'accord avec lui, certaine qu'ils passeraient une merveilleuse journée.

La température était splendide. Une brise occasionnelle accompagnait la chaleur agréable du soleil. Comme ils marchaient sans presse, sur Geary Street, Samantha ferma les yeux quelques instants, s'abandonnant aux douces caresses du soleil. Elle se sentait effectivement en pleine forme.

Elle ouvrit vite les yeux cependant, afin de ne rien manquer du spectacle que lui offrait cette ville puis sourit à son compagnon qui la regardait, soudain inquiet de la voir fermer les yeux. Apercevant les rails des tramways à la rue transversale suivante, elle pressa le pas et accéléra encore en voyant surgir un de ces trains au haut de la pente et encouragea son nouvel ami à se dépêcher, car elle ne voulait pas le manquer. Hochant la tête, il la suivit enfin, rassuré.

Le tramway les déposa à quelques pas de Fisherman's Wharf. L'air sentait bon la mer et la friture. En chemin, Marc lui avait expliqué que plusieurs petits restaurateurs s'affairaient à frire les produits de la mer le long du quai. Elle avait tellement hâte d'y être. Une fois de plus elle accéléra le pas, courant presque. Marc la rejoignit en peu de temps et riant, ils atteignirent ensemble un groupe de pigeons qui picoraient des restes de pain que des enfants venaient de leur donner. À leur arrivée, les pigeons s'élevèrent et il y avait une pluie d'oiseaux autour d'eux. Samantha baissa la tête de peur de se faire griffer au passage. Marc jugea bon de l'aviser de ralentir le pas pour éviter de se fatiguer inutilement, mais elle avait l'air tellement heureuse qu'il y renonça. Samantha riait de bon cœur et il joignit son rire au sien.

Encore secouée par cette pluie d'oiseaux, Samantha se sentait comme dans un film. Il ne manque que la petite musique douce, se dit-elle. À cette pensée, la musique d'un petit orchestre s'approchant et sans doute composé d'instruments à vent et à percussion retentit dans la rue. Pas très romantique, songea-t-elle se référant à de grands classiques entendus dans certains films au style romancé, mais c'est mieux que rien.

— Allons voir ce que c'est, l'invita son compagnon à peine essoufflé, en l'entraînant par la main.

Passant sur le terrain de l'embarcadère, une parade précédée et suivie d'une voiture de police arriva à leur hauteur. Une majorette guidait une fanfare composée de tambours, de trompettes, de cors et de cymbales. Des clowns circulaient çà et là parmi les musiciens en faisant rire les tout-petits.

Samantha se sentait petite à nouveau. Elle riait et s'exclamait devant les bouffons et les quelques chars allégoriques qui circulaient près d'elle. Marc la regardait en souriant, heureux de constater sa bonne condition physique, manifestant sa joie à son côté. Une envie irrésistible de la prendre dans ses bras l'envahit, mais il l'entraîna plutôt vers des curieux qui s'attroupaient un peu plus loin. La rue était animée et une foule de gens circulait sur les trottoirs et même sur la chaussée.

— Tu sais ce qu'on célèbre?

— Si tu veux parler de ce défilé, je n'en ai pas la moindre idée. Par contre, cette rue est animée en permanence.

Toujours face à l'immense quai, ils traversèrent une rue au coin de laquelle se trouvait parmi les gens un petit théâtre en carton aux allures de maison de chien briquetée. Devant il y avait une fenêtre ouverte et à leur passage, le chien-marionnette endormi sur le rebord émit un fort aboiement provoquant un sursaut chez Marc, Samantha et la plupart des passants présents.

Ils riaient encore de ce petit tour lorsqu'arrivés au coin de rue suivant, un clown jongleur s'arrêta et bloqua leur passage. Il leur fit une horrible et bruyante grimace. Marc riant de plus belle, jeta quelques pièces de monnaie dans le chapeau sur le trottoir et il fut gratifié d'un énorme sourire. Se postant légèrement à l'écart, les deux jeunes gens s'amusèrent quelques minutes des réactions de ceux qui suivaient.

Un peu plus loin, Samantha remarqua un grand sapin qui marchait à côté d'une passante. Puis la délaissant, il recommença son petit cirque à côté d'une autre qui ne pouvait s'arrêter de rire.

— En effet, c'est très animé constata Samantha tentant difficilement de calmer son fou rire alors qu'ils arrivaient à la hauteur des kiosques à fruits de mer.

Le bon arôme qui s'en échappait acheva de la calmer. La jeune femme déambula devant les étalages de gigantesques crabes et de superbes homards. Ils dégustèrent une délicieuse soupe de fruits de mer dans un bol de pâte mangeable et partagèrent un pain farci au crabe. Leur banc de fortune consistait en une bande de béton derrière le kiosque. Pas très confortable, mais les tables étaient toutes prises. Étendus au soleil sur des rochers situés près des quais, des lions de mers hurlaient derrière eux.

— Promenade? Tu appelles ça une promenade? Samantha affectait un air contrarié. Il venait de lui demander si elle appréciait sa promenade. Pour moi, poursuivit-elle sérieuse, une promenade se fait lentement, tranquillement sur un chemin à peu près plat et sans obstacle avec tout le paysage qu'on peut admirer. Celle-ci était ponctuée de sursauts, de fou rire et d'émotions. Elle hésita, avala sa dernière bouchée de pain, puis devant sa mine interrogatrice décida qu'elle l'avait assez taquiné.

— Cependant, pour rien au monde je n'aurais manqué celle-ci continua-t-elle enfin. Les mots m'échappent. J'ai l'impression de vivre un rêve, de faire partie d'un film.

Ses yeux s'illuminaient, elle gesticulait et regardait partout autour d'eux afin de s'assurer de ne rien manquer. Elle souriait au souvenir de tout ce qui avait défilé devant elle depuis leur sortie de l'hôtel.

— Les maisons de Russian Hill, qu'on a vues en tramway, enchaîna-t-elle, dégagent un cachet spécial. Je n'en ai jamais vu d'aussi belles. Tout est si propre dans cette ville, les propriétés sont très bien aménagées. San Francisco est une ville resplendissante et j'aime beaucoup y être. Je comprends facilement ta passion pour cette ville et je suis contente que tu me serves de guide. Merci ajouta-t-elle simplement déposant enfin son regard sur lui.

Ils se regardaient intensément. Marc se pencha vers elle et sa main effleura la joue de Samantha, faisant mine de la dégager d'une mèche de cheveux. À ce moment, ses lèvres ne demandaient qu'à s'approcher de celles de la jeune femme, mais il s'écarta rapidement d'elle et lui tendit la main, l'incitant à se lever. Un peu troublée, Samantha prit la main tendue et le suivit.

— Je suis content que ça te plaise et je suis heureux de te servir de guide, mais nous n'avons pas fini. Mike nous attend sur son bateau lui expliqua-t-il une fois qu'ils se furent engouffrés dans un taxi qui passait justement.

— Mike?

— Oui Mike. Mike McMurray. Un ami et collègue de travail si on peut dire. Il possède un bateau magnifique.

— J'adore également monter en bateau. On est tellement bien sur l'eau. Quand j'étais plus jeune, j'avais un grand-oncle qui en possédait un petit. Les quelques fois où je suis allée à son chalet situé sur le lac Memphrémagog et qu'il m'a invitée à monter à bord de son bateau j'ai ressenti cette impression de vide qui montait en moi, une espèce de bien-être, un bonheur qui fait tout oublier.

— C'est pareil pour moi et ça l'est aussi pour Mike et sa femme. Tu verras, je sens que nous aurons du plaisir et que l'après-midi sera magnifique.

— Je le pense aussi, car la journée a si bien commencé déjà.

Après quelques minutes, le chauffeur les laissa non loin de la marina à la demande du jeune homme. Il souhaitait marcher encore un peu.

— Il est riche ton copain? Je veux dire pour avoir un bateau ici... demanda-t-elle après réflexion.

Réalisant soudain qu'elle ne connaissait rien de ses futurs hôtes, elle s'était arrêtée. Ils avançaient côte-à-côte sans se tenir par la main, mais leurs corps se frôlaient parfois. Marc fit encore quelques pas avant de s'apercevoir que Samantha ne le suivait plus. Il se retourna alors qu'elle l'interpellait.

Ses yeux regardèrent cette femme dans le soleil. Son cœur sursauta à nouveau dans sa poitrine. Ses bras ne demandaient qu'à l'enlacer, mais ne firent pas un geste et Marc-Alec réprima cette envie soudaine. Ce n'était pas le moment de satisfaire ses élans. Réalisant qu'elle avait l'air inquiet, il l'interrogea.

— Que se passe-t-il? Qu'est-ce qui t'inquiète?

— Tu m'emmènes chez des gens dont tout ce que je sais c'est qu'ils possèdent un bateau. Je pourrais en déduire qu'ils jouissent d'une certaine richesse, car un bateau ça coûte cher et à l'achat et à faire voguer. Mais rien d'autre, je ne sais rien d'autre. J'aimerais que tu me parles un peu d'eux. Je ne suis pas du même milieu et ça me met un peu mal à l'aise.

— Ne t'en fais pas ils...

— Ne fais pas ça, Marc l'interrompit-elle un peu sèchement. Je veux que tu m'expliques vraiment comment ils sont, j'ai besoin que tu me parles d'eux, demanda-t-elle sur un ton plus doux, presque suppliant. Je pense bien qu'ils sont gentils, mais je n'ai jamais fréquenté de gens très riches et ça m'embarrasse. Je ne te demande pas de me raconter toute leur vie, je désire seulement savoir comment ils sont... et de quelle manière tu les as rencontrés acheva-t-elle parlant encore plus bas, songeant aussitôt que Marc-Alec pouvait être aussi bien nanti qu'eux.

Il ne faut pas se dit-elle en prenant conscience qu'elle ignorait qui était réellement Marc-Alec Fortin. S'il était fortuné lui aussi, ils ne pourraient plus poursuivre leur belle amitié. Non, il ne faut surtout pas. Les pensées se bousculaient dans sa tête. Ils n'auraient probablement pas les mêmes valeurs, les mêmes priorités. Les vacances à l'étranger et la vie de tous les jours ne peuvent se comparer. Cette situation les empêcherait possiblement de continuer de se voir, car de toute façon, et même si elle ne comprenait pas entièrement pour quelle raison, elle ne pouvait plus le nier, c'était déjà trop tard pour une simple amitié...

La jeune femme le fixait toujours en tâchant de refouler ces sentiments naissants. De toute façon, elle ignorait totalement s'ils étaient partagés. Le véritable Marc-Alec lui sembla difficile à discerner. Depuis qu'il était venu la prendre à l'hôtel, Samantha n'arrivait pas à deviner ce à quoi il songeait réellement.

— Très bien, viens, se rendit-il après un moment.

Comprenant le sérieux de sa demande, il l'entraîna un peu plus loin à l'écart des gens. Samantha le suivit docilement tout en appréhendant ce qu'il allait lui révéler. Elle n'était plus certaine de vouloir entendre ses explications.

Parvenu à l'endroit qu'il convoitait, Marc-Alec s'immobilisa et patienta le temps qu'elle franchisse les quelques pas qui la séparaient encore de lui. Sa nouvelle amie avait raison de vouloir savoir à quoi s'attendre. De plus, Marc croyait qu'elle devinait bien qu'il leur avait parlé d'elle, qu'ils n'ignoraient pas qu'elle venait, puisqu'il l'invitait à bord de LEUR bateau alors il se devait d'être juste et lui faire connaître un peu ses amis.

Par le fait même, il se voyait dans l'obligation de se montrer honnête avec elle. Il lui avait volontairement caché une partie de lui. Et s'il souhaitait poursuivre une franche relation avec la jeune femme, il devait s'ouvrir à Samantha. Il lui faisait confiance et pressentait qu'il pouvait lui révéler cette partie de lui maintenant.

De son côté, elle lui avait manifesté sa confiance pratiquement depuis le début de leur rencontre et elle avait le droit de savoir. En plus de lui décrire comment étaient ses amis, il lui fallait donc parler également de lui-même. Ils avaient bien fait de descendre du taxi plus tôt finalement.

Chapitre 11

Je dois te dire

Leurs dos étaient appuyés à une rampe de béton limitant le quai qui longeait l'océan et le soleil leur réchauffait la nuque. La mer calme berçait doucement les bateaux amarrés à la marina toute proche et les goélands jacassaient à tue-tête autour d'eux. Marc avait l'air grave et Samantha attendait, silencieuse et de moins en moins encline à apprendre la vérité, qu'il prenne le premier la parole.

— Samantha, écoute, je ne peux pas te parler d'eux sans d'abord te parler de moi.

— Tu m'inquiètes !, mais je t'écoute. Elle s'efforçait d'avoir l'air calme, mais son cœur palpitait follement à l'idée de ce qu'il allait lui avouer.

Marc sourit faiblement puis poursuivit.

— Je t'ai mentionné dans l'avion que nous étions dans l'informatique et que, sur une affaire importante nous avions rendez-vous avec des gens d'ici avec qui nous communiquons régulièrement.

— En effet tu m'as dit qu'étant dans le même domaine, il arrivait que des compagnies s'entraident ou s'échangent des contrats qu'ils ne peuvent honorer sur le moment.

— Ce que j'ai dit est en partie vrai. Marc jeta un rapide coup d'œil en direction de Samantha pour surveiller sa réaction mais, les yeux rivés sur lui, elle ne bougea pas, ne fit aucun commentaire et semblait toujours attentive.

Ses yeux revinrent sur la feuille qu'il avait arrachée d'une petite haie rencontrée au hasard de leur promenade et que ses doigts trituraient petit à petit.

— Je suis réellement dans l'informatique, je travaille effectivement sur un rapport important, il est vrai que des compagnies peuvent s'entraider, mais je n'ai pas vraiment de rendez-vous avec quelqu'un d'une de ces compagnie pour échanger sur divers contrats. Je suis venu parce que j'y ai certaines choses à gérer, parce que c'est la mienne lâcha-t-il enfin après une courte pause.

Cette fois Samantha ouvrit plus grand ses yeux de surprise, mais n'osa pas prononcer un mot. Elle avait espéré que ses soupçons ne soient pas confirmés. Elle se retourna face à la mer, songeuse. Avec cet aveu, la possibilité qu'il soit un homme très riche s'avérait pratiquement confirmée.

Même s'il devinait que cette nouvelle la renversait, Marc fit mine d'ignorer sa réaction et continua sa confession, tout de même assuré qu'elle l'écoutait. Il lui prouverait qu'il n'était pas ce genre de snobinard que bien des gens associaient à la classe plus riche.

— Au tout début de mon adolescence, mon père a perdu son emploi à l'usine dans laquelle il œuvrait depuis sa sortie d'école et s'est trouvé du travail dans un magasin spécialisé d'ordinateurs. Il était un peu frustré au début d'être un simple vendeur et de devoir suivre une formation pour bien connaître et ainsi vendre son produit et garder son emploi pour faire vivre sa famille. Il s'y est peu à peu intéressé et a suivi des cours plus perfectionnés en informatique. Il a réalisé qu'il avait même une certaine facilité et a commencé à concevoir des programmes de ventes pour son employeur qui lui a vite attribué une promotion. Puis peu à peu, il s'est construit sa propre compagnie. Ayant achevé de grandir dans cet univers, je me suis rapidement intéressé à ce domaine. Alors, j'ai étudié en informatique et en « *marketing* ». Je l'ai ainsi aidé à entrer en contact avec cette compagnie californienne sachant qu'à cet endroit, à Silicone Valley plus précisément, ce domaine se développait énormément. Au début les rapports étaient de collaboration entre professionnels.

Il hésita un peu avant de continuer. Cette partie le rendait triste. La mer apporta une légère brise qui souleva ses cheveux et le rafraîchit. Une odeur d'eau salée et de poisson emplit ses narines. Ses doigts jouaient encore avec ce qu'il restait de la feuille. Samantha, toujours silencieuse, semblait accrochée à ses mots lorsque se retournant enfin face à la mer également, il poursuivit son histoire.

— Mon père a succombé à une crise cardiaque il y a un peu plus de deux ans. Ma sœur ainée n'étant pas dans ce domaine, c'est donc moi qui ai hérité de la compagnie, mais mon père a été juste, ne t'inquiète pas. Donc, la compagnie a continué de faire des profits et j'ai acheté celle de San Francisco. Comme la première, la principale, m'occupe énormément je ne viens que quelquefois par année et souvent je reste plusieurs jours, comme cette fois-ci. Des gens compétents assurément, prennent la relève quand je n'y suis pas. Mais ça demeure ma compagnie, ma responsabilité. Pierre possède des parts dans la compagnie et m'aide énormément. J'ai réussi et j'en suis fier. Je possède suffisamment d'argent pour me procurer tout ce que je veux, mais je vis en deçà de mes moyens. Je n'ai pas besoin de tout ce luxe et je déteste donner cette impression de riche capricieux. Je n'ai pas été éduqué ainsi et ce n'est pas moi. Je suis et veux rester simple. J'aime bien demeurer tel que j'apparais aux yeux de ceux qui m'entourent.

Samantha laissa s'échapper un petit soupir et ferma les yeux devant les rayons trop forts du soleil. Elle se retourna une fois de plus et appuya ses coudes sur la rampe de béton qui lui arrivait légèrement plus haut que la taille. Marc ne se retourna pas, mais jeta finalement les restes de la feuille qu'il tenait encore.

Elle devait avouer qu'elle avait senti se creuser un fossé entre eux. Sa crainte se trouvait confirmée. Cet ami qu'elle avait trouvé en lui devenait, par le pouvoir de l'argent quelqu'un d'autre qui essayait sans doute de lui dire que maintenant rassuré sur son état, ils ne pourraient continuer de se voir. Trop de choses les séparaient et ils n'avaient plus grand chose en commun. Il y a peu de temps, elle souhaitait cette séparation, mais depuis quelques heures, elle ne le souhaitait plus.

Le regard admiratif de Marc-Alec lorsqu'il était venu la chercher, sa main sur sa joue après leur repas, ses doigts entrelacés dans les siens, le frôlement de leur corps, ces contacts furtifs, trop courts, elle en voulait davantage maintenant. Mais par cet aveu, il était clair que lui, ça ne l'intéressait pas. Peut-être lui racontait-il tout cela pour lui signifier qu'ils ne faisaient pas partie du même milieu et qu'il valait mieux qu'ils ne se voient plus.

Ses craintes se fondaient et pourtant, elle voulait croire qu'il n'était pas du genre hautain et qu'il essayait plutôt de lui faire comprendre qu'il la considérerait toujours comme une amie. Pourquoi pensait-elle ainsi ? Il ne fallait pas qu'elle creuse elle-même ce fossé, se raisonna-t-elle enfin. L'argent ne changerait pas soudainement cet être qu'elle appréciait ! La fin de l'explication de Marc-Alec acheva de la convaincre. Elle croyait vraiment ce qu'il lui disait.

Quelques secondes s'étaient écoulées, une minute ou deux peut-être. Marc ne savait plus et trouvait le temps long. Il ignorait quoi ajouter et attendait sa réaction. Devant son silence persistant, le jeune homme ne pouvait rien dire de plus, soudain mal à l'aise. Pourtant tout avait été si facile entre eux jusqu'à maintenant.

— Samantha ?

— J'essayais d'assimiler la nouvelle, dit-elle en tournant enfin la tête vers lui, comprenant qu'il attendait sa réaction. Ça ne m'est encore jamais arrivé de rencontrer quelqu'un d'à peu près mon âge qui possède deux sociétés qui fonctionnent bien, à ce point. J'avoue que l'espace d'un instant, je t'ai senti différent et j'ai eu peur que tu m'annonces qu'on ne pourrait continuer à se voir. Mais le fait que je sache que tu possèdes beaucoup d'argent ne te changera pas fondamentalement, ajouta-t-elle entrevoyant la possibilité que ce soit vraiment le cas. Ça n'enlèvera pas tout ce que tu as fait pour moi et je t'en suis considérablement reconnaissante. J'ai du plaisir en ta compagnie et j'ose espérer qu'il en est de même pour toi.

— Tu n'as pas à en douter, répondit-il, démontrant son soulagement par un léger soupir. J'apprécie ta franchise. Tu sais, j'ai travaillé dur pour en arriver là. Je n'ai pas tout eu tout cuit dans le bec, même si j'ai hérité de mon père. Mais je réalise, cependant, la chance que j'ai eu de pouvoir bénéficier d'un tel départ dans la vie. Et même si ce n'est que depuis peu, le Marc-Alec que tu connais reste toujours pareil.

Samantha le regarda, souriant puis hochant un peu la tête et fermant les yeux une seconde afin de lui montrer qu'elle comprenait, qu'elle ne le jugeait point. La jeune femme souhaitait accorder une chance à leur amitié naissante. Samantha avait douté, pendant un bref instant, que poursuivre une relation amicale avec Marc-Alec soit une chose possible, mais elle préférait faire confiance à son instinct. Elle s'écarta de la rampe, mais demeurait près de Marc, satisfaite de la tournure des évènements. Il semblait, lui aussi, décidé à demeurer ami avec elle.

— Et Mike, c'est un de tes clients? déduisit-elle soudainement, soulagée de pouvoir changer de sujet.

— Exactement. C'est un bon client avec qui je me suis lié d'amitié et chaque fois que je viens dans les parages, je lui passe un coup de fil.

Marc ouvrit la bouche, comme s'il voulait poursuivre et la referma, hésitant. Il voulait lui dire autre chose, mais ne savait comment s'y prendre. N'ayant plus rien dans les mains, il se croisa les doigts en laissant ses bras appuyés sur la rampe, puis toussota, un peu gêné.

— Samantha écoute; je ne t'ai pas raconté ça pour t'impressionner. Il fallait que je te le dise, tu l'aurais su d'une façon ou d'une autre et... je ne veux pas que tu penses que...

— Arrête. Ne t'en fais pas avec ça. J'ai déjà jugé que tu étais quelqu'un de bien. Tu as décidé d'être honnête avec moi et je l'apprécie beaucoup. Un point, c'est tout. Et je promets de ne pas profiter de toi. À ces mots, elle leva la main droite en signe de promesse et lui fit un clin d'œil. Ce qui le fit sourire.

— Allez, viens petite moqueuse dit-il en l'entraînant vers le quai, le bras autour de ses épaules. Les McMurray nous attendent.

Après avoir marché quelques pas, il s'arrêta.

— Il y a autre chose dont je dois te parler. J'attendais le moment propice et je crois bien qu'il est là.

— Dois-je m'inquiéter davantage? demanda-t-elle les sourcils froncés, mais le cœur battant à tout rompre. Allait-il lui prendre la main et lui avouer qu'il ressentait davantage que de l'amitié pour elle?

— Puisqu'on parle d'argent, je dois t'avouer que j'ai payé tes honoraires médicaux.

Samantha se cacha le visage avec ses deux mains, honteuse d'avoir complètement oublié qu'aux États-Unis il en était ainsi pour les frais en soins de santé.

— Mais ne t'en fais pas s'empressa de poursuivre Marc-Alec. Avec le médecin, nous avons rempli un formulaire pour le remboursement par l'assurance-maladie.

Elle leva les yeux au ciel en s'étonnant de son étourderie. La jeune femme s'excusa puis le remercia. Regardant ensuite vers la marina, elle demanda:

— Et comment sont-ils finalement ces McMurray?

Il sourit, visiblement soulagé. Il avait oublié qu'ils avaient interrompu leur promenade afin de parler d'eux d'abord.

— Il est d'origine Irlandaise, mais sa femme est américaine. Il est associé dans une entreprise pharmaceutique. Tu sais, ce n'est pas tous les gens riches qui forment une société snob, à part des autres. Ça ira, tu verras. C'est un type dans mon genre, conclut-il enfin.

— Alors, il n'est plus nécessaire de m'inquiéter. Samantha reprit sa marche.

— Oui, mais sa femme est horrible, dit-il pour la taquiner en lui emboîtant le pas.

— Sûrement pas autant que moi.

Hochant la tête, feignant d'être découragé par son attitude, il pressa le pas pour la rejoindre et la conduisit vers le magnifique bateau de plaisance blanc, cerné dans le haut par une bande peinte en bleu ciel, dont le nom Amy était écrit en grosses lettres noires.

— C'est le diminutif de sa femme annonça-t-il après qu'elle eut lu le nom à voix haute.

Soudain un homme au teint basané, dont les cheveux bruns atteignaient la naissance des épaules, apparut sur le pont près de l'échelle dans laquelle ils s'apprêtaient à monter.

— Marc enfin! Comment vas-tu? demanda l'anglophone.

— Bien merci. Je te présente Samantha dit-il comme ils atteignaient le pont.

Une jeune femme blonde dont les cheveux étaient à peine plus longs que ceux de Mike vint les accueillir. Ses yeux bleus se miraient dans son maillot de bain bleu et blanc qui laissait deviner le début d'une grossesse. Une sortie de bain blanche complétait son habillement. Les pieds nus, plus grande que Samantha, elle souriait en tendant la main vers cette dernière.

Elle plut immédiatement à Samantha. Une fois les présentations complétées, elle suivit Amanda qui l'invita à visiter l'intérieur du bateau. Sur un tapis gris, des banquettes de cuir noir accolées aux fenêtres, se faisaient face de part et d'autre de la cabine. Une table qu'on pouvait insérer dans le mur se trouvait dans le fond de la petite pièce. Aux fenêtres, Amanda avait suspendu des rideaux de fin coton blanc aux motifs brodés. Un minibar sous une fenêtre semblait attendre que quelqu'un se serve. Un meuble-télé portatif se trouvait juste à côté.

Une cuisinette équipée d'un mini réfrigérateur et d'une plaque chauffante juxtaposait la pièce salon. Un linoléum blanc recouvrait le plancher de la cuisinette. Tout au fond, une porte fermait une pièce qui devait être leur chambre à coucher.

Après lui avoir demandé ce qu'elle souhaitait boire, Amanda prépara les verres et lui tendit le sien ainsi que celui de Marc en lui assurant qu'elle savait d'avance ce qu'il prendrait. Son propre cocktail et celui de son mari dans les mains, elle précéda Samantha lui signifiant qu'elles devaient profiter de la magnifique journée.

À leur sortie, Samantha remarqua avec surprise qu'ils avaient déjà quitté le quai. Le bateau fonçait contre les vagues, guidé par les mains de Mike qui venait de lancer le moteur. Marc, assis à sa droite, semblait discuter affaires et devait crier pour se faire entendre.

Après avoir distribué la boisson, les femmes s'assirent derrière eux, les jambes allongées sur le rebord du bateau. Elles bavardèrent quelque temps afin de se connaître davantage puis, lassées de crier elles aussi pour enterrer le bruit du moteur et du vent, décidèrent de cesser leur bavardage et de se faire bronzer en silence.

Amanda enleva sa sortie de bain et la mit sous elle afin qu'elle ne parte au vent. Sa voisine en fit autant avec son chemisier fleuri. Les épaules dénudées par sa camisole sans manche, elle ferma les yeux et offrit son corps au soleil après s'être protégée avec la crème solaire qu'Amanda lui avait offert.

Samantha sentait l'exaltation la gagner. Le soleil, le vent qui frappait son visage, la rapidité modérée du bateau qui fendait les vagues qu'elle sentait sous elle, l'enivraient. Son verre de Sherry ne pourrait en faire plus. Elle était heureuse. Un sourire se dessinait sur ses lèvres alors qu'elle s'imaginait faire partie de cette vie à laquelle elle n'était pas habituée.

« *La vie des gens riches et célèbres* », songeait-elle, se remémorant une émission de télévision qu'elle avait déjà vue, en se laissant transporter librement dans ce moment d'ivresse.

Concentrée sur ce délicieux moment, elle ne vit pas que Marc l'observait. Les hommes avaient cessé de parler et pendant que Mike se concentrait sur ses cadrans, Marc s'était retourné. Ses yeux s'ennuyaient d'elle.

Ils s'arrêtèrent sur ses jambes élancées, montèrent vers son petit ventre qui ressortait quand elle s'assoyait, puis vers sa poitrine qui, d'une grosseur parfaite selon lui, débordait légèrement du décolleté de sa camisole. Son regard s'attarda ensuite sur ses épaules nues, rondes et droites et sur son cou étroit, pas trop long qui lui conféraient toute sa féminité.

Il s'étonna peu de la trouver plus belle à chaque regard qu'il posait sur elle. Il réalisa à quel point il désirait la serrer contre lui et Dieu qu'il avait envie d'elle! Ses lèvres brûlaient d'embrasser ces épaules fines, ce cou invitant, ces lèvres entrouvertes dont le sourire avait maintenant disparu.

Ses mains le démangeaient de parcourir ce corps, d'achever de défaire ses cheveux, ce que le vent avait déjà entrepris, et d'y glisser ses doigts. Oui, il voulait cette femme pour ce qu'elle lui inspirait, pour sa douceur, sa sensibilité, son intelligence, pour le goût de la vie qui l'habitait, tout comme lui.

Il se tourna brusquement vers l'avant, forçant son regard à rester droit devant lui. Il ne pouvait la prendre. Il ne pourrait lui souffler tout l'effet qu'elle lui faisait. Il se trouvait piégé dans son désir.

Samantha se redressa pour prendre une gorgée de Sherry. Elle admira la mer qui s'étendait à perte de vue à l'exception du quai qu'on pouvait distinguer loin derrière eux.

Elle enviait Mike et Amanda de posséder ce bateau et de demeurer près de ce magnifique océan. Décidément, elle adorait cet endroit. Elle reviendrait un jour. Si ce n'était pour y demeurer, elle reviendrait pour y séjourner.

Elle laissa s'échapper un souffle de contentement qu'Amanda crut percevoir et interpréta à sa façon.

— Tu es fatiguée?

— Oh non, pas du tout! Je réalisais combien j'étais bien. Vous avez de la chance de posséder ce magnifique bateau et d'habiter cette superbe ville.

— Oui, j'en suis consciente, mais Mike et moi adorons la mer. Nous en profitons, car ça sera différent avec un bébé. Tant qu'il ne sera pas assez grand, nos sorties en mer seront restreintes et sans lui, car je serais trop inquiète, résuma-t-elle en se flattant le ventre.

La jeune femme approuva le raisonnement de la future mère. Elles reposèrent la tête sur le dossier de leur banc en même temps pour s'abandonner au soleil à nouveau.

Quelques minutes plus tard, Samantha sentit le moteur ralentir puis s'arrêter. Elle releva la tête.

— Nous aussi on veut prendre du bon temps.

Samantha sourit à Mike. Il avait retiré son chandail blanc finement rayé de vert lime et de noir. Torse nu, il venait vers elles. Vêtu de son short bermuda noir seulement, elle put admirer son magnifique bronzage et ses épaules musclées.

Il prit place sur le banc derrière sa femme qu'il embrassa au passage. Marc se mit derrière Samantha. Également torse nu, il avait revêtu un bermuda bleu que Mike lui avait prêté. Les quatre sièges à une place occupés, il ne restait que le long banc derrière eux qui faisait la largeur du bateau.

Une fois de plus, Marc-Alec ne put s'empêcher d'observer Samantha. Il la regardait prendre une lampée de Sherry. Machinalement, il porta son verre à ses lèvres. Il ferma les yeux et savoura sa gorgée, lentement. Les ouvrant à nouveau, il s'aperçut qu'elle le regardait en souriant. Une chaleur l'envahit, mais ce n'était pas sa boisson. Il se demandait depuis combien de temps ses yeux étaient posés sur lui.

— Je sais que le soleil et l'alcool ne font habituellement pas bon ménage et vu mon état encore fragile, tu n'as pas à t'inquiéter, ce verre sera le seul que je prendrai. Même s'il est très bon, expliqua-t-elle, interprétant son regard comme un avertissement.

— Je savais que tu étais intelligente et raisonnable, dit-il pour la faire rire.

— Te moquerais-tu de moi? demanda-t-elle sarcastique.

S'étant avancé vers elle pour éviter de la faire crier, il répondit par la négative et allait s'adosser lorsqu'elle le retint. Le contact de sa main douce sur son bras le fit frissonner, mais maître de lui, rien ne parut.

— J'adore ça. Le bateau, la mer, le soleil, des amis. Aujourd'hui, j'ai tout pour être heureuse et je le suis. Je voulais juste que tu saches que je te suis reconnaissante de m'avoir invitée et que je suis très contente du déroulement de la journée.

— Le plaisir est pour moi, ma chère!

Ils se laissèrent aller au gré du vent quelque temps, pas trop afin de ne pas dériver trop loin et se perdre, car Mike, ne possédant pas ce bateau depuis très longtemps, semblait encore peu habitué aux distances sur la mer.

Ils revinrent au quai vers la fin de l'après-midi. Tous mirent quelque chose sur leurs épaules rougies, malgré l'application de la crème solaire, qu'ils avaient répétée.

Ils demeurèrent dans le bateau amarré et entrèrent dans la cabine. Là ils discutèrent et plaisantèrent en jouant aux cartes.

Puis sur la proposition de Mike, ils se rendirent tout les quatre dans un restaurant non loin de là, après s'être lavés pour se débarrasser de la graisse sur leurs corps.

Après le repas, ils retournaient au bateau en marchant lentement. Les femmes papotaient, distançant les hommes de quelques mètres. Les hommes discutaient d'affaires et Mike annonça sa visite prochaine à la compagnie de Marc. Puis soudain il changea de sujet, certain de n'être entendu que de lui.

— C'est sérieux, toi et Samantha?

« *Oui, je crois bien cette fois* », songea Marc malgré lui.

— C'est une bonne amie, répondit-il.

Comprenant qu'il ne désirait pas abonder en ce sens, du moins pas maintenant, Mike ne prolongea pas ses questions. Toutefois, il avait remarqué les regards animés qu'il destinait à Samantha. Il respecta son ami et se dit que tôt ou tard, il se déciderait à lui en parler, car il devinait qu'il y avait plus que de l'amitié entre eux.

Sur le chemin du retour, Marc proposa à Samantha d'aller se promener dans le Chinatown le lendemain après-midi. Peut-être que son cousin viendrait les rejoindre pour le souper.

Il lui avait expliqué que ça serait la seule autre journée où il aurait l'après-midi libre et comme elle débuterait le travail le surlendemain, si l'examen médical cédulé pour l'avant-midi qui venait le lui permettait, ils devaient donc en profiter.

Elle avait accepté, ravie. Marc-Alec pensait à ce court entretien, parmi d'autres qu'il avait eu avec elle en revenant, lorsqu'il ouvrit la porte de sa chambre sans faire de bruit. Il était près de minuit et pensait que Pierre serait déjà au lit. Mais celui-ci, assis près de la fenêtre sur un fauteuil de toile fleurie, lisait des dossiers.

— Tu ne dors pas encore?

— Non, ni toi d'ailleurs, fit remarquer Pierre, pince-sans-rire.

Marc le regarda quelques secondes. Il ne savait s'il plaisantait et se moquait de lui ou si au contraire, il était fâché contre lui parce qu'il avait pris du bon temps et qu'il rentrait tard.

— Tu as de la difficulté avec l'affaire McGregor? fit-il en soupirant.

— Plus maintenant. Il est venu vers la fin de la journée et a changé d'avis. Il nous a refilé le contrat.

— Parfait, je savais que tu arriverais à le convaincre. Après la réunion, je me sentais vidé. Il m'a fait épuiser tous mes arguments ce sacré bonhomme.

— Oui je sais. Mais tes arguments ont porté fruits on dirait. À moins que ce ne soit de la chance, car tu es meilleur pour convaincre habituellement.

Marc avait enlevé son chandail et se dirigeait vers la salle de bain. Il était fatigué et n'avait qu'une envie: se coucher. Cependant le ton sarcastique de son cousin le fit se retourner.

— Oui je sais. J'ai été déçu de mes performances, mais j'avais la tête ailleurs.

— Oui. J'ai pu le constater.

— Je ne sais pas si je me fais des idées, mais avec le ton que tu utilises, j'ai l'impression que tu m'en veux d'avoir quitté le bureau pour le reste de la journée.

— Je ne t'en veux pas du tout. Nous sommes ensemble sur cette affaire et nous avions tous les deux convenu que tu pourrais accompagner Samantha. Ce n'est pas méchamment que je prends ce ton.

— D'accord, désolé. Bon à moins qu'il n'y ait autre chose d'important, moi je voudrais bien me coucher, alors excuse-moi.

— Non. Rien qui ne peut attendre à demain. Tu as passé une belle journée?

Pierre fut obligé de lever la voix. Dans la salle de bain, Marc avait ouvert le robinet. La voix éteinte par la débarbouillette qu'il passait sur son visage, Marc lui répondit affirmativement sans élaborer.

Son verre à la main qui contenait encore quelques gorgées d'Amaretto, Pierre alla s'appuyer contre l'entrée de la salle de bain, écoutant son cousin lui raconter sommairement sa journée.

— Puis Mike a proposé qu'on aille tous manger. Je crois bien que Samantha a apprécié San Francisco.

— Et tu ne lui a rien dit? demanda Pierre étonné.

— Dit quoi ? demanda Marc en prenant sa brosse à dents.

— Ce que tu dois lui dire ! Tu ne lui as pas avoué les sentiments que tu ressens pour elle ?

Chapitre 12

Serre-moi fort

Samantha ne cessait de bouger dans son lit. Le souvenir de Marc la troublait. Elle sentait encore ses lèvres qui lui avaient rapidement effleuré la joue pour lui souhaiter une bonne nuit.

Elle reconnaissait le trouble qu'elle avait ressenti lors de son hospitalisation puis ce midi, lorsqu'ils avaient partagé leur pain farci. Elle avait oublié cette sensation pendant quelque temps, mais elle l'avait rapidement rattrapée à la porte de son hôtel alors que Marc la touchait dans la nuit chaude.

Elle s'était sentie réellement bien en sa compagnie aujourd'hui. Une amitié franche s'était tissée entre eux, elle en était persuadée. Elle avait failli tout gâcher lorsqu'il lui avait révélé qu'il possédait beaucoup d'argent, mais elle ne regrettait pas de lui avoir fait confiance. Elle avait éprouvé un réel plaisir à partager chaque moment de cette journée avec lui. Probablement aurait-elle souhaité recevoir davantage, mais elle s'était efforcée, au cours de la journée, d'oublier, de renier ce besoin. Il n'était visiblement pas partagé.

Mais voilà qu'à la porte de son hôtel, un sentiment plus fort encore, qu'elle n'arrivait plus à déterminer, avait éclaté à nouveau en elle. Elle avait l'impression d'être intime avec lui comme s'ils se connaissaient depuis longtemps. Elle refusait de croire cette idée d'amour qui germait en elle. Elle ne croyait pas aux coups de foudre et le fait était qu'ils ne se connaissaient pas. Du moins pas suffisamment. Et il ne ressent assurément pas la même chose que moi. Il se sent responsable de moi et veut me rendre la vie agréable, c'est tout, se sermonna-t-elle.

— De toute façon ça ne peut être ça, sinon je ressentirais ce trouble en permanence, réfléchit tout haut Samantha qui tentait de s'expliquer sa réaction. Il m'impressionne, c'est tout. Il est beau, gentil, intéressant et riche, dit une petite voix à l'intérieur dont elle eut immédiatement honte, mais sourit malgré tout, et il y a un bout de temps qu'un homme ne m'as pas tenu serré dans ses bras. J'en ai simplement envie comme tout être humain normal.

Samantha se tut soudain. Ces mots lui étaient venus dans la tête, un soir qu'elle était étendue sur une civière. Puis elle songea que personne ne l'avait serrée contre lui depuis bien longtemps, lui semblait-il. En fait, depuis le soir où elle avait fait part de son voyage à Robert. Ce qui justifiait son raisonnement, car elle ressentait un immense besoin d'affection.

Puis se remémorant les projets qu'ils avaient ébauchés pour le lendemain, elle se dit qu'elle devait dormir. S'efforçant de ne plus penser à ce trouble, elle se mit à compter ses moutons et s'endormit bientôt sans se douter que les cousins parlaient d'un sujet qui pourrait l'intéresser.

******

Surpris Marc avait reposé sa brosse à dents sur la vanité. Il pensait à Mike qui avait tenté de lui glisser un mot à ce sujet. Ses sentiments devaient donc transparaître et il s'en inquiétait.

— Lui avouer mes sentiments?

Ce fut plus fort que lui. L'instinct, ou un réflexe, le poussa à se protéger de la vérité qu'il se refusait d'admettre jusqu'à maintenant. Pourtant il savait que son cousin insisterait.

— Ne joue pas à l'innocent avec moi, je te connais depuis trop longtemps pour ça. Tu l'aimes, c'est évident. Ou en tout cas, tu ressens quelque chose qui dépasse l'amitié pour elle. Tes yeux, tes gestes te trahissent.

Marc sortit de la salle de bain. En soupirant il passa sa main lentement dans ses cheveux, allant du front à la nuque. Il s'installa sur le fauteuil qu'occupait Pierre quelques minutes plus tôt. Ce dernier le suivit et prit place dans un fauteuil identique, de l'autre côté du lit.

— Elle est ravissante et très attirante, mais on se connaît à peine.

— Ravissante, hein?, fit Pierre-Antoine sceptique en terminant son Amaretto.

— Pierre, elle ne doit pas savoir, du moins pas maintenant, capitula Marc après quelques minutes de silence se disant qu'il ne servait à rien de lui mentir. C'est trop tôt. Elle ne croirait pas à mon amour pour elle. Elle serait convaincue que j'éprouve plutôt un élan de pitié à cause de sa commotion.

Pierre approuva cette logique, mais pensait qu'il existait peut-être une chance qu'elle ressente la même chose pour lui. Mais ce n'était pas à lui de décider.

— Je dois attendre. Si c'est le cas, je verrai des indices. Elle doit être persuadée que ce que je ressens pour elle est vrai. Ça ne fait pas longtemps qu'on s'est rencontrés et vu le malheur qui lui est arrivé, il lui serait difficile de croire que je l'aime vraiment. J'ai peine à y croire moi-même.

Ça lui faisait drôle de prononcer ces mots, tout haut. Mais il réalisait que ça lui procurait un bien immense de se confier. Pierre l'avait toujours compris et il était le candidat idéal pour recevoir ses confidences. Il s'inquiéta brusquement.

— Je crois que Mike a compris aussi. J'espère que si ça se voit...

— Nous te connaissons, pas elle. T'inquiète pas, Samantha ne se doute probablement pas de l'intensité de tes sentiments. Mais que feras-tu si le moment que tu attends pour lui déclarer tes sentiments ne se présente pas avant ton départ? Ce dernier viendra assez vite tu sais?

— Je lui dévoilerai mes sentiments dit-il en souriant. Mais je ne compte pas attendre tout ce temps. Je la reverrai d'ici là et j'attendrai le bon moment. Si une relation doit réellement se tisser entre nous, il se présentera.

Ils parlèrent encore un bout de temps et il était une heure passée lorsqu'ils se mirent enfin au lit. Marc remercia Pierre et éteignit la lumière qui se trouvait sur la table de chevet entre leurs lits en se demandant de quelle façon se terminerait son histoire.

******

Les jeunes gens descendirent du tramway qui s'arrêta non loin de l'imposante porte à l'entrée du village chinois. Samantha terminait le résumé de sa visite à l'hôpital. Le médecin s'était montré rassurant et optimiste suite aux examens et à la vue de sa jeune patiente qui lui paraissait visiblement rayonnante et en pleine forme. Il lui avait confirmé qu'elle pourrait prendre le service le lendemain. Marc exprima sincèrement son bonheur de recevoir ces bonnes nouvelles.

Parvenue à quelques mètres de l'imposante porte sur laquelle le rouge, le vert et l'or dominaient, Samantha cessa de marcher. Les boutiques qu'elle distinguait sous l'arche étaient parées des mêmes couleurs. Sur la voûte en céramique du monument, on avait sculpté un dragon et une immense carpe afin de favoriser la chance précisa Marc. Puis ils passèrent sous la porte et pénétrèrent dans les rues animées du village.

Déambulant sans but précis, ils visitèrent quelques temples, admirant au passage certaines résidences où un poisson taillé, lequel, identique à celui de la porte à l'entrée du village en plus petit cependant, aidait à apporter la chance à ses propriétaires et s'arrêtèrent devant des étalages de marchés pour demander des explications à propos d'aliments typiquement chinois. Ils entrèrent dans la fabrique de biscuits de fortune où on leur exposait le procédé de fabrication de ces petits desserts à message. Ils s'achetèrent un sac qu'ils allèrent grignoter sur un banc dans le parc public de Portsmouth Square où une foule de gens socialisaient ou se reposaient.

Le son de tambours et de xylophones leur parvint aux oreilles. S'interrogeant du regard, ils ne mirent pas longtemps pour se lever et se rendre au lieu de la fête en se laissant guider par la musique. Une procession d'enfants, tous vêtus de façon similaire dans des couleurs chatoyantes, armés les uns d'un xylophone portatif, les autres d'un tambour, tambourin ou autre instrument à percussion faisait vibrer la ruelle avec un large sourire sur leur visage. Quelques adultes aussi brillamment costumés les accompagnaient.

Parmi eux circulait et dansait de part et d'autre de la rue, l'étoile de la parade: un dragon chinois dont des guirlandes multicolores paraient les segments de la bête sacrée, eux-mêmes de différents coloris. Dessous le dragon de tissus et de papier crêpé, plusieurs paires de jambes couraient dans tous les sens pour le plaisir de tous. Nombre de touristes suivaient la parade, ravis du divertissement.

Les jeunes amis se joignirent au joyeux attroupement pendant un moment puis Marc-Alec poussa Samantha gentiment sur Waverly Place lorsqu'ils atteignirent sa hauteur.

— C'est la rue des balcons peints la renseigna le jeune homme devant l'exclamation de sa compagne face à tout ces balcons et façades colorés. Pour le peuple Chinois, ces couleurs sont symboliques. Le rouge leur procure la joie et le bonheur, le vert la longévité, le noir leur apporte l'argent et le jaune ou le doré les garantit d'une certaine chance.

— J'ignorais à quel point les Chinois pouvaient être superstitieux. Tu sais tout ça, toi?

— J'entretiens des liens avec un bon client d'origine chinoise et je viens parfois manger dans le coin avec lui, révéla le jeune homme devant la mine impressionnée de Samantha.

Revenant sur leurs pas, il l'entraîna ensuite sur Ross Alley puis sur Jackson Street où abondaient diverses boutiques. Herboristes, bijoutiers, épiciers, pâtissiers, restaurateurs, dont l'odeur de leurs produits chatouillait agréablement les narines de Samantha, artisans et vendeurs de vêtements et souvenirs dont les vitrines rivalisaient de beauté se disputaient leur part du marché.

Devant une vitrine, Samantha aperçut de magnifiques kimonos faits à la main et voulut entrer dans la boutique. Marc-Alec erra dans le magasin pendant que la jeune femme examinait des objets peints à la main à l'autre extrémité. Il retira de son support un somptueux kimono bleu ciel arborant des faces de lions et de dragons rouge et or qu'elle avait regardé avec attention quelques minutes plus tôt.

Il lui apporta afin qu'elle l'essaye. Samantha refusa puis capitula après s'être fait abondamment prier. Juste l'essayer.

— Ce kimono est fait pour toi, affirma Marc-Alec, d'abord demeuré sans voix devant l'effet qu'elle produisait sur lui dans cette robe chinoise.

— Je t'ai mentionné, Marc que je ne pouvais pas l'acheter. Il est beaucoup trop dispendieux.

— Mais je peux te l'offrir, moi!

— Non. C'est hors de question.

— Mais ça me ferait vraiment plaisir, insista-t-il.

— Non. Je ne veux pas, répondit-elle très catégorique.

— Cependant il te plaît énormément, avoue-le, continua-t-il ignorant sa colère naissante.

— Écoute-moi. Tu en as déjà largement fait pour moi. Je te remercie, mais c'est assez. Je désire que tu ne dépenses plus pour moi. C'est compris?

Ce disant, elle enleva le kimono d'un geste sec, le remit à la vendeuse confuse et sortit rapidement. Marc-Alec la laissa partir sans savoir quoi dire puis la rejoignit dans la rue peu après. Il la trouva assise sur une bande de trottoir près de la boutique. Il prit place à côté d'elle, silencieux.

— Je suis désolée, s'excusa-t-elle. Je ne voulais pas m'emporter ni être méchante avec toi, mais je ne souhaite pas dépendre de toi ni en avoir l'impression...

— C'est d'accord. J'ai compris, la coupa-t-il.

Elle réalisait qu'elle l'avait profondément blessé et s'excusa de nouveau.

— Vraiment Marc, je suis désolée. Je ne voulais pas prendre ce ton, mais je me sens embarrassée. Je sais, se dépêcha-t-elle d'enchaîner, tu le fais avec plaisir, mais c'est ainsi que je me sens et je préfère...

Elle suspendit sa phrase. Il avait le menton appuyé dans ses mains et regardait par terre. Il se trouvait près d'elle, mais à la fois si loin. Elle vit les cheveux de l'homme onduler sous l'action du vent qui se levait. Les siens furent balayés vers l'avant et une mèche aboutit sur le coin de sa bouche. Elle l'enleva d'un doigt en constatant que le ciel s'assombrissait.

— Marc-Alec ? l'implora-t-elle doucement.

Le beau visage se retourna lentement vers elle. Ce faisant, le vent coinça une mèche de cheveux devant ses yeux. Elle la déplaça délicatement vers l'arrière de son oreille et Marc-Alec la laissa faire. Dans ses yeux, elle constata, légèrement soulagée, que la blessure se transformait en résignation.

— Marc, je m'excuse, s'il te plaît souris-moi.

Samantha distingua l'ébauche d'un sourire puis les premières gouttes de pluie s'abattirent sur eux. Autour d'eux, des gens couraient se mettre à l'abri, d'autres, plus prévenants, ouvraient le parapluie qu'ils avaient emporté. Mais eux demeuraient assis là à se faire mouiller. Samantha croyait, espérait, s'avoua-t-elle, qu'il allait l'embrasser. Il n'en fit rien et se releva soudainement en lui tendant la main.

— Allez, viens. On va se mettre à l'abri. Il est pratiquement l'heure de manger et je connais un bon resto tout près d'ici.

Samantha le suivit presque déçue, mais tout de même heureuse que sa bonne humeur soit de retour. Ils discutèrent de différents sujets pendant le souper, mais celui de leur première discorde ne revint pas. Leur gaieté demeurait au rendez-vous et ils riaient à propos de presque rien. Ils partagèrent un agréable et délicieux repas, faisant goûter à l'autre un peu de leurs plats. L'orage avait cessé alors qu'ils sortaient du restaurant, heureux et repus, au seuil de la nuit.

Il la laissa à la porte du King George. Les mèches de cheveux ondulés qui encadraient son visage flottaient au vent. Ce dernier persistait après l'averse et de temps en temps faisait tournoyer les cheveux d'or devant le visage de Samantha. À son tour, il enroula une mèche autour de son oreille et il l'embrassa doucement, presque un effleurement, sur la joue. Elle frissonna lorsqu'au passage, il lui murmura à l'oreille de passer une bonne nuit.

Le malaise de leur petite dispute s'était réellement dissipé. La jeune femme en fut convaincue lorsque Marc-Alec affirma avoir passé une agréable journée et qu'il s'impatientait déjà de la sortie surprise qu'ils effectueraient le lendemain.

Elle se tenait les bras croisés et demeura ainsi pour le regarder partir. Le soleil couché, le spectacle des magnifiques couleurs qu'arborait le ciel s'estompait rapidement. Elle décroisa les bras, soupira et les yeux toujours fixés sur la silhouette de Marc, ne pénétra à l'intérieur que lorsqu'elle ne le vit plus. Elle se dit qu'elle aussi avait très hâte au lendemain soir.

À son départ du Québec, elle souhaitait ardemment découvrir la Californie, mais sa curiosité sur la médecine américaine, qui avait tant de fois été vantée, l'emportait. Cette curiosité allait être satisfaite le lendemain. Pourtant, sachant qu'elle reverrait Marc le même jour, elle reléguait maintenant cette soif de savoir un peu plus loin dans son cerveau pour ne penser qu'à la soirée qu'ils passeraient le lendemain soir. Oui, Samantha avait hâte au lendemain, beaucoup, même sachant qu'elle ne le devait pas.

******

Lorsque Marc referma la porte, neuf heures avaient sonné depuis quelques minutes. Jetant un rapide coup d'œil dans la chambre, il constata que Pierre n'était toujours pas rentré.

Il se déchaussa, retira son t-shirt et se dirigea vers le « *coin bureau* » de la chambre. Prenant place sur la chaise de bois, il entreprit de regarder des formulaires qui se trouvaient dans la serviette que son cousin avait posé en évidence sur le pupitre.

Il étudiait ces dossiers depuis environ une heure quand son cousin fit son entrée. Marc n'avait pas eu de mal à s'y mettre, mais demanda tout de même quelques précisions à Pierre.

— Heureusement que tu seras au bureau pour la journée demain. Ce n'est pas que ça va mal, mais ta présence sera grandement appréciée, répondit Pierre après l'avoir éclairci sur un client particulier.

— Justement, je comptais partir tôt, vers la fin de l'après-midi.

— Samantha? demanda-t-il tout en connaissant la réponse.

Marc hocha légèrement la tête, mais honteux il promit un plan de rechange.

— Ne t'en fais pas. Je serai là très tôt et si je ne puis me permettre de partir tôt, j'annulerai mes projets. Et puis de toute façon, tu as raison, je dois rester et jusqu'à très tard s'il le faut.

— Marc, écoute-moi. Pierre se sentait coupable à son tour à présent. J'estimais que ta présence s'avérait importante, mais elle n'est pas indispensable pour la journée entière. Non ne dis rien, écoute. Tu t'es donné corps et âme dans cette compagnie et mis à part une journée ici et là, tu ne t'es pas énormément reposé depuis la mort de ton père. Moi, j'ai pu profiter de deux semaines il n'y a pas longtemps pour mon voyage de noces.

— Voyons, on ne rate pas un voyage de noces et tu l'avais mérité.

— Merci, mais ce n'est pas le vif du sujet. Alors, tout ça pour te dire que je réalise que ta présence n'est pas nécessaire pour la journée complète. Tu te manifestes quand même et tu te reposes le soir. Il y a si longtemps que tu ramènes des dossiers le soir chez toi.

Pierre, qui avait défait sa cravate, l'enleva et la déposa sur le dossier d'un fauteuil fleuri. Il déboutonna sa chemise et se retourna vers Marc. Ce dernier, toujours assis sur la chaise de bois, commençait à ranger les dossiers dans la serviette.

— Et puis elle te fait du bien cette fille. Je t'ai bien taquiné, mais tu n'as pas été aussi productif et ingénieux aussi rapidement depuis des semaines. Même tes traits tirés semblent s'effacer. Le sourire au coin des lèvres, il attendait la réaction de son cousin.

— C'est vrai. Après m'avoir un peu distrait au travail, on dirait qu'elle me redonne de l'énergie, fit-il un peu songeur.

— C'est réconfortant de te voir ainsi. Depuis que tu as quitté Marie-Andrée, il n'y a pas loin de deux ans, tu n'as pas été sérieux avec personne. N'annule pas tes projets, je vais très bien me débrouiller pour quelques heures. Et si cette fille occupe tant de place dans ton cœur, fais donc ce qu'il faut avec elle.

— Je lui ai dit que tu viendrais lui annonça-t-il soudainement.

Pierre le regarda, étonné.

— Quoi que vous fassiez, il n'est pas question que je vienne.

— Je savais que tu comprendrais dit Marc en souriant. Je ne voulais pas qu'elle pense que tu l'évites, ou que je tiens expressément à être seul avec elle expliqua-t-il.

— Pour ce qui est de ta première crainte, je ferai en sorte qu'elle ne le pense pas, pour la seconde, je pense qu'il serait temps qu'elle le sache, comme je disais hier et il y a quelques secondes à peine.

— Je t'ai expliqué Pierre et je ne la sens pas encore prête à prendre mon amour pour de l'amour et non pour de la pitié. Je ne veux pas la bousculer vu l'épreuve qu'elle a subi. Et en ce qui me concerne...

Pierre devina les sentiments de son cousin. Il ne se sentait pas prêt également. Le connaissant, il devait trouver que tout ça allait vite. Son cousin n'avait pas l'habitude de se jeter dans des relations si rapidement ni d'éprouver ce genre de sentiments d'une telle ampleur et si spontanément. Il devait avoir peur de rater sa chance, mais il avait confiance. Marc profiterait bientôt d'une occasion pour se manifester à Samantha. C'était vraiment une bonne fille.

Après lui avoir raconté qu'il comptait lui faire la surprise d'aller la chercher à l'hôpital, les cousins convinrent que Marc passerait au bureau avec elle. Il pourrait constater une dernière fois comment allait le travail et Pierre pourrait lui parler et lui expliquer lui-même les « *raisons* » pour lesquelles il ne se joindrait pas à leur groupe pour la soirée.

******

Ses longs cheveux retenus en queue de cheval, elle descendait l'escalier de béton du centre hospitalier, à la sortie des employés sous un soleil encore chaud. Vêtue de sa robe d'infirmière blanche en fin coton, son sac de toile vert à l'épaule, elle regardait partout à la recherche d'un taxi qu'elle pourrait distinguer au loin.

Elle atteignit la dernière marche et posa sa main au-dessus de ses yeux afin de se protéger de la lumière du soleil. C'est alors qu'elle le vit, à quelques pieds d'elle, souriant, attendant qu'elle pose enfin les yeux sur lui. Son visage s'éclaira et elle le rejoignit rapidement.

— Marc, quelle belle surprise !

Elle s'arrêta à sa hauteur et sur la pointe des pieds, lui flanqua un rapide baiser sur la joue. Pendant la journée elle avait souvent pensé à lui, imaginant secrètement un vague scénario où il venait la chercher tout en se disant que ça serait impossible. Et à présent il se tenait devant elle.

— Tu me sembles en pleine forme. On ne dirait pas que tu viens de terminer une journée de travail.

— Oh! Ce n'était pas très difficile aujourd'hui. On m'a fait visiter l'hôpital et le département de pédiatrie. On m'en a expliqué le fonctionnement et j'ai étudié les quelques cas que j'aurai demain avec l'infirmière à laquelle je suis jumelée.

Ils quittaient le terrain de l'hôpital et se dirigeaient vers la rue. Cherchant toujours du regard un taxi qui les amènerait, Samantha se laissa guider par Marc qui lui tenait la main. S'immobilisant devant une voiture familiale rouge, il introduisit une clé dans la serrure à la stupéfaction de Samantha.

— Tu as loué une voiture?

— Oui. Elle sera pratique pour aller au « *Golden Gate* ».

— Au Golden Gate Bridge?

— Oui. C'est un peu loin à pied et nous allons en profiter pour nous promener un peu. Je t'emmène souper à l'extérieur de la ville et nous passerons sur le pont.

— Ça m'a plutôt l'air formidable, mais je dois passer me rafraîchir à l'hôtel.

— Bien sûr madame.

Ils vivaient une autre soirée féerique. Impressionnée par le pont, Samantha l'avait photographié. Marc avait stationné la voiture d'un côté du pont et les jeunes gens se rendirent au milieu à pied. Entre la route et le trottoir aménagé sur le pont il y avait un petit espace le longeant et on pouvait voir le bras de mer si loin en bas. Samantha en avait le vertige. Elle s'exclama d'effroi et s'empêcha d'y regarder davantage. Elle sentit une main glisser dans la sienne et la serra. Le pont vibrait parfois au passage de véhicules plus lourds, mais elle s'y habitua rapidement.

Elle ferma les yeux quelques secondes et savoura cet instant de bien-être, le visage caressé par le vent léger venant du bord de l'eau. Une violente secousse la surprit et elle ouvrit les yeux laissant échapper un petit cri de surprise. Un énorme camion venait de les dépasser. Ils se regardèrent et rirent ensemble. Appuyée sur la rampe au milieu du pont, Samantha regarda le chemin qu'ils venaient de parcourir et n'était plus très sûre de vouloir le refaire en sens inverse.

— Tu n'as pas le choix, pourtant. Allez, viens! On va aller manger.

Ils avaient pris leur repas dans un petit restaurant non loin de la sortie du pont Golden Gate. Le repas de steak et fruits de mer fut, une fois de plus, délicieux. Ils allèrent ensuite se promener dans le petit sentier aménagé pour les piétons sur la falaise.

Ils grimpaient dans les sentiers qui parcouraient le mont juxtaposé au pont, guidés par la lumière que diffusaient les lampadaires disséminés le long de leur parcours. Le vent du soir s'était quelque peu amplifié et Samantha pouvait voir le pont bouger de plusieurs pouces, de part et d'autre de son axe. Intérieurement, elle se félicitait de ne plus avoir à le franchir.

Ils déambulaient sur le chemin sinueux, longeant la baie de San Francisco. Samantha parlait des choses intéressantes qu'elle avait apprises ce jour-là dans ce centre hospitalier américain. Marc l'écoutait, attentif et à sa demande lui fit part de sa journée, également.

Samantha se sentait heureuse, éprouvait le même sentiment de bonheur, de bien-être que sur le bateau de Mike. Comme chaque fois qu'elle se trouvait avec lui d'ailleurs, remarqua-t-elle. Ils marchaient lentement, inconscients des autres promeneurs, insouciants de la noirceur, qui doucement les enveloppait.

— Regarde le bateau là-bas. Il paraît petit, mais il doit sans doute être immense, dit-il en levant la main en direction de l'embouchure de l'océan Pacifique lorsqu'ils furent arrivés au sommet.

Samantha plissait les yeux à la recherche du bateau. Marc, constatant qu'elle regardait trop vers l'ouest, se plaça derrière elle pour lui montrer. Son bras gauche, étendu vers l'avant au-dessus de l'épaule de la jeune femme lui frôlait la joue. Son doigt pointait l'amas de lumières jaunes, blanches et vertes qui passait au loin. Sa main droite s'appuya sur l'épaule et du bout des doigts, il fit gentiment tourner sa tête un peu plus vers le sud.

— Regarde plutôt par ici. Tu vois les lumières? C'est sûrement un bateau de croisière!

Elle aperçut enfin le paquebot qui lui semblait effectivement minuscule.

Une douce brise s'éleva et Samantha réprima difficilement un frisson. Elle bougea tout de même très légèrement et vu la proximité de son corps, Marc la sentit trembler.

— Tu as froid?

Sans attendre sa réponse, ses mains débutèrent un mouvement de va et vient sur les bras de Samantha qu'elle venait de croiser, pour tenter de la réchauffer. À mi-chemin entre la douceur et la vigueur, ses mains exerçaient une pression qu'elle sentait à travers sa veste en lainage.

Samantha s'abandonna au mouvement réconfortant qui, sans cesser, ralentit peu à peu. Posant sa tête sur son épaule, près du visage de Marc. Samantha sentait le souffle du vent sur sa joue ou était-ce la respiration de Marc? Elle ferma les yeux. Elle se vit se retournant et embrassant celui qui l'enlaçait et si l'envie de le faire la tenaillait fortement elle résista profitant des caresses de Marc. Ce dernier, remarquant que les légers tremblements s'étaient arrêtés, cessa son mouvement et noua ses mains autour du ventre de Samantha sous ses bras, qu'elle gardait toujours croisés.

La brise allait et venait à intervalles plus ou moins réguliers. Ils demeurèrent ainsi quelques secondes profitant de la magie du moment.

Marc fixait les lumières du bateau sans les voir, conscient du désir de l'embrasser qui montait en lui. Il savait ses joues rafraîchies par le vent, mais les sentait enflammées par la chaleur qui se dégageait dans tout son être.

Conscient du corps détendu immobile de Samantha appuyé contre lui, il s'imaginait qu'elle éprouvait le même bien-être que lui, qu'elle avait à présent chaud, tout comme lui, malgré ce vent presque froid qui soufflait dans les hauteurs à proximité de la mer.

Cette fille aimée, car il était maintenant persuadé de l'aimer vraiment, contre lui le rendait fou. Il ne pouvait plus attendre. Il n'avait plus la force de patienter davantage. S'il ne provoquait pas ce moment, peut-être ne se passerait-il jamais rien. Il s'imagina la faisant pivoter et poser doucement ses lèvres sur les siennes et elle répondant avec ardeur à son baiser. Son cœur débordait d'amour et il avait tant besoin de cette fille.

Il ferma les yeux quelques secondes afin de savourer cet instant du plaisir de l'attente encore un moment, juste au cas où il en serait autrement pour Samantha, au cas où elle le repousserait. Il savoura encore quelques secondes la possibilité de la tenir contre lui. Puis il dénoua ses mains, prêt à la faire pivoter face à lui lorsqu'elle lui demanda ce qu'on voyait au loin à l'autre extrémité.

— J'ai voulu te demander quelle était cette île et la bâtisse érigée au milieu lorsque nous sommes passés sur le pont, mais il y a eu une secousse puis j'ai oublié.

— Ça, ma chère, c'est Alcatraz.

— La prison d'Alcatraz?

Il acquiesça, déçu de la tournure que prenaient les évènements. Le charme était rompu.

— La vraie prison d'Alcatraz ? Elle se trouve ici, à San Francisco ?

Marc-Alec l'affirma à nouveau, souriant devant l'ingénuité que la belle Samantha manifestait. Elle se retourna d'un rapide mouvement pour vérifier s'il était sincère. Son pied se prit dans une inégalité plus creuse du sol et elle perdit l'équilibre. D'une main solide, il la retint par la taille et la jeune femme appuya ses, mais sur son torse pour retrouver son équilibre.

L'un contre l'autre, ils se regardaient intensément. Il lui fallait faire, dire quelque chose ou elle allait bientôt s'écarter de lui et le moment ne se présentera pas une troisième fois, réfléchissait-il, surpris de la chance qui s'offrait à lui.

Il pressa doucement sa main sur les siennes, toujours posées sur son torse, au moment où il sentait qu'elle allait reculer.

— Tu es tellement belle Sam !

Il aurait pu dire n'importe quoi d'autre, se morigéna-t-il. C'était le cas assurément, mais il aurait dû mentionner quelque chose de plus intelligent. Pourtant, elle ouvrit la bouche et persuadé d'une invitation, il se pencha sur elle.

Ses yeux, il avait de si beaux yeux et ses bras autour d'elle. Il fallait qu'elle se dégage. Elle n'en avait véritablement pas envie, mais elle devait s'exécuter. Puis est venu ce compliment. Elle avait ouvert la bouche pour répondre ou protester, elle ne savait plus, mais rien n'était sortit. Aucune phrase intelligente ne venait.

Il embrassa doucement sa lèvre inférieure puis s'écarta de quelques millimètres. Elle sentait le souffle chaud de son haleine sur son visage. Il avait une odeur sucrée. Samantha n'osait plus bouger. Elle rêvait et allait se réveiller. Ou bien il allait s'écarter, s'excuser et on oublierait tout ça.

Elle ne l'avait pas repoussé et semblait attendre le prochain baiser. C'était précisément ce qu'il souhaitait vérifier. Il perçut même le léger mouvement de ses mains remontant vers ses épaules et crut entendre un soupir, peut-être un gémissement. Il prit tendrement son visage à deux mains puis unit ses lèvres aux siennes.

Percevant les mains de la jeune femme se nouer derrière son cou, la sentant s'abandonner contre lui, il l'enlaça et reprit ses lèvres avec plus de passion, sa langue cherchant la sienne. Ils s'embrassèrent encore un moment, souffletant par intervalles, la douleur du désir de s'abandonner l'un à l'autre trop longtemps refoulée, enfin crevée.

Le bateau et ses lumières, l'île d'Alcatraz avaient quitté ses pensées. Ils se trouvaient loin au creux de son cerveau. Il ne songeait qu'à Samantha dont il ignorait la réelle nature de ses sentiments. Du moins, en répondant à ses baisers, il pouvait ainsi reconnaître la flamme de son désir. Il resserra son étreinte comme pour faire jaillir sur elle tout l'amour qui exigeait de déborder de son cœur.

Le rêve se poursuivait. Pourtant elle goûtait vraiment ses lèvres chaudes, sa langue qui se mêlait à la sienne, ses caresses dans son dos, ses bras solides qui l'enlaçaient. Samantha répondait à ce bonheur qu'elle souhaitait depuis quelques jours, elle devait se l'avouer. Mais elle ne savait plus que penser.

Vu sa récente séparation et le lot de tristesse qu'elle avait apporté, refusant d'y voir un autre motif, elle s'en tenait toujours à son idée d'avoir besoin de la chaleur, des caresses d'un homme pour combler le manque d'affection qui en découlait. Serait-ce uniquement cette raison qui la poussait dans les bras de Marc-Alec?

Elle s'éloigna de la bouche du jeune homme et détourna la tête, confuse. Il ne fut pas long à se confondre en excuses.

— Samantha, ça ne va pas? Je suis désolé. Je te prie de m'excuser, je ne voulais pas t'offenser ni rien brusquer. Je croyais...

La jeune femme, lui mit l'index sur les lèvres. Il avait relâché son étreinte, mais l'enlaçait toujours.

— Chuuuut! C'est correct, j'en avais également envie, je t'assure, lui affirma-t-elle promenant doucement son index sur la lèvre inférieure de l'homme et espérant qu'il ne distingue pas le trouble qu'il lui inspirait.

Il ne semblait pas totalement convaincu, mais elle ne voulait rien expliquer pour l'instant. Il lui faudrait mettre de l'ordre dans ses sentiments avant d'en discuter. Samantha détestait l'idée de le blesser même si elle ignorait ce que le jeune homme ressentait franchement.

Il prit le doigt qui glissait sur sa lèvre et l'embrassa doucement en la regardant dans les yeux. Il y vit briller la flamme sincère d'un désir qu'il partageait. S'approchant l'un de l'autre, leurs bouches se fusionnèrent à nouveau, les cheveux de Samantha, poussés par le vent, balayant leurs joues au passage.

— Serre-moi fort, lui murmura-t-elle entre deux baisers.

Chapitre 13

Quand je pense à toi

Il entendait les téléphones sonner sans cesse. Les gens se pressaient dans la grande salle allant et venant devant sa porte, se promenant d'un bureau à l'autre une serviette ou une pile de dossiers à la main. Il les regardait tous sans les voir.

Quelqu'un avait apporté un rapport sur son bureau dès qu'il était rentré une heure plus tôt. Après avoir déposé son attaché-case au pied de son bureau, il s'était installé sur son fauteuil pivotant en cuir noir avec l'idée de le parcourir.

Mais depuis qu'il était assis, il n'avait pris connaissance que d'un paragraphe ou deux qu'il avait relu trois fois et son café presque plein et déjà froid, reposait toujours sur le coin de son bureau.

Il n'arrivait pas à se concentrer tant il pensait à la veille. Il lui semblait que les lèvres de Samantha brûlaient encore les siennes. Il porta machinalement la main à ses lèvres. Il se sentait comme un adolescent qui vient de vivre un premier rendez-vous.

Il se demandait ce qu'elle ressentait pour lui. Une belle amitié les unissait, sûrement rien de plus pour elle. Elle semblait si détachée quand elle était avec lui, si sûre d'elle. Se sentant bien avec lui, elle avait sans doute répondu à ses baisers sous l'impulsion du moment, l'ambiance s'y prêtait voilà tout. Il en était pratiquement convaincu, car lorsqu'il l'avait déposée à l'hôtel, elle n'avait pas cherché à l'embrasser passionnément.

Il ne lui avait encore rien avoué de ce qu'il ressentait réellement pour elle. Ils parlaient souvent de son état de santé et comme ce terrible accident était encore trop frais à leur mémoire, il était obsédé par la pensée qu'elle prendrait ses sentiments pour de la pitié vis-à-vis elle. Et puis, il y avait eu cette hésitation de la part de Samantha. Peut-être avait-elle un rapport. Cependant, si l'amour n'était pas réciproque, il ne lui était pas indifférent. Une magie s'opérait entre eux. Ils avaient du plaisir ensemble, ils aimaient être ensemble. C'était clair. L'espoir était sûrement possible, se raisonna-t-il.

******

Ils s'étaient embrassés donnant libre cours à un désir longtemps refoulé. Lorsqu'il l'avait retenue, elle avait pressenti que c'était ce qu'il ferait, du moins, l'avait-elle espéré secrètement. En répondant à ses avances, elle avait deviné qu'elle attendait cet instant depuis longtemps. Depuis ce fameux soir sur la civière où elle tentait de raisonner, de freiner ses désirs.

À présent, elle refoulait les sentiments qui voulaient éclore en elle puisqu'ils demeuraient à sens unique. Sans vouloir profiter d'elle, Marc-Alec l'avait embrassé la veille parce que la situation s'y prêtait. Le moment, l'endroit, romantiques à souhait, il ne pouvait ne pas agir. C'était un homme gentil et attentionné, certes, mais habité par des désirs, des pulsions qu'il avait écoutés, sans plus.

À preuve, ce petit baiser habituel, à peine plus insistant laissé sur sa joue à la porte de son hôtel. L'atmosphère ne s'y prêtant plus, il n'avait pas essayé de l'embrasser plus passionnément.

Assises sur les marches de béton avec deux autres collègues, elles profitaient du matin beau et frais pour prendre leur pause. Les filles discutaient entre elles et Samantha perdue dans ses pensées ne les écoutait plus depuis quelque temps.

Elle songeait à cet homme qui était entré dans sa vie sans qu'elle s'en aperçoive. Elle ne devrait plus se laisser aller ainsi. Elle avait la nette assurance qu'une belle amitié s'était développée entre eux, pourtant ça ne pouvait aller plus loin. Peut-être que le baiser de la veille sera le dernier du genre qu'il lui donnera, mais si ce n'est pas le cas et qu'il tente de l'embrasser à nouveau, elle ne devrait pas le laisser faire. Il ne recherche probablement qu'une aventure de son côté et la crainte qu'il croit qu'elle le fréquente à cause de sa richesse lui traversait l'esprit.

Ses pensées se bousculaient dans sa tête, cherchant encore des raisons à leur conduite. Mais une chose lui paraissait certaine : il ne lui fallait pas s'impliquer, ni trop, ni de façon émotive. Après San Francisco, il n'y aurait plus rien et ne se reverraient sans doute plus jamais. Tout deux le savaient. Pourtant une petite voix lui disait qu'elle souffrirait de ne plus le revoir et en même temps couper court à cette belle amitié l'obligera à lui donner des explications qu'elle espérait éviter. Cependant, elle se promit qu'il ne l'embrasserait plus ainsi sans raison.

S'apercevant de leur amie lunatique, les deux infirmières assises près d'elle l'impliquèrent dans leur conversation. Sirotant son café, elle s'y mêla volontiers se forçant d'oublier momentanément l'homme de ses pensées.

******

— Alors que penses-tu de notre prochain contrat?

Marc sursauta légèrement. Pierre-Antoine s'était infiltré sur le pas de la porte, à demi ouverte. Visiblement satisfait de ce contrat, il semblait avoir hâte de connaître la réaction de son cousin.

Pierre avait retiré le veston de son complet marine et sur sa chemise blanche tombait une cravate rayée grise, bleue et blanche. Il observa son cousin et son sourire disparut. À son air déconcerté, désolé, il comprit qu'il ne savait pas encore grand chose du dossier.

Pierre entra, ferma la porte et le regarda attentivement. Marc, se sentant fautif s'adossait, ne disait rien et se laissait examiner.

Lorsque Pierre fut prit d'un irrésistible fou rire, Marc se leva enfin, l'interrogeant sur la cause de ce rire soudain.

Se calmant peu à peu Pierre entreprit de s'expliquer.

— J'ai deviné que tu n'avais pas encore lu le rapport en te trouvant perdu dans tes pensées. J'avoue, j'étais déçu, mais sachant déjà que Samantha n'y est pas étrangère, je découvre une implication pas ordinaire, mais ce n'est que drôle.

Repris d'un rire plus fort, Marc le regarda sans comprendre. Il s'avança vers lui et attendit patiemment en hochant la tête le regard interrogatif et rieur.

— Samantha a l'air de beaucoup te préoccuper. Sûrement assez pour que tu ne prennes pas connaissance du dossier, mais je ne pouvais imaginer que c'était à ce point, dit-il après s'être calmé en pointant le menton dans sa direction. Tu ne t'es évidemment pas vu dans le miroir ce matin.

Marc pencha la tête et s'examina rapidement, mais ne remarqua rien. Lorsqu'il en fit part à son cousin d'un air innocent, Pierre rit de plus belle en se tordant.

Relevant son pantalon pour vérifier si ses bas étaient de la même couleur, il fut vite rassuré. Il se dirigea ensuite vers la salle de bain attenante à son bureau et se regarda dans le miroir accroché au mur.

Demeuré à l'endroit où il se trouvait lorsqu'il avait fermé la porte, Pierre entendit le rire de Marc provenir de la salle d'à côté qui se considérait dans le miroir. Sur son chandail, à son sein gauche, Marc aurait dû trouver le logo du petit crocodile vert dans le bas de la pochette. Remarquant du même coup les coutures sur ses épaules, il riait de constater qu'il avait enfilé son chandail à l'envers.

— Je ne t'ai jamais vu dans cet état en dépit de tout l'amour que tu as pu porter aux autres filles que tu as fréquentées. Malgré tes performances très... acceptables, tu es souvent dans la lune ces temps-ci. Cette fille t'a jeté un mauvais sort, dit Pierre-Antoine, soudain sérieux, à son cousin revenu dans son bureau.

— Ce n'est pas un mauvais sort, si tu savais! expliqua celui-ci après avoir remis son chandail à l'endroit. Rien n'est encore définitif, mais hier, c'était si merveilleux. Ses yeux brillaient à ce souvenir. Mais tu as raison, je dois m'y remettre, je me laisse aller. Je vais donc lire ce rapport, car tu sais que si nous l'obtenons, nous ferons une belle affaire.

— Ton avenir ainsi que ceux de tes enfants seront assurés, mon vieux!

— Notre avenir rectifia Marc en le prenant par les épaules. Allez, laisse-moi et reviens vers la fin de l'avant-midi. Quand je pense que je me suis promené dans la rue avec un chandail à l'envers se dit-il à voix haute après un court silence, en souriant.

Comme réponse à cette constatation, Pierre fit entendre son rire sourd en fermant la porte du bureau de Marc-Alec, non sans l'avoir prié de lui donner des détails de sa soirée après sa lecture, bien sûr. Ce dernier reprit bientôt son sérieux, le précieux document entre les mains.

Ce contrat, s'il l'obtenait, représentait beaucoup, car le client possédait un vaste pouvoir en affaires. Propriétaire d'une chaîne d'hôtels comprenant soixante-douze bâtiments, à travers l'Amérique et l'Europe, l'homme désirait se moderniser et placer des annonces publicitaires informatisées dans chacun de ses hôtels, les agences de voyages et partout où des gens susceptibles d'y séjourner passaient.

Marc devinait bien que cet homme avait fait appel aux services d'autres entreprises que la sienne. Il choisirait la meilleure proposition et malgré sa richesse, la moins coûteuse. Mais il savait également que si son prix s'avérait trop bas, le riche client l'éliminerait, le jugeant non compétitif par rapport aux autres offres.

Mais Marc savait comment s'y prendre. Il avait confiance en lui et sa réputation dans ce domaine n'était plus à faire. Il avait un bon associé en la personne de son cousin et il avait aussi confiance en ses employés.

Il fallait faire vite pour parcourir et corriger au besoin ce rapport que des employés consciencieux venaient de terminer. Marc devait lui-même le présenter au client à la fin de la journée au cours d'un souper d'affaires.

— À la fin de la journée ! Mon Dieu !

Il se souvint à cet instant qu'il avait promis de voir Samantha. La veille, l'âme chavirée par l'amour, il avait oublié ce rendez-vous fixé pour dix-huit heures dans un des restaurants gastronomes de la ville avec le multimillionnaire.

Il enverrait Pierre la rencontrer à sa sortie de l'hôpital pour lui expliquer la raison de son absence. Il pourrait sortir avec elle aussi, il méritait bien un petit repos. Ça ne serait que partie remise, le lendemain ils iraient à la plage décida-t-il.

Il se remit aussitôt à sa lecture et ne fit changer que peu de choses. Comme d'habitude, il était satisfait du travail de ses employés et des explications qu'il leur avait données à ce sujet.

De leur côté, ses travailleurs le connaissaient et savaient quel plan de travail utiliser pour le satisfaire. De toute manière, ils avaient appris que sa façon de procéder était gagnante dans la plupart des cas. Il ne restait qu'à impressionner le client au cours du repas. Ce qu'il se promettait effectivement de faire.

******

Pierre la trouva à la queue des gens qui attendaient l'autobus. Vêtue de sa robe d'infirmière rose, elle regardait, comme tous les autres, l'autobus de la ville qui s'amenait au loin. Elle portait sur son bras un imperméable gris. Il ventait et il avait plu dans la journée. À présent, le soleil, timide, tentait de percer les nuages.

Il gara la voiture rouge que Marc avait louée de l'autre côté de la rue, en face de l'arrêt d'autobus. Il sortit du véhicule et l'interpella. Elle réagit immédiatement à son nom et son regard se dirigea de l'autre côté de la rue.

Voyant son visage s'illuminer à sa vue, Pierre constata une fois de plus sa beauté et se dit que son cousin avait raison de la vanter dans leur chambre d'hôtel.

— Un peu plus et je te manquais dit-il après lui avoir donné l'accolade.

Il lui expliqua, comme prévu avec Marc, la raison de l'absence de son cousin et ils se promirent une agréable soirée.

Dans le restaurant italien où ils s'étaient attablés, ils s'amusaient, mais Samantha constata qu'elle s'ennuyait de Marc-Alec. Distraite à quelques reprises, elle faisait répéter son compagnon. Ce qui n'échappa pas à Pierre-Antoine, mis au fait des évènements de la veille par son cousin, lequel avait probablement omis quelques détails, pendant leur heure de dîner. Pierre-Antoine ne manquerait pas de rapporter ces distractions à son cousin.

Les musiciens du restaurant entamèrent une valse et Pierre invita Samantha à danser. Au son de la musique, la jeune femme se laissa guider par Pierre qui dansait merveilleusement. Ils tourbillonnaient dans un ensemble parfait comme s'ils avaient souvent dansé ensemble.

Fermant les yeux un instant, il se sentit enivré par le doux parfum de sa compagne. Sans cesser de la faire bien danser, son esprit vagabonda et s'amusa à s'imaginer dans des scènes plus hardies.

La belle robe blanche, s'arrêtant à mi-cuisse et au haut ajusté et sans manche qu'elle portait, se transforma en déshabillé de dentelle blanc. Ses cheveux indisciplinés, retenus par des barrettes, tombaient en cascades sur ses épaules. Dans son peignoir de soie, il la faisait tourner près d'un lit à baldaquin.

Les sens éveillés, il ouvrit brusquement les yeux, honteux de cette pensée. Il avait honte de constater que la figure de la jeune femme remplaçait celle de son épouse. Cette succession d'images n'avait duré que quelques secondes, mais ce fut suffisamment long pour le rendre tendu. Pierre-Antoine était crispé par la honte de son désir. Il songea à sa femme qu'il aimait.

Depuis qu'ils se connaissaient, voilà quatre ans, il ne lui avait jamais été infidèle et n'en avait jamais eu envie. Samantha était la première et la seule femme, autre que la sienne, qui éveillait en lui de tels désirs soudains. Il est vrai qu'il n'avait pas fait l'amour depuis un bout de temps. Malgré les dires de certains, il craignait de provoquer un accouchement prématuré à sa femme qui en était aux derniers termes d'une grossesse passablement difficile.

Et il fallait que ce soit celle que son cousin convoitait qu'il l'inspirait. Il en eut désespérément honte et voulut retourner s'asseoir, mais afin de ne pas éveiller de soupçons, dansa jusqu'à la fin de la pièce musicale. Il en fut soulagé, lorsque peu de temps après, la musique cessa.

Dès qu'ils furent installés à leur siège, on leur apporta leur plat de résistance et ils ne se levèrent pas tant qu'il dura. Ce fut Samantha qui l'invita à la fin alors que les premières notes d'une valse lente se faisaient entendre.

Pierre avait fini par se détendre en dégustant ses pâtes aux crevettes et voulut refuser, craignant que le désir l'envahisse à nouveau.

— Bien sûr s'entendit-il répondre malgré tout en lui tendant la main.

Il n'avait pas le goût de lutter contre sa volonté. Elle aimait la danse et il avait terriblement envie de danser une fois de plus avec elle. Mais cette fois, il garderait les yeux ouverts et ne laisserait pas son esprit vagabonder.

« *De toute façon celle-ci sera vraiment la dernière* », se dit-il.

Avec la valse lente, le corps de Samantha s'approchait encore davantage du sien. Avec un immense effort, il arriva à se concentrer sur la danse et à rester maître de lui. Mais son parfum lui resta dans les narines longtemps.

La voiture s'arrêta devant le «*King George*». S'empressant d'ouvrir la portière, Pierre lui tendit la main pour l'aider à sortir du véhicule.

— Voilà Cendrillon, votre château vous attend!

— Merci, j'ai passé une agréable soirée.

— Je me suis amusé aussi. Ça fait du bien. Le bureau commençait à me mettre les nerfs en boule.

Pierre-Antoine lui tenait toujours la main et ils se regardèrent en silence. Pendant une fraction de seconde, il se revit dansant avec elle vêtue de son déshabillé de dentelle. Et maintenant, sa robe blanche dans la noirceur reflétait davantage sa beauté et sa candeur. N'y tenant plus, Pierre remonta sa main libre, effleurant accidentellement la poitrine de Samantha puis, la prenant avec douceur derrière le cou, la fit avancer, mais se retint à temps pour n'embrasser que sa joue.

Un sentiment de malaise s'installa et Pierre lui dit rapidement bonsoir pour éviter d'allonger ce supplice. Elle le quitta sur une bonne nuit et il la regarda se diriger sans se retourner vers l'entrée de l'hôtel. Croisant les bras, il avait soudainement envie de pleurer se demandant pourquoi il avait imaginé de telles choses. Décidément cette femme est une sorcière, elle envoûte tous ceux qui posent leur regard sur elle, songea-t-il réprimant les larmes amères de la honte et du regret qui lui piquaient les yeux.

— Lydia, pardonnes-moi, murmura-t-il à l'adresse de son épouse, en se tenant la tête. Tu me manques tellement.

******

La noirceur régnait dans la chambre du San Francisco Hilton. La respiration régulière de l'homme qui gisait déjà dans un des lits lui indiqua qu'il dormait. Avec précaution Pierre ouvrit la veilleuse près du lit inoccupé. Assis sur ce lit, il défit sa cravate.

— Alors cette soirée, c'était bien?

Pierre se retourna vers la voix, surpris.

— Oui très bien. Tu ne dormais pas? Il espérait que sa voix légèrement tremblante ne trahisse pas ses émotions. Mais Marc, à moitié endormi, ne parut s'apercevoir de rien.

— Il n'y a pas longtemps que je me suis couché. Je t'attendais, je m'inquiétais.

— Tu ne vas pas faire le jaloux? se moqua-t-il plus pour masquer son embarras.

— Le devrais-je?

Pierre se demandait s'il se doutait de quelque chose. Il le scruta un moment. Mais il se dit que c'était impossible. Il disait cela au hasard.

— Bien sûr que non. Tout le monde la dévorait des yeux, elle était tellement belle dans sa robe blanche à mi-cuisse, mais personne ne s'en est approché. J'y ai bien veillé. Quand je lui parlais, au souper, elle m'a paru distraite à quelques reprises me faisant souvent répéter. Je suis persuadé qu'elle pensait à toi ajouta Pierre enchanté de trouver un sujet qui ne le culpabilisait pas malgré qu'il n'ait pas véritablement à se reprocher quoi que ce soit.

Marc ne voulut pas se faire de fausses joies en y croyant immédiatement, mais en fut tout de même heureux. Il s'appuya sur son coude et à la demande de son cousin, lui raconta le sourire aux lèvres son souper avec monsieur Thompson pendant lequel il avait, avec confiance, louangé sa compagnie presque à outrance.

— Il m'a semblé très impressionné et me donnera des nouvelles en début de semaine prochaine conclut-il.

Pierre éteignit la veilleuse après avoir souhaité une bonne nuit à son cousin. Dans la pénombre, ses pensées revinrent à Samantha. Il savait que seul le temps estomperait les remords qui tout compte fait n'avaient pas de réelles raisons d'exister, tenta-t-il de se rassurer. Mais pendant que la honte le rongeait encore un peu, il ne pouvait se douter du bien-être qui s'emparait de Samantha.

******

Étendue dans son lit, elle ne pouvait trouver le sommeil. Même si elle aimait bien Pierre, elle n'avait ressenti aucun plaisir spécifique à son baiser, à sa légère étreinte. Mais elle ne lui en voulait pas, car elle avait conscience du charme qu'elle dégageait dans cette robe, pourtant la seule qui se prêtait à la sortie qu'il lui avait proposée.

Non, au contraire, elle lui en était reconnaissante. Grâce à lui, elle réalisait qu'elle n'était pas attirée par Marc pour un besoin de tendresse. Toutes ces explications qu'elle cherchait depuis le soir de son accident s'enfonçaient dans l'erreur. Au fond, peut-être le savait-elle, mais sa conscience ne se sentait pas prête à l'admettre. Mais ce soir Pierre-Antoine Fortin lui avait ouvert les yeux.

Elle devait cesser de nier. Si elle se sentait bien seulement dans ses bras, si elle aimait que Marc la prenne contre lui et qu'il l'embrasse, elle ne devait plus se persuader que ce n'était que pour combler un besoin de tendresse.

Chapitre 14

Tout nouveau, tout faux

Elle se réveilla tôt ce samedi matin. Elle avait peu dormi et pouvait se permettre de rester au lit, mais elle se sentait en forme comme si elle avait dormi plus de dix heures. Et puis l'excitation la gagnait. Ils allaient à la plage aujourd'hui et elle allait profiter de la présence de Marc-Alec toute la journée.

Il y avait près de deux jours qu'elle ne l'avait vu et il lui manquait. Elle avait hâte de le revoir et pressentait la journée magnifique. Comme par enchantement, la pluie de la veille avait fait place au soleil. La radio annonçait une journée chaude et elle allait à la plage avec lui. Oui, la journée serait merveilleuse.

En se préparant un petit baluchon, elle ne songea qu'à Marc. Pas un instant ses pensées ne se dirigèrent vers celui qu'elle croyait pouvoir encore aimer à nouveau quelques semaines plus tôt.

Au début de son périple, Samantha pensait assez souvent à Robert. Ce qu'il fabriquait, ce à quoi il pouvait bien penser, sans chercher à trouver d'autres réponses à leur relation difficile que celle qu'elle lui avait donnée, ni éprouver d'élans d'ennui ou d'amour pour lui. Mais au fond d'elle-même elle savait sa décision prise les concernant bien avant de rencontrer Marc.

Encore assez tôt le matin, elle entra dans une épicerie afin d'acheter quelques provisions pour leur pique-nique. Elle parcourait rapidement les allées, emplissant son panier de jambon fumé tranché, de fromage suisse, de tomates cerises, de cornichons et de petits pains Kaiser. Elle prit également quelques pommes vertes, un plein sac de croustilles, de la réglisse, des bouteilles d'eau, des serviettes humides et un gros sac de glace pour garder le tout froid, le plus longtemps possible. Après une légère hésitation, elle ajouta dans son panier un paquet de six bières.

Lorsqu'ils vinrent la prendre à l'heure prévue, elle était postée à l'entrée de son hôtel depuis quelques minutes. Il était encore de bonne heure et en vingt minutes, ils atteindraient l'endroit où ils désiraient aller. Vers dix heures trente, elle mettrait les pieds dans la mer californienne pour la première fois.

Cette partie de la plage qu'ils avaient choisie n'était pas bien grande et peu de gens la fréquentaient. De plus, il était encore tôt dans la saison. Par cette belle journée de fin de semaine, les jeunes gens ne seraient certainement pas seuls, mais à coup sûr, non envahis par une marée d'individus.

La journée semblait vouloir se passer merveilleusement, comme elle l'avait espéré. Le corps musclé et bronzé de Marc, allongé à son côté, lui chatouillait les sens. Elle était retournée à l'eau avec Pierre qui venait de partir pour une promenade sur la plage. Depuis leur goûter, auquel ils avaient fait honneur et félicité Samantha, Marc n'y avait pas encore remis les pieds voulant tout d'abord relaxer au soleil.

Se sentant examiné, Marc-Alec, à plat ventre la tête entre ses bras repliés, sentant la fraîcheur d'un corps à côté de lui, ouvrit les yeux et tourna la tête. Il vit le regard brillant de celle qui occupait ses pensées plonger dans le sien.

— Tu ne vas pas à l'eau?

— Plus tard. J'ai envie de me reposer.

— Si t'avais envie de te reposer, il fallait rester à l'hôtel. Maintenant c'est trop tard, affirma Samantha espiègle, en lui passant une main encore mouillée dans le dos. Allez, viens te baigner.

Le corps déjà chaud, il sursauta au contact de la main froide. Feignant d'être fâché, il se leva rapidement et passa un bras dans le dos de la jeune femme, la retenant pour éviter qu'elle se sauve, et glissa l'autre derrière ses genoux. Il la souleva aisément et courut dans la vague qui s'amenait vers eux. Samantha criant et riant à la fois, s'arqua lorsque l'eau salée lui éclaboussa le dos et les fesses. Puis sans crier gare, Marc-Alec la laissa tomber dans l'eau un peu froide.

— Voilà ce que je fais avec les jolies filles malfaisantes.

Assise à ses pieds, elle lui empoigna une jambe et tira très fort pour le faire tomber. Parce qu'il ne s'y attendait pas, il n'avait pas les jambes solides et fut facile à faire tomber. Samantha ne lui laissa pas le temps de faire quoi que ce soit, se leva et partit en courant, certaine qu'il voudrait se venger. Lâchant un cri de guerre, il courut à sa poursuite sur le sable le long de la mer. Il la rattrapait, Samantha l'entendait. Elle tourna la tête pour vérifier combien d'avance il lui restait et mit le pied sur un gros caillou. Son pied se tordit et elle tomba en poussant un hurlement de douleur. Marc-Alec l'avait rejointe et s'agenouilla près d'elle la prenant tout de suite au sérieux.

— Tu t'es viré le pied?

— Je ne sais pas. Je crois. Ça fait très mal, en tout cas.

— Tu veux que je te masse le pied?

— Surtout pas. Merci, mais la dernière chose dont j'ai besoin, c'est qu'on me tripote le pied.

Elle leva les yeux vers lui et remarqua son air inquiet.

— T'inquiète pas, ça va aller.

— Je suis désolé, c'est ma faute.

— Mais non, voyons. Avoue que je l'ai cherché, dit-elle souriant et grimaçant à la fois.

Elle bougea son pied et lui annonça que ça allait mieux. Il n'était pas vraiment sûr et la fixa longuement, d'un air peu convaincu bougeant légèrement la tête. Elle commença à masser lentement son pied souffrant en se retenant de grimacer. Mais elle percevait effectivement que la douleur diminuait un peu.

— Je t'assure, ça va aller, lui répéta-t-elle en souriant.

Il soupira, mais répondit à son sourire en s'asseyant auprès d'elle.

— T'ai-je déjà dit que tu étais belle?

— M'en souviens pas, répondit-elle songeant tout de même à leur premier baiser.

— Tu m'as manqué hier, avoua-t-il, après un bref silence.

— À moi aussi.

Il s'approcha et prit doucement ses lèvres. Elle oublia la promesse qu'elle s'était imposée et répondit avec bonheur à son baiser. Puis il s'écarta d'elle et remit une mèche folle encore humide, échappée de l'élastique qui retenait sa queue de cheval, derrière son oreille.

— J'aimerais que le temps s'arrête, que cette journée s'éternise, que la semaine ne finisse jamais. Je suis vraiment bien avec toi Sam.

Cette fois, c'est elle qui prit les devants et l'embrassa avec passion. Elle bougea et son pied meurtri la ramena à l'ordre, la faisant tressaillir. Marc-Alec décida qu'il fallait soigner son pied. Il la prit dans ses bras et alla l'installer confortablement sur sa serviette. Il posa le sac de glaçons presque fondus sur son pied et s'allongea à côté d'elle. Il lui caressait l'épaule et le bras en lui demandant parfois des nouvelles de son membre endolori. Le froid agissait apparemment et engourdissait sa douleur. Lorsque Pierre-Antoine arriva, ils décidèrent de ramasser leurs affaires.

En chemin, ils trouvèrent un bon petit resto. Samantha, soutenue par ses amis et encore boitillante, pouvait cependant s'appuyer sur son pied. Comme l'avion de Pierre partait tôt le lendemain, ils étaient rentrés tout de suite après le repas afin qu'il puisse terminer ses préparatifs de retour.

Samantha lui souhaita bon voyage et lui mentionna qu'elle avait été heureuse de le rencontrer. Il l'embrassa sur la joue et la serra un peu contre lui, comme un frère. Le malaise dissipé, il ne désirait pas en créer un autre. De toute façon, la magie avait heureusement disparu et il ne songeait qu'à Lydia qu'il allait retrouver bientôt.

Samantha le regarda ensuite se glisser à l'intérieur de la voiture. Marc lui tendit son baluchon qu'il était allé chercher dans le coffre de l'automobile.

— Tiens, Sam chérie. Refais-toi un paquet à peu près semblable pour demain. Mais je ne te dis pas où je t'emmène, c'est une surprise.

— Ça me rends un peu triste que Pierre partes demain, seul.

— Il doit bien partir. Et je serai là, moi ! Il l'attira contre lui devant son faible sourire. T'inquiète pas, il s'arrangera et dès qu'il verra Lydia, il ne pensera plus à nous.

Elle répondit à son étreinte en lui mentionnant qu'elle avait déjà hâte au lendemain.

— Bonne nuit, Sam. À demain, dit-il après l'avoir longuement embrassée. Fais de beaux rêves.

Avant de franchir la porte de l'hôtel, elle agita la main en direction de la voiture rouge qui s'éloignait. Elle rentra lorsqu'elle ne vit plus la main de Pierre qui lui avait répondu par la fenêtre ouverte. Mais c'est le cœur léger et heureux qu'elle pénétra à l'intérieur.

******

Le lendemain matin, ils s'étaient retrouvés comme ils s'étaient quittés la veille: en un long baiser. Franchissant le pont « *Golden Gate* », ils prirent la route indiquant « *Los Angeles* ».

Excitée à l'idée de cette escapade, Samantha resta cependant sans voix lorsque la voiture se mit à sillonner la route panoramique de la côte du Pacifique. Toute cette beauté qu'elle partageait avec Marc lui arrachèrent presque des larmes aux yeux. Son compagnon ne resta pas insensible à cette démonstration et lui prit la main.

S'arrêtant à Pismo Beach pour relaxer et manger un peu, ils en profitèrent pour se rafraîchir dans l'eau salée que leur offrait la mer. Ils poursuivirent ensuite leur route jusqu'à Los Angeles.

Marc fit faire à Samantha une visite rapide des quartiers de Beverly Hills, Hollywood et Santa Monica et la jeune femme ne manqua pas de prendre quelques photos de ces somptueux quartiers se demandant à quelle personnalité pouvait bien appartenir telle ou telle autre majestueuse demeure qu'on distinguait à peine de la rue.

L'après-midi tirait déjà à sa fin lorsqu'ils atteignirent Santa Barbara. Cette ville au cachet espagnol attirait Marc et il était certain qu'elle produirait le même effet sur Samantha. Il gara la voiture dans une rue et ils déambulèrent dans la ville à pied, main dans la main.

La magie opéra et Samantha s'éprit de la ville. Ils mangèrent à une terrasse où des musiciens et des danseurs de Flamenco s'offraient en spectacle près des tables. Ils portaient de beaux costumes flamboyants et Samantha fut très vite emballée. Elle se laissa même emporter dans la danse et son compagnon la regarda suivre presque à perfection les pas derrière les danseurs et la complimenta, ravi qu'elle s'amuse autant.

Peu après le repas, ils se mirent en route pour le retour. Samantha avait adoré sa journée, bien qu'épuisée. Elle ferma les yeux et s'endormit. Marc lui jeta un coup d'œil et sourit. Son cœur débordait de tendresse pour cette femme qui restait belle même en dormant. Et ce n'était pas que sa beauté extérieure qui l'émouvait.

Il la réveilla un peu avant d'arriver à la route panoramique.

— Tu verras comme c'est merveilleux avec le coucher du soleil.

— Merci d'y avoir pensé. Je vais prendre ma caméra.

Il faisait noir depuis environ une heure lorsqu'il freina devant l'hôtel. Avant de prendre son sac placé à ses pieds, Samantha se pressa légèrement contre Marc et lui murmura:

— J'ai passé une autre merveilleuse journée. Tu sais que chaque jour passé avec toi était merveilleux. Tu me fais vivre de si belles choses. Et ton amour de la région est contagieux. Merci beaucoup.

— Ne me remercie pas. Ça me fait plaisir et du même coup, j'en profite également. Je suis content que ça t'ait plu. Maintenant file te coucher, tu es épuisée et tu travailles demain.

— Oui, tu as raison, je rêve de mon lit. Bonne nuit Marc.

Elle déposa un baiser sur la joue de son voisin, ramassa son sac et ouvrit la portière. Elle sentit soudain la main du jeune homme sur son bras et se retourna.

— Sam, je veux un vrai baiser.

Elle redéposa son sac à ses pieds et ils s'enlacèrent. Leurs lèvres s'unirent une fois de plus en un long baiser sensuel. Puis doucement, Samantha s'écarta. Ils se regardèrent un moment et le jeune homme caressa du doigt les lèvres qu'il venait d'embrasser.

— Sam, tu dois partir maintenant et dépêche-toi sinon je vais te retenir ici toute la nuit. Dors bien.

— Bonne nuit, répondit-elle en descendant de la voiture. On se voit demain?

— Oui, bien sûr. Nous irons manger quelque part, je ne sais pas encore où.

Cette fois elle ne le regarda pas partir. Elle s'endormait trop et ne pensait qu'à se retrouver sous les couvertures, dans l'air conditionné de la chambre d'hôtel. Le jeune homme le remarqua et en fut secrètement déçu.

******

En ce lundi, elles discutaient à la table après le repas. Depuis le début de son stage, Samantha s'était liée d'amitié avec elles. Elles travaillaient dans le même département et s'entendaient à merveille.

Cynthia, américaine née d'une mère allemande, portait ses cheveux blonds courts. Au-dessus de ses yeux bruns, qu'elle tenait de son père, de longs cils noirs battaient au gré de ses paupières. Du même âge que Samantha, elle s'était mariée l'année précédente à un comptable d'origine québécoise et elle se débrouillait très bien en français.

Tout comme Cynthia, Susan avait beaucoup de points communs avec elle. D'origine Haïtienne, ses parents avaient déménagé en Floride alors qu'elle n'avait pas cinq ans. Benjamine de trois enfants, elle avait peu de souvenirs de son pays natal et grâce à la langue créole, elle possédait quelques rudiments en français. Adolescente, elle avait vu de son oncle des photos de la Californie. Souhaitant devenir infirmière, elle avait eu pour ambition d'exercer son métier dans ce bel État.

D'un an plus jeune que les deux autres, elle fréquentait depuis quelques années un jeune homme qui étudiait le droit et bouclait ses fins de mois en travaillant à la buanderie de l'hôpital où elles se trouvaient. Ils comptaient s'épouser l'année suivante, dès que son ami aurait terminé ses études.

Samantha était la seule des trois dont les amours battaient de l'aile. Elle leur avait vaguement parlé de sa difficile relation avec Robert, mais n'avait osé rien révélé au sujet de Marc-Alec, ne sachant elle-même à quoi s'en tenir. Mais ce jour-là, elle leur raconta ses derniers jours passés avec Marc. Mais elle ne les surprit pas, car elles avaient compris quelques jours auparavant, sur les marches de béton de l'entrée du personnel, qu'il y avait un homme dans ses pensées.

Samantha était heureuse de confier cette belle nouvelle à quelqu'un. Elle savait qu'elle pouvait compter sur leur amitié. Elles l'aidaient dans le département, lui enseignaient certaines choses et lui apprenaient de nouveaux termes médicaux en anglais.

Samantha procédait de même pour elles et les informait des techniques différentes qu'elle employait dans son hôpital du Québec. Samantha était heureuse des liens qu'elles tissaient et aurait souhaité qu'elles demeurent amies. Mais elle savait que l'heure de se quitter sonnerait assez vite. Mais pour le moment, mieux valait ne pas y penser.

Le temps de retourner travailler arriva vite et elles retournèrent s'occuper des petits enfants qui lui semblaient bien plus malades que ceux qu'elle voyait chez elle.

Quelques-uns l'avaient bouleversée et ce soir-là, attablée à un chic restaurant avec Marc, elle lui mentionna toute la terreur qu'elle lisait dans les petits visages et celui de leurs parents.

— Tu es très bonne. Je ne sais comment tu fais. Je déteste voir des enfants souffrir.

— Je suis là pour les aider à ne plus souffrir justement!

— Et tu y arrives?

— La plupart du temps, dit-elle en penchant un peu la tête. Je ne peux tous les aider. Il y aura toujours quelqu'un quelque part qui souffre.

— Oui, bien entendu, c'est pour cette raison qu'on doit profiter de la vie qui nous est offerte et cesser de se plaindre.

— Ce n'est pas toujours facile mais, oui, c'est ce que nous devons faire.

— À la vie et à la santé fit-il en levant sa coupe de champagne.

Répétant, Samantha cogna doucement sa coupe contre la sienne.

Vêtue d'une jupe tailleur marine, Samantha avait relevé ses cheveux en un chignon un peu lâche duquel tombaient plusieurs mèches. Un léger maquillage accentuait ses traits et des perles ornaient ses oreilles et son cou.

Ainsi vêtue et parée, elle donnait une toute autre image d'elle à Marc qui la trouvait très élégante. Chiquement habillé d'un complet gris et d'une chemise blanche à fines rayures grise sur laquelle tombait une cravate de soie grise et bourgogne, il espérait provoquer sur elle un effet identique.

— Sam, tu es très belle ce soir. Et tu as tellement l'air bien. Tu me sembles réellement remise de ton accident. J'en suis heureux, lui avoua-t-il après avoir bu une gorgée de sa coupe.

— Merci pour le compliment, répondit-elle, se souvenant qu'il lui avait mentionné à peu près les mêmes mots en venant la chercher à l'hôtel. Oui c'est vrai, je me sens bien, j'ai l'impression de ne jamais avoir fait cette commotion. Ne t'en fais pas pour moi, tout risque est absolument écarté à présent, ajouta-t-elle, sa coupe encore à la main.

Elle prit une autre lampée du délicieux breuvage et lui retourna le compliment.

Les deux jeunes gens avaient profité d'une soirée simple, mais agréable, discutant et apprenant à se connaître davantage. Et comme chaque fois, le temps avait vite passé. Beaucoup de boulot les attendaient le lendemain et d'un commun accord, ils avaient décidé de rentrer tôt. Dans son lit, après leur baiser enflammé, Samantha ne savait plus comment interpréter les sentiments du jeune homme puisqu'il n'avait encore rien avoué.

******

Nourrissant les petits patients d'une même chambre, Cynthia et Samantha discutaient de choses et d'autres. En stimulant les enfants à manger, elles entrecoupaient leur conversation par de courts dialogues avec eux.

Ayant terminé de faire manger le sien, Cynthia installa le bébé dans son lit, le changea et partit voir si d'autres avaient besoin d'aide. Demeurée seule, Samantha continuait sa besogne pendant que ses pensées se dirigeaient vers Marc-Alec.

Elle croyait vivre les plus beaux jours de sa vie. Elle éprouvait un sentiment nouveau en sa compagnie. Il la faisait se sentir bien, importante. Il redoublait d'attention, sans exagération, envers elle. Avec lui, elle se sentait revivre. Figurant qu'il ressentait une sensation semblable, elle pressentait toutefois que leur relation prendrait fin sous peu. Trop de choses les séparaient.

Il repartirait pour Québec la prochaine fin de semaine. Il résidait tout près de cette ville, à quelques heures de route de chez elle et, président d'une compagnie, il se montrerait trop occupé par ses multiples responsabilités pour qu'ils puissent se voir, surtout avec cette distance. Peut-être chercherait-il à la revoir, mais elle en doutait. De plus, ils ne possédaient pas les mêmes moyens financiers, ne fréquentaient sûrement pas le même genre de personne.

Quelque part en elle, une voix l'assurait du contraire, qu'ils pourraient continuer, mais une autre la raisonnait prestement. Une vague de tristesse la submergea, mais elle évita d'y penser plus longuement se disant de profiter de chaque instant qu'elle passait avec lui.

******

Elle avait abandonné sa promesse. Au lieu de se détacher de lui, elle se rapprochait à un point tel qu'il deviendrait difficile de se séparer de lui. Ne pouvant dire avec certitude quels sentiments s'agitaient en elle, elle trouvait davantage ardu de percer ceux de Marc au grand jour. Mais elle se plaisait dans cette relation merveilleuse et il était trop tard pour revenir en arrière et respecter sa promesse.

Elle n'avait pas écarté le fait qu'elle souffrirait lorsqu'il la quitterait, mais la douleur serait plus atroce si elle cessait de le voir aujourd'hui, consciente qu'il se trouvait à deux pas d'où elle résidait dans cette ville.

Elle n'irait pas le reconduire à l'aéroport, car elle détestait ce genre d'adieu. Mais elle ne lui dirait pas tout de suite adieu. Il leur restait quatre jours, ou plutôt quatre soirées et elle comptait les garder pour elle, seule avec lui.

Le bébé jeta son bol par terre et Samantha sursauta. Souriant malicieusement à l'enfant, elle termina le repas et joua un peu avec lui avant de le remettre au lit.

******

— Mike, quelle belle surprise! Assieds-toi.

— J'aurais dû venir plus tôt, mais Amanda avait un petit problème, mais elle va bien maintenant.

— Un problème avec sa grossesse?

— Ouais. Un petit saignement, mais elle s'est reposée et le lendemain plus rien ne paraissait. Je suis quand même resté avec elle au cas où ça recommencerait. Et toi, ça va?

— Assez bien et le travail n'arrête pas.

— Et ta ... « *bonne amie* »?

Marc discerna le ton moqueur de son ami et sourit.

— Toi, tu n'abandonnes jamais. Elle se porte à merveille.

— Il faudra revenir nous voir. Je l'aime bien, elle m'a paru sympathique.

— Elle est plus que ça.

— Alors c'est vraiment sérieux cette fois.

Ce n'était plus une question. Mike constatait à son grand plaisir que son ami devenait amoureux.

— Écoute Mike, commença Marc en changeant de sujet, j'ai été préoccupé par un important contrat dont je dois recevoir des nouvelles bientôt, je n'ai donc pas terminé ce que tu m'avais demandé, mais ça ne devrait pas tarder.

— C'est d'accord. Ne t'en fais pas, je comprends. D'ici la fin de la semaine tu pourras?

— Il faudra bien, je pars samedi. Je te tiendrai au courant.

— Alors c'est bon, dit Mike en se levant. Je ne te retiendrai pas davantage. On pense organiser une petite fête vendredi sur le bateau, tu viendras... avec ta bonne amie?

— Y a de bonnes chances! fit Marc en riant.

— Monsieur Thompson au téléphone, fit la voix de sa secrétaire dans le récepteur, dès que Mike fut sorti.

Nerveux, Marc-Alec s'empara du téléphone après avoir mentionné à Kimberley qu'il ne souhaitait pas être dérangé.

******

Elle l'attendait depuis un moment à la porte de l'hôtel King George. Il arriva en retard. Ce n'était pas dans ses habitudes et Samantha comprit qu'il avait eu une rude journée. Elle lui plaqua un rapide baiser sur la bouche et ils partirent à pied, main dans la main puisqu'ils n'avaient plus la voiture.

Samantha le sentait à la fois distrait et un peu distant. Ils discutèrent de tout sauf de la journée de travail. Samantha ne le questionna pas, préférant attendre qu'il lui parle de lui-même de sa dure journée afin qu'il ne se sente pas bousculé.

Ils avaient choisi un restaurant simple et Samantha s'était permis d'enfiler des jeans et un mince tricot blanc. Les vêtements de Marc étant d'allure sportive, elle ne paraissait pas du tout déplacée.

Tout en sachant qu'il gardait en tête ses soucis reliés au travail, Samantha remarqua qu'il redevenait enjoué comme à son habitude et le repas se déroula joyeusement.

Marc l'ayant invitée à une promenade en sortant du restaurant, ils marchaient enlacés dans les sentiers du parc situé à proximité. Marc entreprit alors de lui faire part de ce qui occupait ses pensées depuis l'après-midi.

— Sam, j'ai pris une décision et je ne pars pas samedi.

C'était donc ça, pensa Samantha affolée. Son travail l'obligeait à quitter la Californie plus tôt que prévu et il ne savait comment lui dire. Son comportement expliquait tout. Elle leva ses yeux inquiets vers lui.

— Tu pars demain?

Remarquant son inquiétude, il la serra davantage contre lui.

— Mais non chérie, je ne devance pas mon départ, je le retarde la rassura-t-il en riant. Tu sais, je t'avais parlé d'un important rapport que nous devions remettre?

Samantha acquiesça d'un signe de tête ne voulant pas l'interrompre. Elle avait retenu le mot «*retarde*» que Marc avait utilisé.

— Et bien j'ai eu une bonne nouvelle aujourd'hui. Il s'agit d'un homme d'affaires très, très riche possédant plus de soixante-dix hôtels et il nous accorde le contrat de sa publicité.

— Wow! Samantha n'en revenait pas. Elle lui sauta au cou, heureuse pour lui tout en ne voyant pas le rapport de ce contrat avec le fait qu'il remette son départ. C'est fantastique! C'est...

— T'as raison, les mots me manquent également.

— C'est pour ça que tu ne pouvais parler? plaisanta-t-elle le prenant littéralement au mot.

Il sourit, mais ne releva pas la plaisanterie, souhaitant terminer sa confidence.

— Je veux fêter cet évènement. Pour cette raison et pour une autre bien plus importante: parce que je veux rester encore avec toi, j'ai décidé de prolonger mon séjour ici. Je m'offre des vacances, que je n'ai pas prises depuis longtemps d'ailleurs. J'ai téléphoné à l'agence de voyage après avoir parlé avec monsieur Thompson pour changer la date de mon retour. Pierre est entièrement d'accord. Tout est réglé; je repartirai le même jour que toi la semaine prochaine.

Samantha le regarda les yeux brillants de bonheur. Il restait avec elle. Elle était heureuse, mais ne savait pas vraiment comment interpréter ce geste. Et soudain un sentiment d'inconfort se leva entre eux. Du moins, c'est ce qu'elle ressentait.

— C'est formidable, finit-elle par articuler. Ce qui t'arrive et le fait que l'on puisse passer quelques jours de plus ensemble. Alors puisque tu restes, aussi bien en profiter. Tu me ramèneras à Los Angeles ? demanda-t-elle l'air coquin.

— Oui bien sûr. Il lui prit les mains. On retournera à L.A., à Santa Barbara et je t'emmènerai voir beaucoup d'autres choses dont j'aimerais bien profiter aussi.

Encore une fois sa beauté, sa bonté, son sens de l'humour et chaque autre trait de son caractère qu'il découvrait s'associaient pour accélérer le rythme de son cœur. Ce soir sa beauté, lui semblait-il, s'harmonisait avec le soleil qui se couchait derrière elle. Ses cheveux se mêlaient, pareils au soleil.

— T'ai-je déjà dit que tu es belle ?

— Je ne m'en souviens pas, répondit-elle à nouveau.

— Tu es belle Sam, tellement belle, affirma-t-il ne se lassant pas de lui dire encore. Et pas seulement de l'extérieur. Tout ce que je découvre en toi n'est que beauté et je n'aurai pas assez des jours qu'il nous reste pour trouver les autres trésors en toi.

— Arrête, je vais croire que tu me fais une déclaration d'amour ! Elle passa son bras sous le sien et recommença à marcher.

Lui reprenant les mains, il l'immobilisa sur place l'obligeant à le regarder. Douterait-elle de ses réels sentiments envers elle ? Elle ignorait donc le torrent qui grondait dans son cœur et n'avait rien compris de ses élans envers elle.

— Sam c'en est une. Je t'aime. Je t'aime pour de multiples raisons. Mais surtout parce que je peux être moi avec toi.

Il avait presque chuchoté. Elle le regarda ne sachant comment réagir. Mais à l'évidence, elle n'avait pas le temps. Ses mains toujours dans les siennes, elle l'écouta lorsqu'il se remit à parler de son ton habituel.

Il avait répondu à sa réplique devinant le moment propice aux déclarations. De toute manière, il ne pouvait plus garder ses sentiments secrets. Il avait envie de l'aimer et elle devait connaître la réelle nature de ses élans envers elle.

— Tu m'intéressais déjà dans l'avion. J'ai découvert que je tenais à toi lors de l'accident. Dans l'ambulance tu étais faible, mais tu me paraissais pourtant si forte. J'ai appris à te connaître et tu représentes beaucoup pour moi. Au moment où tu as eu une faiblesse à ta sortie de l'hôpital, j'ai eu si peur, je ne voulais pas que tu revives cet enfer et ne souhaitais pas repasser à travers l'angoisse qui m'avait habité la veille. J'avais terriblement peur des risques que ton état comportait. Le médecin m'en avait glissé un mot, la veille.

Elle le fixait, enregistrant chaque parole qui sortait de sa bouche. Elle n'avait qu'à l'enlacer, lui dire de l'embrasser, mais elle restait figée. Quelque chose qu'elle ignorait l'empêchait de dire ou faire quoi que ce soit.

Comme s'il s'attendait à une parole ou un geste de sa part, ou même le refus de son amour, il fit une pause. Elle ne faisait rien, mais il la savait suspendue à ses lèvres, alors il poursuivit.

— Au fil des jours j'ai appris à te connaître, à me sentir bien et en confiance avec toi. Nous avons eu tant de plaisir. Maintenant, je ne peux plus me passer de toi. Je ne pourrai pas quitter cette ville et laisser tous ces merveilleux souvenirs derrière moi. Je sais, c'est plutôt rapide. J'ai l'impression d'avoir été enlevé dans un tourbillon, mais je t'aime Samantha Cartier et de ça, je suis certain.

Samantha enregistrait ce qu'il lui avouait sans pouvoir réagir. De son côté, il avait cessé de parler, attendant qu'elle réagisse enfin craignant de plus en plus que ce ne soit de façon négative.

Samantha prenait réellement conscience que les sentiments qu'elle éprouvait pour Marc ne pouvaient qu'être similaires. Elle l'aimait, oui elle devait se le dire: elle l'aimait tellement. Mais elle n'arrivait pas à croire qu'il puisse vraiment l'aimer elle, Samantha Cartier, infirmière alors que lui beau et riche et gentil et prévenant pouvait s'offrir toutes les filles qu'il voulait.

Des larmes perlaient à ses yeux lorsqu'elle posa son regard sur le sien. Il lui disait qu'il l'aimait et elle désirait tant y croire. Elle sortit enfin de son mutisme.

— Oh! Marc!

Sans dire un mot il lui tendit ses bras, ému espérant de tout cœur qu'elle s'y blottirait. Dès qu'il sentit son corps contre lui, il la serra fort pendant un moment avant de prendre ses lèvres comme il savait si bien le faire. Ce baiser correspondait à une toute autre signification maintenant et ils étaient l'un contre l'autre depuis un bon moment lorsqu'une réplique entendue de la bouche de Robert lui revint en mémoire.

« *Lorsque tu me fais part de tes projets de t'éloigner quelques temps, j'enrage. Tu es si jolie, si gentille et j'imagine constamment quelqu'un que tu rencontres et qui te vole ton cœur.* »

« *Tu ne peux pas m'attacher à toi ainsi. De toute façon, tu dois faire preuve de confiance en moi et savoir que je suis fidèle* », lui avait-elle répliqué.

La jeune femme comprenait, à présent ce qui la retenait de parler quelques minutes auparavant. Avec toute la volonté qu'elle avait eue de faire savoir à Robert qu'il se trompait, l'évidence de la vérité de ses paroles cette fois, la troublait. Elle fut bouleversée de constater qu'en un sens elle l'avait trompé. Elle ne l'aimait plus, mais son histoire avec Marc aurait pu arriver même si elle avait encore été avec lui.

Non, décida-t-elle, elle ne l'avait pas trompé puisqu'elle n'était plus avec lui. Ses sentiments pour Marc-Alec n'auraient pas vu le jour si elle avait encore aimé Robert. Cependant, elle devait se montrer totalement honnête avec Marc. Tôt ou tard il entendrait parler de lui. Lentement elle s'éloigna de la chaleur du torse de Marc avec la ferme intention de ne pas le tromper.

— Marc, je dois te dire... il y a quelqu'un qui m'attend à Montréal, mais...

Cette révélation, elle la lui donnait à titre d'information afin de ne pas le troubler s'il le voyait à l'aéroport à leur arrivée au Québec, car elle croyait bien l'y trouver. Elle comprit à sa réaction qu'il l'avait prise comme un fait qu'elle ne souhaitait pas changer.

— Pardon? la coupa-t-il. Tu me laisses t'avouer mon amour pour toi, pour ensuite m'annoncer qu'il y a quelqu'un dans ta vie. C'est ton genre de te payer des aventures, un peu de bon temps pendant tes vacances en refusant supposément de te faire gâter, quand tu flaires le gros lot? Je t'aimais sincèrement, mais je ne peux supporter les profiteuses hypocrites et infidèles. J'avais confiance en toi, mais tu as joué avec mes sentiments. Je ne te pensais pas aussi méchante et bonne menteuse. Comment peux-tu avoir bonne conscience? Tu m'as vraiment blessé et j'imagine que tu es contente. J'espère seulement que tu auras le bon sens de ne pas te montrer devant moi avant mon départ.

Il était parti. D'abord figée sur place, sidérée par la réaction de Marc-Alec, elle avait ensuite tenté de l'interrompre, lui expliquer qu'elle ne lui parlait pas de Robert parce qu'elle avait l'intention de rester avec lui. Elle avait essayé de le retenir, lui dire qu'elle l'aimait lui, Marc-Alec Fortin. Mais il avait presque crié ses paroles. Trop prit dans sa colère et sa douleur, il n'avait pas essayé de l'écouter et se dégageait d'elle constamment.

— C'est toi que j'aime Marc cria-t-elle aussi fort qu'elle put, mais il courrait sans se retourner. Depuis l'autre côté du boulevard, le bruit des autos et des klaxons entre eux enterrait son cri. Il ne l'avait pas entendu prononcer ce premier aveu.

Elle savait qu'il avait aussi mal qu'elle. Elle avait tenté de le poursuivre, mais plus rapide qu'elle, elle n'aurait pu l'atteindre et s'était arrêtée, essoufflée. Il n'aurait, de toute façon, jamais voulu l'écouter. Elle se laissa tomber sur l'herbe et seule dans la pénombre du parc pleura, croyait-elle, toutes les larmes de son corps. Elle trouvait à peine l'amour que c'était déjà terminé.

Chapitre 15

Nous

Il était près de dix-sept heures lorsqu'elle descendit du taxi et pénétra d'une démarche sûre dans le hall du San Francisco Hilton. C'était la course contre la montre depuis la fin de son travail. Suite à une douche rapide, elle avait pourtant longuement hésité devant sa garde-robe, ne pouvant se décider sur les vêtements qu'elle devrait porter.

Le tailleur marine qu'il aimait bien et le veston dont elle laisserait les premiers boutons détachés découvrant sa camisole serrée sur sa poitrine ferait probablement l'affaire, mais elle souhaitait obtenir un effet plus séducteur. La robe blanche sans manche, ajustée au-dessus de sa poitrine qu'elle avait portée à sa soirée avec Pierre-Antoine parlerait d'elle-même. Mais sans doute s'avérerait-elle trop sexy ! Il ne fallait quand même pas exagérer.

Samantha opta donc pour une robe-soleil blanche et bleu ciel au décolleté juste assez plongeant qui se révélait sans doute plus appropriée pour le but qu'elle recherchait. Samantha avait tout de même enfilé un veston d'été blanc qui cachait sa poitrine à peine un peu plus que sa robe. Un sac à main blanc et des souliers à talons hauts de même couleur complétaient son ensemble. Un trait de crayon bleu soulignait ses yeux, et ses cheveux, retenus sur sa nuque par une seule épingle de fantaisie d'où s'échappaient sur son cou une ou deux mèches de sa chevelure ondulée toujours indisciplinée, révélaient les perles ornant ses oreilles.

De peur de le rater, elle avait téléphoné à son bureau à son retour de l'hôpital, pour vérifier si Marc s'y trouvait toujours. Se faisant passer pour une éventuelle cliente, elle avait demandé en anglais à sa secrétaire si monsieur Fortin pouvait la recevoir maintenant, se doutant bien que la réponse s'avérerait négative.

— Il faudrait prendre rendez-vous madame !

— Parce qu'il a déjà quitté le bureau, j'imagine?

— Non, il y est encore, mais ne peux vous recevoir maintenant.

— Vous avez raison, j'ai bien pensé devoir prendre un rendez-vous, mais j'ai quand même essayé, juste au cas... Serait-il possible de lui parler, alors? Elle espérait obtenir un indice sur le temps qu'il y resterait encore.

— J'ai bien peur que non. Il est en réunion pour je ne sais combien de temps encore. Vous devez vraiment fixer un rendez-vous.

— Écoutez, je suis au travail présentement et j'ai laissé mon agenda à la maison. Je vous rappellerai demain afin de vous faire part de ma disponibilité ajouta-t-elle satisfaite d'avoir obtenu les réponses qu'elle attendait.

— Très bien, madame. Bonne fin de journée!

Ainsi elle s'était rendue au Hilton, rassurée de ne pas l'avoir manqué pour le cas où ayant terminé sa journée plus tôt, il serait déjà passé dans le lobby pour prendre sa clé. Il aurait été plus simple de demander à la réception si sa clé s'y trouvait encore, mais elle savait que le réceptionniste n'aurait jamais voulu lui répondre. Après un dernier regard satisfait dans la glace, elle était descendue et avait hélé un taxi en levant le bras.

Assise sur un des sofas du lobby, un magazine à la main pour tromper les apparences, elle l'attendrait le temps qu'il fallait, levant les yeux fréquemment afin de ne pas rater son entrée.

Un peu nerveuse au début, puisque n'étant pas une cliente de l'hôtel elle craignait qu'on lui montre la sortie, cependant, elle se rassura assez vite, car personne ne sembla se préoccuper de sa présence. Son attente ne fut pas longue. Environ une demi-heure après s'être installée, les yeux fixés sur l'entrée où allaient et venaient quantité de gens devant le portier en livrée, elle le vit pénétrer dans le hall portant un pantalon beige, le veston assorti par dessus l'épaule, sa serviette de travail à l'autre main.

Elle avait les mains moites et sentait des palpitations dans ses veines, mais elle se leva malgré tout. Il venait de prendre ses clés à la réception et se penchait pour reprendre sa mallette qu'il avait déposée à ses pieds lorsqu'il remarqua la belle jeune femme qui arrivait à sa hauteur vêtue de son veston blanc.

Il figea l'espace d'une seconde alors qu'il reconnaissait Samantha, mais ne laissa rien paraître. Seule Samantha s'en aperçut. Sans rien lui dire elle marcha à côté de lui jusqu'à l'ascenseur. Elle savait qu'il ne pourrait lui faire de scène à cet endroit.

— Je croyais t'avoir mentionné que je ne voulais pas te revoir, chuchota-t-il à l'oreille de Samantha en attendant que la porte s'ouvre.

— On doit se parler dit-elle simplement, souriant aux gens qui arrivaient et les saluaient d'un regard ou d'un signe de tête.

Il aurait tout fait pour la renvoyer, mais devant le monde, il ne pouvait rien faire. Se contentant de bien se tenir et de ne rien laisser paraître, il la précéda dans l'ascenseur qui se remplissait, faisant fi de la galanterie.

À l'intérieur, il lui jetait de rapides coups d'œil. Il avait mal de la savoir près de lui. Il souhaitait prendre son petit cou entre ses, mais et le serrer jusqu'à ce qu'elle n'en puisse plus et en même temps, il voulait la prendre dans ses bras et la couvrir de baisers.

Quand ils sortirent au dixième étage, il attendit qu'ils soient seuls devant sa porte pour lui intimer de partir.

— Pas avant qu'on se soit parlé, annonça-t-elle avec calme.

— Je n'ai rien à te dire.

— Alors, écoute-moi.

— Je n'ai pas envie de t'écouter. Il avait plus peur de fléchir. Il la trouvait toujours belle et particulièrement sexy ce soir. « *Elle le fait exprès, assurément* », pensa-t-il.

— Écoute ce que j'ai à te dire et si après tu gardes la même opinion de moi, si tu persistes dans ta décision de ne plus me revoir, je m'en irai. Mais laisse-moi au moins une chance d'expliquer, de terminer ce que j'avais commencé, car tu es arrivé à de trop hâtives conclusions.

— Je ne crois pas que ça servira à quoi que ce soit, répondit-il en passant devant la porte qu'il venait d'ouvrir. Mon opinion ne changera pas.

— Alors, tant pis, je crierai à travers la porte dit-elle sans sourciller alors qu'il allait la fermer.

— C'est bon, entre, concéda-t-il après quelques secondes de réflexion. Et fais ça vite. Il referma la porte en se jurant de ne pas la prendre dans ses bras. Il ne fallait pas sinon il en souffrirait davantage. Il ne se laisserait pas piéger. Je te donne cinq minutes pas une de plus, ajouta-t-il en s'effaçant pour la laisser entrer.

Pénétrant dans la chambre, plutôt grande, elle constata pourtant qu'ils ne se trouvaient pas dans une suite comme elle s'y attendait. Deux lits doubles trônaient au centre de la pièce, séparés par une table de chevet assortie à une armoire style Louis XIV ou Louis XVI, elle ne pouvait certifier lequel, qui leur faisait face. Un bureau aménagé au fond de la chambre, vers lequel l'homme des lieux se rendit, exposait une pile de dossiers. Une table ronde et deux petits fauteuils invitait à s'y asseoir à l'autre extrémité de la chambre. C'était une chambre spacieuse conclut Samantha, mais tout tenait dans une seule pièce.

— Je croyais que tu logerais dans une...

— Suite compléta-t-il. Il n'y en avait plus de disponible, mais ça ne nous dérangeait absolument pas. Il tira vers lui la chaise bien rangée sous le bureau et y déposa sa mallette. Ton temps tourne, lui rappela-t-il.

— Je suis venue te dire que tu es l'homme que j'aime et j'ai décidé de partir avec toi ce samedi, car je suppose que n'ayant plus de raison de rester, tu as remis ton départ à la date prévue au préalable, annonça-t-elle après une grande respiration.

— Je ne te crois pas. De toute manière tu ne peux pas faire ça. Sais-tu que tu devras débourser l'argent d'un nouveau billet et même davantage pour demander ce changement à quelques jours d'avis seulement?

— Je n'ai pas tes moyens c'est vrai, mais je me fiche de ce que ça peut coûter. Je pars avec toi ce samedi. Je n'ai plus de raison de rester ici si tu n'y es plus.

— Écoute, tu pars quand tu veux, moi ça ne me regarde pas, mais organise-toi pour ne plus me revoir. Se montrant un peu impatient, il se dirigea vers la porte.

— Tu ne comprends donc pas! Elle avait haussé le ton et ignorant son intention de la mettre à la porte, elle prit place dans un fauteuil. Je te dis que c'est de toi que je suis amoureuse, que je suis prête à payer le prix pour pouvoir rester avec toi, et ça te laisse froid? Tu ne cherches même pas à en savoir davantage? Et je te rappelle que tu m'as accordé cinq minutes, lesquelles ne sont pas totalement écoulées.

— Qui me prouve que tu dis vrai? Que ce n'est pas un de tes sales tours pour m'écraser davantage? demanda-t-il en rebroussant chemin.

Il avait également haussé le ton. Ses yeux lançaient des éclairs. C'était la première fois qu'elle le voyait ainsi. Ce comportement agressif lui fit constater une seconde fois toute la douleur qu'elle lui avait infligée sans le vouloir. Ignorant les propos blessants qu'il venait de tenir, elle se leva et, s'efforçant de baisser un peu la voix, s'avança vers lui en le menaçant du doigt.

— Je ne t'ai jamais joué de « *sales tours* » comme tu dis. C'est toi-même qui s'est mis des idées dans le crâne et qui s'obstine à ne pas vouloir me croire. Tu as immédiatement sauté aux conclusions sans me laisser l'occasion de m'expliquer. Si tu pouvais au moins m'écouter, tu nous donnerais une chance.

Elle fit une courte pause qu'il ne chercha pas à rompre. Prenant une grande inspiration, elle poursuivit, radoucie.

— Je reconnais que j'ai mal choisi mes mots hier, mais la relation que j'ai eue avec lui fait partie du passé. Nous vivions une relation difficile. D'un caractère passionné et jaloux, je ne pouvais rien faire seule et sans son consentement. Il possède des qualités que j'apprécie chez un homme et je m'accrochais à elles pour aider notre relation à survive pendant que j'attendais une meilleure compréhension de sa part.

Retourné à son bureau, il fouillait dans ses dossiers lui jetant parfois un regard. Elle devina qu'il simulait une quelconque besogne, mais elle savait qu'il l'écouterait jusqu'au bout. S'adossant contre le mur dans une tentative de se détendre, elle soupira longuement afin de repousser les sanglots qui lui piquaient la gorge et continua son monologue.

— Ça n'a servi à rien. J'ai compris que je m'accrochais en vain à un amour déjà détruit quand je lui ai appris que je viendrais ici. Il m'a fait une crise et ne voulait pas que je vienne. Nous nous sommes disputés. Il est sorti en claquant la porte sans rien rajouter et ne m'a redonné de ses nouvelles que quelques jours plus tard croyant à tort que JE le rappellerais et renoncerais à ce prix. Il m'a imploré de lui pardonner, il m'a juré vouloir s'améliorer, mais je savais qu'il n'en ferait rien. Nous avons eu tant de disputes et de discussions à ce sujet et rien n'a jamais vraiment changé.

Elle parlait, les yeux dans le vague en le fixant de temps en temps afin de vérifier qu'il l'écoutait toujours. Il la regardait, effectivement attentif, une main sur un dossier ouvert pour lequel à l'instant il n'avait aucune considération. Les éclairs étaient disparus de ses yeux. Peut-être avait-elle une chance de le reconquérir?

— J'ai rompu à ce moment, soit un mois avant mon départ poursuivit-elle. Comme j'ai mentionné, avant notre rupture, j'ai longtemps espéré qu'il changerait puis j'ai réalisé que j'étais amoureuse de l'image qu'il projetait au début de notre relation deux ans plus tôt. Ce n'était plus le même homme et je n'aurais jamais pu être heureuse avec lui. Il fallait que ça se termine et le seul espoir que je lui ai laissé est que si on a vraiment à être ensemble, on reviendrait ensemble un jour. Il est resté avec l'idée que ce n'était qu'une séparation temporaire, mais il était si désespéré et j'en étais tellement bouleversée que je ne l'ai pas détrompé sur le moment, mais je t'assure qu'en ce qui me concerne tout est terminé avec lui.

Avait-elle remarqué un faible sourire? Elle n'en était pas certaine, mais toujours à l'écoute, il la laissait parler. Encouragée, la jeune femme continua.

— Hier, je ne souhaitais qu'être sincère avec toi. Étant donné ce que je viens de t'expliquer, j'ai pensé qu'il aurait pu m'attendre à l'aéroport et essayer de me revoir à mon retour alors d'une façon ou d'une autre, il me fallait te parler de lui. Je voulais que tu saches qu'il ne représentait plus rien d'important pour moi depuis quelques semaines. Je reconnais, encore une fois, que le temps et les mots étaient mal choisis, mais blottie dans tes bras, une phrase qu'il m'avait dite lors de notre dernier entretien, m'est soudainement revenue à l'esprit et je me suis sentie coupable. Je n'ai pu m'empêcher de commencer à t'expliquer. Mon but premier était d'être honnête avec toi.

— Et quelle était cette phrase?

Elle le regarda, un peu étonnée de l'entendre parler, de constater son intérêt.

— Il disait qu'à chaque fois que je partais, il s'imaginait quelqu'un que je rencontrerais et qui lui volerait mon cœur.

Marc sourit inconsciemment, constatant le bien fondé de cette idée. Mais il s'abstint de tout commentaire, l'ayant accusé lui-même de faire tourner la tête des hommes qu'elle rencontrait.

— Que lui as-tu répondu? demanda-t-il, curieux en se plaçant devant le bureau.

— Quelque chose comme: il ne devait pas s'imaginer ce genre de chose et garder confiance en moi. Si je t'en ai parlé, c'est aussi parce que je me sentais coupable, car pour la première fois il avait raison à ce propos. Quelqu'un d'autre que lui a volé mon cœur. Mais je m'en fous qu'il ait eu raison. Je ne ressens plus rien pour lui et c'est pour cette raison que c'est arrivé, toi et moi. Je ne peux sincèrement aimer deux hommes à la fois. Je veux rester avec toi parce que tu es une personne merveilleuse. Nous nous entendons bien et j'éprouve un réel plaisir en ta compagnie, ce qui ne se passait plus avec lui. Je ne serais pas ici en ce moment à essayer de te convaincre si je ne t'aimais pas à ce point, ajouta-t-elle avec un sourire désespéré.

Elle avait mis l'accent sur «*première fois*» voulant signifier à Marc qu'elle n'était pas le genre de fille qu'il l'avait accusé d'être. Il ne répliqua rien, se contentant de baisser les yeux une ou deux secondes. Il réfléchissait probablement, mais la partie n'était pas tout-à-fait gagnée. Regardant sa montre, il s'appuya les fesses sur le rebord du bureau, puis plaqua ses mains sur la surface, de chaque côté de lui. S'il n'était pas très encourageant, il ne semblait pas disposé à la mettre dehors pour autant, car son temps était écoulé. Avançant de quelques pas vers lui, elle insista.

— C'est merveilleux d'être avec toi et j'ai compris que je n'éprouvais pour lui que de la pitié et ni lui ni moi ne serons heureux en demeurant ensemble si l'amour n'est plus réciproque.

Prétextant la chaleur, tout en continuant son monologue, Samantha avait enlevé son veston, découvrant ses épaules et l'avait jeté sur un des lits qu'elle dépassa. Elle surprit le regard de celui qu'elle aimait, posé là où s'arrêtait le fin tissu de sa robe à la naissance de ses seins, là où elle le souhaitait. La jeune femme défit ses cheveux et lança la barrette sur son veston et s'arrêta à une trentaine de centimètre de lui.

Elle perçut le mouvement de recul qu'il tenta d'effectuer, mais le bureau derrière lui l'en empêcha et se dit que si son petit jeu de séduction ne l'emmenait pas à la serrer dans ses bras, au moins Marc-Alec ne songeait plus à l'obliger de quitter sa chambre. Ni lui, ni elle ne bougeait alors qu'elle enchaînait.

— Tu ne peux pas oublier le plaisir qu'on a eu ensemble. Nous partageons tant de choses, nos goûts, nos valeurs entre autres, je me crois revivre et je suis si heureuse. Et tu l'as été aussi. Je me sens tellement bien avec toi. En fait, ce que je ressens pour toi est si fort, si bon et fait si mal en même temps que je me demande si je l'ai vraiment aimé.

Il paraissait se détendre alors qu'elle avait parlé sans tenter de l'embrasser. Aussi fut-il surpris et décontenancé lorsque Samantha, reprenant la parole, allongea les mains sur son col de chemise. Elle parlait doucement, exagérant les pauses pour mieux défaire les premiers boutons.

— Marc, je veux t'aimer, te rendre heureux, que nous redevenions les meilleurs amis du monde. Je te jure que tu es le seul à occuper mon cœur et ma tête et pas pour les raisons que tu crains.

Elle avait les larmes aux yeux. Il ne pouvait pas l'arrêter de parler, encore moins la repousser. Devenu de plomb, ses membres refusaient d'obéir à son cerveau. Il devait se concentrer, revenir à la réalité, s'efforcer de bouger, de la repousser. Au lieu, il se sentait fondre, il allait flancher. Il ne le fallait pas, il s'était juré de ne pas la toucher, de ne pas se laisser piéger.

Occupé à essayer de retrouver ses esprits, il avait perdu quelques secondes. Entretemps, l'adorable diablesse lui brûlait la peau, effleurant de ses mains son torse légèrement poilu sous sa chemise ouverte, posant à peine ses lèvres humides sous son cou entre chaque énoncé.

— Je ne souhaite pas que ça s'arrête ici. Je veux qu'il existe encore un « *nous* » après San Francisco. J'ai essayé de ne pas tomber amoureuse de toi, de refouler mes sentiments, mais j'ai été incapable et c'est tant mieux. Je t'aime Marc-Alec Fortin affirma-t-elle sans chercher à cacher les larmes qui roulaient sur ses joues, ses mains toujours baladeuses sur le corps du jeune homme.

Réagissant enfin, il lui agrippa les poignets.

— T'as fini?

Elle le regarda dans les yeux quelques secondes, indécise à répondre. À quoi faisait-il allusion? Elle lui avait dit qu'après l'avoir écoutée, il pourrait lui dire de s'en aller. Il lui avait donné cinq minutes qu'elle avait largement dépassées. Exigeait-il qu'elle termine son explication ici ou qu'elle cesse de le toucher? Elle chercha dans ses yeux une réponse, du réconfort. Elle n'y trouva que de l'impassibilité, ni réponse, ni réconfort, mais pas de colère non plus. Elle ne voulait pas partir maintenant aussi choisit-elle d'ignorer la première possibilité et pencha davantage pour la douce torture qu'elle semblait lui infliger.

— Non je n'ai pas fini avec toi. J'ai envie de toi, là maintenant. Je t'aime, laisse-moi te le prouver.

Il la fit basculer sur le lit à proximité d'eux. Sans réelle douceur, sa main caressa d'abord sa cuisse puis remonta sur sa robe faisant suivre le tissu dans son sillage. Déçue que Marc-Alec demeure avare de mots, elle ferma les yeux s'abandonnant tout de même à ce bouillant élan de passion. Sa main, atteignant son sein, le prit et le pressa fermement. Marc s'empara ensuite de sa bouche, l'embrassant brièvement, mais avec fougue. Puis plus rien. Elle rouvrit les yeux. Marc demeuré allongé, s'était relevé le haut du corps avec un oreiller. Appuyé sur son coude, la tête posée dans sa main ouverte, il avait son regard bleu fixé sur elle.

Il s'étonnait à peine de l'urgence de son désir qu'il venait de manifester. Il l'aurait prise rapidement, sans préambule et reprise encore tellement son désir d'elle était intense. Mais il n'en ferait rien. Il la respectait et il avait encore des choses à régler. Et peut-être un léger goût de vengeance. Qu'elle se languisse donc de ses caresses.

— T'es sérieuse? finit-il par demander.

— Absolument répondit-elle en allongeant le bras pour prendre son sac à main laissé sur la table de chevet pour y en sortir un préservatif.

— T'étais sûre de toi à ce que je vois.

— Évidemment que j'ai confiance en moi, mais je suis également de nature optimiste.

Il sourit. Faiblement, mais enfin un premier sourire encourageant se dessinait sur ses lèvres.

— Je parlais plutôt du « *nous* » après San Francisco. Il désirait ardemment la croire, ne pas s'imaginer qu'elle n'en avait que pour son argent comme il avait été le cas de tant de filles.

— Oh! Samantha se releva et s'accota le haut du corps sur l'oreiller derrière elle, pressentant l'importance de la discussion qui venait. Oui je suis sérieuse, répondit-elle en soutenant son regard. J'aimerais très fort qu'il existe un « *nous* » après. Je ne veux pas que ça ne soit qu'une aventure avec de vagues promesses de se revoir. Je ne peux plus me passer de toi et juste penser qu'on ne se reverra plus me fait atrocement mal, expliqua-t-elle en s'avançant la main pour lui caresser le visage.

— Tu veux encore de moi après toutes les méchancetés que je t'ai jetées à la figure?

— Je sais que tu m'aimes aussi et que tu souffrais. Je peux te pardonner.

— Sam, je ne mérite pas ton amour. J'ai été dur avec toi. Je t'ai dit des choses méchantes et je n'ai pas voulu écouter tes explications. Je n'aime pas m'en vanter, mais étant donné mon aisance financière, je me suis fait faire le coup à quelques occasions. J'ai cru que ça recommençait... J'ai agi sous le coup d'un réflexe de protection.

— Ce n'est pas le cas cette fois, je t'assure et c'est fini maintenant, tenta-t-elle de le rassurer.

— Non, laisse-moi terminer, c'est important. Mon cœur ne voulait pas y croire, mais ma tête me disait que tout ce que nous avions vécu était trop beau pour être vrai poursuivit-il après une courte pause. Ma raison me soufflait que tu continuerais de mentir. J'étais en colère, très émotif, la tête me tournait, j'avais des nausées et que le goût de m'enfuir le plus loin possible. Je voulais m'éviter de souffrir à nouveau et je me refusais à te revoir. Sam, ma belle Sam je suis désolé de t'avoir fait mal. Si je t'avais laissé t'expliquer dès le départ, je nous aurais évité bien des tourments.

— Nous pouvons repartir à zéro, oublier ce mauvais passage et nous aimer à nouveau. Et demain, à la première heure j'achèterai une place sur le vol de ce samedi. Je le répète, je ne pourrai pas rester si tu n'es pas là.

— Samantha tu ne peux pas et ne dois pas retenir une place pour samedi.

— Marc, je t'ai déjà dit que le montant m'importait peu!

L'envie de rire le prit en voyant son air décontenancé, mais il se retint. Il se sentait vraiment heureux qu'elle l'aime pour vrai. Il la croyait vraiment. Après tout, elle s'était donné beaucoup de peine pour tenter de le convaincre. Il mit une main dans ses cheveux défaits et longea lentement une mèche de ses doigts, jusqu'à la pointe puis recommença.

— Sam, si tu ne dois pas partir samedi, c'est pour la simple raison que je ne pars pas samedi. Je n'ai pas eu le temps de changer ma réservation.

— Oh Marc, c'est formidable. Elle pencha son visage vers le sien pour l'embrasser. Elle mit sa main sur la tempe du jeune homme, ses doigts se perdant dans ses cheveux. Elle suspendit ses mouvements, hésitante. S'il s'était finalement montré réceptif, il ne lui avait pas confirmé qu'il tenait à elle, à ce qu'elle reste avec lui. Marc, je t'aime, murmura-t-elle.

De son bras puissant, il lui entoura le dos, l'attira à lui et prit tendrement les lèvres qu'elle offrait. Leurs baisers devenaient plus intenses, passionnés, leurs langues s'entrelaçaient. Leurs bras entouraient fermement le corps de l'autre. Puis Marc délaissa sa bouche. À regret, elle laissa sa bouche s'éloigner de la sienne.

— Si on reparlait de ton préservatif?

— Hum! fit-elle voyant où il voulait en venir. Mais elle souhaitait le laisser parler, le taquiner un peu. Qu'as-tu donc à dire au sujet du condom qui se trouve maintenant sur la table de chevet? demanda-t-elle moqueuse.

— Je n'ai rien à dire, mais tout à faire répondit-il, clignant des yeux et hochant la tête face à la plaisanterie. Ça dépend de toi à présent.

— Tu ne veux plus me jeter dehors?

— Pourquoi voudrais-je jeter dehors la femme que j'aime? demanda-t-il, tout sourire. Il remarqua l'eau dans les yeux de la jeune femme. Était-ce de bonheur? Il redevint sérieux et du pouce écrasa délicatement la larme qui se pointait au coin de son œil droit. Samantha, mon amour, je suis heureux que tout soit maintenant clair entre nous et davantage de savoir que mes sentiments sont réellement partagés. Jamais plus je ne te laisserai tomber. Je t'aime tellement et je veux moi aussi te le montrer Pour l'instant, la seule et unique place où j'aimerais t'envoyer c'est au septième ciel et je compte bien t'accompagner.

Il appuya ses dires par un baiser. Samantha déposa doucement sa main sur l'épaule de Marc, dénudée par la chemise qui descendait sur son bras, acheva d'enlever la chemise puis revint dans son dos caressant au passage le bras musclé. Sa main errait dans son dos, redescendant et remontant s'arrêtant parfois à la naissance de ses fesses.

Elle gémit alors que la main de Marc remontait doucement, trop lentement sur sa cuisse, s'insérait sous sa robe. La flamme de son désir s'accentua alors que la main de son amant touchait la peau tendre de son ventre, de ses seins. Le faisant rouler sur le dos, elle s'assit sur lui, défit sa ceinture. Elle promena ses lèvres, son souffle dans son cou, sur l'abdomen jusqu'à son bas ventre puis remonta chaque fois, le laissant languir de plaisir, lui soutirant les soupirs attendus. Leurs lèvres, leur langue s'unirent encore, leurs cheveux, leurs doigts s'emmêlèrent.

Dans une union mêlée de tendresse et de passion, ils se découvraient lentement en gémissant du désir auquel ils pouvaient enfin donner libre cours. Épuisés de bonheur, ils s'endormirent ensuite, collés l'un sur l'autre, le mince drap sur leurs corps nus.

******

À son réveil, Samantha le vit en peignoir de soie gris et bourgogne, s'affairant à mettre de l'ordre dans leurs vêtements qu'ils avaient répandus çà et là. Elle n'arrivait pas à croire qu'ils avaient vraiment fait l'amour, à la chance qu'elle avait de l'avoir rencontré.

Lorsqu'il s'aperçut de son réveil, il l'informa qu'elle avait dormi près d'une heure, que de son côté, son sommeil avait duré à peine quelques minutes et incapable de se rendormir, l'avait contemplée un bon moment avant de travailler un peu.

— Et toi, t'as bien dormi ?

— Merveilleusement. J'ai rêvé qu'un très bel homme, bien charpenté, tendre et affectueux me faisait superbement l'amour. Mais le réveil est brutal quand on constate que ce n'était qu'un rêve...

Elle n'avait pas sitôt terminé sa phrase qu'elle reçut un coussin, attrapé juste avant qu'il n'atteigne sa figure.

— Je vais t'en faire moi, juste un rêve ! Debout paresseuse, j'ai commandé le souper. Si tu veux éviter que le chasseur te voie ainsi, tu ferais mieux de te dépêcher, dit Marc en feignant d'être en colère.

Elle cessa de rire, enfila sa petite culotte et se leva afin de l'aider à ramasser les vêtements. Il fut rapidement derrière elle et l'entoura de ses bras. L'inondant de petits baisers sur la nuque, il lui murmura que lui aussi avait fait un très beau rêve.

Riant, elle se retourna et se colla à lui. Elle l'embrassa et eut de nouveau envie de lui, mais déjà on cognait à la porte. C'est à regret qu'il la repoussa pour aller répondre.

— Tiens, enfile ça dit-il en lui lançant sa propre chemise qu'elle reçut en pleine figure. T'ai-je déjà dit à quel point je te trouve belle?

— M'en souviens pas, fit-elle souriante en pressant le pas vers la salle de bain avant que son amoureux n'ait ouvert la porte.

De sa cachette où elle s'était réfugiée, elle entendait, tout en brossant machinalement ses longs cheveux, le chasseur remercier chaleureusement son amant du généreux pourboire qu'il avait dû lui donner. Puis lui parvint le bruit de la porte qui se referme, du plateau déposé sur la table, des couverts qu'on soulève et remet en place. Elle déposa la brosse, sortit de la salle de bain et se dirigea vers Marc qui s'amenait vers elle.

— Le souper à l'air délicieux, mais c'est dommage, pour l'instant je n'ai faim que de toi, murmura-t-il à son oreille, et l'enlaçant dans ses bras.

— Alors sers-toi, le repas est prêt, répondit-elle, malicieuse avant de se sentir soulevée et projetée sur le lit à nouveau.

******

Le repas fut tiède, mais délicieux. Marc savait choisir des mets succulents. Il avait fait monter du potage aux légumes, des salades de pâtes et des queues de homard. Au dessert, ils mangèrent des fraises en buvant du champagne, assis au lit et appuyés sur les oreillers. La télévision était ouverte, mais ils préféraient bavarder. Ils avaient tant à s'apprendre l'un l'autre. Ils vantaient leur passion de jeunesse, la danse pour Samantha, le hockey et la natation pour Marc-Alec. C'est là qu'il avait développé ses muscles se disait Samantha. Marc ajouta qu'il avait été sauveteur à la piscine publique et qu'elle n'aurait rien à craindre. Il pourrait la réanimer n'importe quand.

Samantha prit une fraise dans le bol argenté, la trempa dans sa coupe et, les yeux amoureux, la porta à la bouche de l'homme assis près d'elle. À son tour, Marc exécuta le même geste, posa sa coupe sur la table de chevet, repoussa le bol de fruits presque vide et attira Samantha.

Il était tard lorsque Samantha, posant délicatement ses lèvres sur les joues de Marc profondément endormi, quitta sans bruit la chambre où ils venaient de connaître l'extase.

— Bonne nuit mon amour, murmura-t-elle en refermant la porte.

******

Le soleil inondant son visage lui fit ouvrir les yeux et il ressentit instantanément une impression de bien-être qu'il ne se souvenait pas avoir connu. L'espace d'une seconde, il en chercha la raison. La réponse lui vint presque immédiatement et un sourire radieux éclaira son visage. Il ferma les yeux et sentit une chaleur monter en lui. Le visage de sa bien-aimée, le souvenir de la veille l'envahit. Lorsqu'il découvrit le lit vide à côté de lui, il regretta avoir manqué son départ.

Lorsqu'il nota l'heure sur son réveil, il se dirigea vers la salle de bain avec empressement afin de ne pas être trop en retard au bureau. Le sourire lui revint alors qu'il lisait le petit jeu de mots qu'elle avait tracé au rouge à lèvres dans le coin du miroir.

« *Bonne journée mon Amour. Hier ''sextraordinaire''! Je t'aime. Sam.* »

— Je t'aime aussi et bientôt nous vivrons une merveilleuse semaine rien que toi et moi. Toute une semaine ''*sextraordinaire*'' dit-il en guise de réponse au miroir.

******

Elle ouvrit l'écrin de velours noir et contempla les bijoux. À voir le boitier, Samantha avait deviné qu'il s'était occasionné une folle dépense, mais n'avait jamais imaginé un instant à quel point. Marc-Alec l'avait implorée de l'ouvrir sans discuter pour une fois. Elle avait hésité, mais finalement obtempéré. Il se doutait bien qu'elle en tomberait aussitôt amoureuse. Au milieu d'une chaîne en or se trouvait un trèfle finement ciselé arborant sur chaque feuille un magnifique diamant, brillant d'aucune imperfection. Des boucles d'oreilles assorties complétaient l'ensemble diamantaire. Son regard se détacha difficilement du précieux cadeau pour se plonger dans celui de Marc. Elle était trop émue pour parler, mais sentait qu'elle refuserait ce présent.

Le jeune homme la regarda, souriant, visiblement heureux. Il voyait les diamants briller dans ses jolis yeux. Il fit un geste pour prendre la chaîne.

— Je vais t'aider à la mettre.

— Marc, je ne peux pas accepter, protesta-t-elle faiblement faisant mine d'éloigner la boîte vers lui. Mais elle les trouvait tellement beaux, ces bijoux.

— Ne dis pas de bêtises, je vois très bien que tu les adores. J'aime bien les perles, mais je trouve que celles-ci iront beaucoup mieux avec ta robe. Et puis elles achèveront de me faire pardonner.

Elle se contemplait dans le miroir. Samantha avait relevé ses cheveux oubliant quelques mèches de chaque côté de son visage. Son léger maquillage accentuait l'éclat de ses yeux, lesquels semblaient faire paraître les diamants qui ornaient maintenant ses oreilles plus éblouissants que dans l'écrin. Le pendentif que le jeune homme avait attaché à son cou s'arrêtait à la naissance de ses seins. Samantha s'était acheté la veille une large écharpe marine qu'elle avait remarquée dans une vitrine. S'en couvrant les épaules, la jeune femme l'avait passé sous ses bras. Samantha sourit au regard admiratif de Marc posté derrière elle.

— Tu feras sensation! Même si c'est l'anniversaire de Mike, chaque personne présente n'aura d'yeux que pour toi, mais c'est moi, le chanceux, qui serai au bras de la plus belle de la soirée.

Elle se laissa aller contre Marc-Alec en lui mentionnant qu'il exagérait.

Une autre semaine venait de se terminer, la dernière de ses stages. La séparation d'avec ses deux amies avait été difficile, mais elles tenteraient de se revoir avant son départ et correspondraient à son retour au Québec puisqu'elles s'étaient échangé leurs coordonnées. La tristesse qu'elle avait gardée de cette séparation faisait à présent place au bonheur d'être dans les bras de celui qu'elle aimait.

Maintenant ses vacances débutaient vraiment. La soirée promise chez Mike se pointait et ça l'énervait. La pensée de la présence de tous ces gens riches qu'elle ne connaissait pas la rendait inconfortable, mais Marc avait tenté de la rassurer. Il avait à peu près réussi, mais même si la nervosité la rongeait quelque peu, elle savait qu'elle s'amuserait malgré tout et l'envie d'y être déjà la tenaillait.

— Tu verras bien, j'ai raison, affirma-t-il en répondant à son dernier commentaire.

— Tu es impossible ! Allez, viens. J'ai hâte d'arriver.

— Ah ! Tu as hâte à présent ! Tu n'es donc plus nerveuse ?

— Encore plus qu'avant ! répliqua-t-elle en prenant sa petite bourse blanche.

Il la suivit avant de décider que la fête n'avait plus d'importance et qu'il la voulait pour lui tout seul.

******

La soirée se déroulait à merveille. Ravie de la revoir, Amanda, ayant passé son bras sous celui de Samantha, l'avait « *empruntée* » à Marc-Alec peu après leur arrivée pour la présenter à la dizaine d'invités déjà présents sur leur yacht de luxe. Ils se disaient tous enchantés de rencontrer la compagne de Marc que la plupart connaissait et les hommes avouaient qu'ils la trouvaient plus ravissante qu'on la leur avait décrite. Fier et satisfait d'avoir eu raison, Marc-Alec lui faisait des clins d'œil dans leur dos lorsqu'il entendait les commentaires au hasard des rencontres qu'Amanda, en excellente hôtesse, provoquait habilement.

Une fontaine de champagne coulait sur le pont arrière et Amanda avait prit deux flûtes au passage pour elle et Samantha. Des serveurs, vêtus d'un pantalon noir et d'une chemise blanche agrémentée d'un nœud papillon, circulaient parmi les convives avec des plateaux remplis de canapés au saumon fumé ou aux crevettes et des petites bouchées apprêtées avec des garnitures aux légumes et fromages variés.

Également sur le pont, trois musiciens aux mains expertes jouaient des airs connus avec leur violon, contrebasse et trompette. La soirée battait son plein quand après leur tournée, les deux jeunes femmes remplirent leur flûte pour la troisième fois à la fontaine et rejoignirent Mike et Marc-Alec à l'intérieur du bateau qui discutaient avec deux couples qu'Amanda lui avait déjà présentés.

Buvant une gorgée du délicieux breuvage qui réchauffa sa gorge, elle prenait conscience encore une fois du bonheur qu'elle ressentait, de la chance qu'elle bénéficiait d'avoir rencontré cet homme dont elle était amoureuse. Elle avala une autre gorgée et rencontra son regard. Ils se sourirent amoureusement et il lui mima un baiser avant de prendre lui-même une lampée de champagne.

Mike, de son côté semblait également heureux de célébrer son trentième anniversaire parmi ses amis. On lui avait chanté «*joyeux anniversaire*» à quelques reprises déjà. Samantha les trouvait tous très gentils et sa nervosité tombée depuis un bon moment, le champagne aidant assurément, elle se sentait vraiment détendue et se mit à bavarder avec la jeune femme à sa droite qui se prénommait Julia. Lorsqu'un serveur tendit un plateau au milieu de leur cercle, les hommes se servirent, mais les femmes refusèrent poliment prétendant avoir l'estomac bien rempli.

Sa flûte de champagne presque vide à la main, elle revint à sa conversation avec Julia et lui parlait, à la demande de celle-ci, de son travail au Québec lorsqu'ils entendirent le bruit de quelque chose, à moins que ce ne soit de quelqu'un, qui tombe dans l'eau suivi de cris et d'exclamations.

Ils accoururent à l'extérieur pour constater qu'un homme se trouvait à la mer derrière le bateau amarré. Trop ivre pour saisir la perche que Mike lui tendait, l'homme continuait de se débattre dans l'eau. N'écoutant que son courage et son instinct de sauveteur, Marc-Alec enleva souliers et veston puis sauta à l'eau, dans la noirceur du soir.

Sur le bord avec Amanda, en première rangée devant tous les autres invités, Samantha regardait avec inquiétude Marc-Alec se débattre avec l'homme ivre pour le ramener à bord. Penchée, les poings serrés sur la rambarde, elle avait peine à les distinguer dans la faible lueur que les lumières du yacht répandaient sur l'eau. L'homme parlait fort et de façon inintelligible puis on ne l'entendit plus. Seul le bruit de l'eau qu'on remue leur parvenait aux oreilles.

Après d'interminables minutes, Marc-Alec attrapa enfin la perche que Mike tendait encore, soutenant le corps de l'homme en prenant soin de le laisser le plus possible dans l'eau afin d'éviter qu'il soit trop lourd. Aidé par d'autres volontaires, Mike tira la perche pendant que d'autres aidèrent les hommes trempés à monter dans le bateau. Le rescapé fut étendu par terre dans le bateau. Il avait sans doute avalé beaucoup d'eau, mais selon le sauveteur, il respirait et s'en tirerait sans trop de mal. L'homme cracha puis murmura quelque chose que personne n'entendit vraiment.

Samantha se fraya un chemin à travers la petite foule pour aller à la rencontre de Marc-Alec. Autour d'elle plusieurs s'agitaient, questionnaient. Ils voulaient réconforter et savoir ce qui s'était réellement passé. Les uns s'occupaient de l'homme en boisson, d'autres s'amenaient vers eux, dont Amanda qui l'avait suivi de près avec des couvertures et quelques-uns s'empressaient autour d'un Mike, désolé et surpris que son anniversaire se termine ainsi.

Samantha couvrit Marc-Alec avec la couverture qu'Amanda venait de lui tendre. Elle lui avoua en se rapprochant afin de se blottir dans ses bras que bien que très fière de lui, elle avait craint que l'homme le fasse couler en se débattant. Le jeune homme réalisant l'ampleur de sa détresse, tenta de la rassurer, mais hésitait à l'étreindre en lui rappelant qu'il était mouillé pour détendre un peu l'atmosphère.

Le réconfort fut de courte durée puisque soudain un bras puissant les sépara. L'homme ivre que tous appelaient Martin la fit pivoter brusquement, agrippa sa chaîne en or au passage qui se cassa. Le trèfle tomba à leurs pieds dans une mare d'eau. Abaissant lentement les bras, la chaînette brisée entre les doigts, la couverture tombant de ses épaules, Martin la fixa intensément pendant quelques secondes. Son bain forcé l'avait quelque peu dégrisé, mais l'odeur de l'alcool émanant de lui persistait.

Prise au dépourvue, légèrement paralysée par la crainte d'une réaction inattendue de la part d'un homme saoul, inconnu de surcroît, Samantha attendait la suite. Effectuant un pas vers eux, prêt à réagir, Marc-Alec patientait également. Cependant la jeune femme vit disparaître la colère dans le regard de l'homme qui la dévisageait et soupira faiblement. Le tout se déroula plutôt rapidement, mais Samantha avait l'impression de vivre la scène au ralenti. L'homme se mit à pleurer puis ouvrit la bouche.

— Tu ressembles tellement à ce que ma fille aurait pu être. Quel gâchis tu fais !

Il quitta le couple sur cette seule phrase, sans réaliser qu'il tenait toujours la chaîne cassée entre les doigts, les laissant perplexes. Marc et Samantha le regardèrent s'éloigner du bateau, entouré par des amis qui le conduiraient chez lui. L'inquiétude ressentie plus tôt pour Marc-Alec puis le bonheur qu'il ne lui soit rien arrivé, la douleur et la tristesse d'avoir perdu le trèfle qu'elle venait à peine de recevoir et maintenant cet étrange comportement de la part de Martin acheva de la bouleverser. Des larmes se mirent à couler sur ses joues et Marc-Alec souhaitant la réconforter, oublia ses vêtements trempés et l'attira à lui en se questionnant sur ce qu'avait voulu dire ce Martin.

Chapitre 16

Le fiancé

Madame Cartier travaillait habituellement à temps partiel, mais elle avait dû se rendre au bureau à tous les jours cette semaine afin d'entraîner une nouvelle secrétaire qui se joignait à eux.

En ce vendredi, qui avait été plutôt tranquille, elle avait permis à la nouvelle secrétaire de rentrer tôt. Vers la fin de l'après-midi, elle décida de partir à son tour. En rangeant ses fichiers elle vit sortir Robert de son bureau et venir vers elle.

Elle s'était bien douté qu'il finirait par venir lui parler, mais se demandait pourquoi il avait mis tant de temps. Elle continua son rangement et le laissa s'approcher.

Il avançait assez lentement et elle devina son inconfort. Il était venu vers elle à quelques reprises au long de la semaine sans toutefois aller au bout de la démarche dont elle en soupçonnait le but, lui demandant un dossier quelconque ou faisant mine de s'affairer à autre chose au dernier moment.

Cette fois, elle savait que c'était la bonne. La salle d'attente s'était vidée des patients qu'il était le seul à recevoir le vendredi après-midi. Sa compagne de travail avait ses vendredis libres et la nouvelle secrétaire partie, il ne restait plus qu'eux dans le bureau.

— Comment va la nouvelle secrétaire?

Devinant qu'il ne savait comment aborder le sujet puisqu'il ne s'était jamais intéressé à l'emploi du temps des secrétaires, madame Cartier décida de l'aider en ignorant totalement sa question. Elle abandonna le dossier qu'elle tenait sur le bureau et regardant Robert, elle fit un pas dans sa direction.

— Robert, je n'ai pas eu de nouvelle de Samantha depuis qu'elle m'a téléphoné à son arrivée là-bas. J'imagine que tout va bien. Pas de nouvelle, bonne nouvelle comme dit le dicton. C'était faux, mais sa fille lui avait fait promettre avant son départ de ne rien dire à Robert.

Un peu surpris, Robert ne se laissa pas démonter devant sa perspicacité et enchaîna sur ce même sujet qui le préoccupait.

— Elle vous a téléphoné à son arrivée?

— Oui, un ou deux jours après il me semble. Elle s'est bien rendue. Le voyage a été agréable et elle aimait bien son hôtel et le quartier où il était situé. Elle disait aussi que le temps était splendide.

— Je suis heureux qu'elle s'y plaise.

Il semblait vouloir ajouter autre chose, mais il hésita un instant. Madame Cartier en profita pour aller ranger le dernier dossier dans le classeur. À son retour à son bureau, Robert se décida.

— Madame Cartier, a-t-elle mentionné quelque chose à notre sujet?

« *Nous y voilà donc* », pensa madame Cartier.

— Je suis désolée, dit-elle en hochant la tête en signe de négation. Et elle était sincèrement.

— Je l'aime vraiment vous savez? J'aurais pensé que...

Madame Cartier bougea un peu la tête, cligna une fois des yeux et afficha un sourire compatissant pour montrer qu'elle comprenait.

— J'aurais pensé que peut-être... enfin j'espérais qu'elle aussi s'ennuyait.

— Sûrement qu'elle aussi Robert, mais j'imagine qu'elle a encore besoin de temps.

— Si elle vous rappelle...

— Non Robert, je t'avertis tout de suite, je ne vous servirai pas d'intermédiaire. Je t'aime bien, tu n'es pas un mauvais garçon, mais si tu as fais quelque chose qui l'a blessée, c'est à toi de réparer. Il faudra vous parler longuement et ce sera à vous deux de résoudre vos problèmes. Si elle te pardonne, tant mieux, mais si elle ne désire plus continuer votre relation, il te faudra la respecter.

— Et vous n'avez aucune idée d'où elle est rendue dans ses réflexions?

— Non, puisqu'elle ne m'a rien dit. Il ne te reste qu'une petite semaine à patienter et elle te donnera sa réponse comme promis. Patience, tout s'arrangera pour le mieux, tenta-t-elle de le rassurer en lui tapotant l'épaule.

Robert la remercia en esquissant un sourire, peu convaincu. Au moins elle n'avait pas dit à sa mère qu'elle ne souhaitait plus le revoir. Mais cette pensée le rassura à peine; il lui tardait tant de la revoir et de savoir ce qu'il adviendrait de leur couple. Elle avait dit une petite semaine, mais c'était encore long. L'attente lui paraîtrait moins pénible s'il savait au moins à quoi s'en tenir.

Madame Cartier quitta le bureau après l'avoir chaleureusement salué. Robert s'enferma dans son bureau pour mieux réfléchir à leur situation. Ces dernières semaines avaient été les plus longues de sa vie. Depuis la dernière fois qu'il avait vue celle qu'il aimait, il s'efforçait de refouler ses larmes. S'en voulant du gâchis qu'il avait causé, se sachant l'artisan de son propre malheur, il ne s'opposa à aucun effort et laissa, pour cette fois, libre cours à sa tristesse en se promettant que tout changerait lors de son retour.

— Plus qu'une semaine, se répéta-t-il tout haut. Bon Dieu qu'elle sera longue!, mais tu verras, j'ai changé.

******

La porte vitrée de l'immeuble avait été laissée ouverte. À cause du va et vient incessant, le portique demeurait ouvert jusqu'à la fin de la journée.

Après avoir franchi la deuxième porte, Robert ressentit immédiatement les bienfaits de l'air climatisé. Il se rendit, dès qu'il le vit, au bureau d'information au fond de la salle.

Ses vêtements d'allure à la fois sobre et sportive lui donnaient, lui sembla-t-il, cet air distingué d'un jeune homme sûr de lui, qui a réussi et il en retira une certaine satisfaction. Le bras appuyé au comptoir, il retira ses lunettes fumées et attendit que quelqu'un soit disponible. C'est avec le sourire qu'il fut reçu par un des deux jeunes hommes en costume gris, présents derrière le comptoir.

— Bonjour monsieur.

Par cette salutation le jeune latino-américain, au léger accent espagnol, invitait le jeune homme à prendre la parole, s'attendant à ce que celui auquel il faisait maintenant face lui demande, tout comme chaque personne qui se présentait devant lui, si une chambre était disponible.

— Quelqu'un que je connais loge chez vous et je me demande s'il serait possible de la voir. Il s'agit de mademoiselle Samantha Cartier.

Le jeune homme parut surpris de la question que Robert demandait. Un peu mal à l'aise, il jeta un rapide coup d'œil à son compagnon de travail, ne sachant trop que répondre.

La liste de leurs clients ainsi que leurs allées et venues demeuraient confidentielles en tout temps, mais il devenait évident que le jeune homme devant lui connaissait leur cliente et qu'il n'ignorait pas qu'elle effectuait un séjour parmi eux. L'employé ne pourrait le berner longtemps.

Sa conscience professionnelle le retint, cependant d'aller trop vite.

— Mademoiselle Cartier, vous dites? Et cette dame sait que vous êtes là? questionna-t-il tout en sachant très bien de qui Robert voulait parler. Il avait remarqué la jolie blonde aux yeux turquoise, souvent accompagnée par un autre homme. Mais il n'allait sûrement pas le mentionner.

— Non pas vraiment, je lui fais une surprise. Je suis son fiancé ajouta-t-il, devinant qu'il n'obtiendrait pas de réponse facilement.

Feignant de chercher dans le registre, un peu inquiet, l'américain fut heureux, alors qu'il levait les yeux, de remarquer que le tableau indiquait qu'elle était sortie. Il se souvint à cet instant qu'elle avait déserté sa chambre pour quelques jours, leur signalant à son départ qu'elle désirait la conserver pendant son absence.

— Je regrette monsieur, elle a quitté sa chambre.

— Et vous ne savez probablement pas à quelle heure elle reviendra?

— En effet, je l'ignore, fit-il sur un ton un peu sec, songeant que l'homme devant lui devait bien savoir que personne ne demandait de détails sur les sorties des clients. Il commençait à le trouver insistant et se méfiait instinctivement de lui. Et de cette histoire de fiancé.

— Merci quand même. Je prendrai tout de même une chambre, si c'est possible, évidemment.

— Bien sûr monsieur, quelques-unes sont encore disponibles.

Après les arrangements d'usage, Robert se dirigea vers l'ascenseur, son fourre-tout à la main. Attendant que la porte s'ouvre, Robert regarda sa montre machinalement. Près de trois heures de l'après-midi. Il se trouvait en Californie depuis environ une heure.

Il n'avait pas perdu de temps. Aussitôt passé les douanes, il s'était rué dans un taxi à la recherche du King George. La veille, il n'avait pas pleuré longtemps sur son sort. L'idée avait germé lentement dans son esprit. Pensant d'abord à la scène qu'elle lui ferait en le voyant, pour ne pas avoir respecté sa décision, il avait immédiatement rejeté son projet.

Mais peu à peu le cas contraire s'imposait à lui. Si elle s'ennuyait, elle aussi? Si sa décision était déjà prise et qu'elle attendait impatiemment de revenir au Québec pour le retrouver? En passant quelques jours ensemble, ils profiteraient du beau temps de la Californie, s'amuseraient et débuteraient à nouveau leur relation sur un bon pied.

Il fallait qu'il la revoie. Trop de temps s'était écoulé depuis la dernière fois qu'ils s'étaient vus. Il jugeait que ces jours-ci elle avait dû prendre sa décision. Elle avait eu amplement de temps. Et il avait confiance. Il était optimiste à propos de leur avenir. Et elle partagerait le bonheur de leurs retrouvailles, car cet endroit magnifique et romantique ne pouvait qu'aider, il en était assuré.

Il s'était souvenu qu'elle avait mentionné le nom de son hôtel.

— King George ou Louis George, quelque chose comme ça s'était-il dit la veille à son bureau.

Il avait eu la chance d'avoir une place sur l'avion du lendemain matin. Ayant laissé une note à la nouvelle secrétaire d'annuler tout les rendez-vous du lundi et du mardi, il s'était empressé d'aller chez lui se préparer quelques vêtements.

Maintenant il se trouvait là où il avait tant espéré être, mais il devait attendre encore. Samantha ne se trouvait pas à l'hôtel. Ne souhaitant pas laisser de message pour que la surprise soit totale, il irait se reposer un peu et retournerait s'informer plus tard.

Il fut déçu de constater qu'une fois de plus, Samantha n'était pas rentrée. Les chiffres lumineux de son cadran digital marquaient vingt-deux heures quinze lorsqu'il pénétra dans sa chambre. C'était la quatrième fois qu'il la demandait et commençait à se demander si les gens au bureau ne lui mentaient pas.

Il ne pouvait tout de même pas frapper à toutes les portes pour découvrir dans quelle chambre elle se trouvait. Il s'étendit sur son lit, tout habillé et fixa le plafond, désemparé. Heureusement qu'il ne l'avait pas attendu pour souper même s'il avait retardé son repas, espérant un souper romantique avec elle.

Il s'endormit ainsi et se réveilla à l'aube le lendemain. Incapable de se rendormir, il se leva au bout d'une heure et alla se doucher.

Pour passer le temps, il alla déjeuner au restaurant de l'hôtel, se demandant s'il la verrait. Il ne se rendit pas au bureau avant son repas, craignant que la réponse à sa question soit identique à celles reçues la veille.

Il mangea lentement en lisant un journal qu'il avait pris sur la table voisine. Après avoir payé l'addition, il fut surpris de constater que le temps s'était finalement vite écoulé. À dix heures passées, il conclut qu'il s'avérait raisonnable de la réveiller, si toutefois elle était finalement rentrée.

À la sortie du restaurant il s'arrêta, hésitant et craignant une fois de plus une réponse négative. Son optimisme l'avait pratiquement quitté. Des doutes concernant la réaction de Samantha resurgirent.

« *Non, je ne dois pas penser à ça. Je suis là, je dois donc aller jusqu'au bout. Et tout devrait bien aller, sinon quelque chose m'aurait empêché de faire ce voyage, je n'aurais pas eu si facilement de place dans l'avion.* », tenta-t-il de se rassurer tout bas.

Il avança lentement vers le bureau. Il y arriva en même temps qu'une jeune femme. Lorsque l'employé releva la tête pour leur répondre, il sourit, perplexe, ne sachant qui il devait servir en premier. Souriant à la jolie blonde, plutôt grande, Robert fit signe à l'homme de répondre à la femme.

Souriant et le remerciant la jeune femme tendit une enveloppe à l'employé.

— Je sais qu'elle n'est pas ici aujourd'hui, mais je dois partir en vacances et le jour de mon départ elle ne sera certainement pas revenue. Alors pouvez-vous vous assurer que Samantha Cartier reçoive bien cette lettre, je vous prie?

— Soyez sans crainte, madame. Elle la recevra en mains propres.

— Merci beaucoup. Au revoir.

Le jeune homme regarda Robert pour lui signifier que son tour était venu. Ce dernier qui n'avait pu s'empêcher d'entendre la requête de cette jeune femme concernant celle qu'il attendait depuis la veille se disait qu'il ne pouvait la laisser filer sans lui parler. Elle tenait la clé du mystère, car elle semblait savoir où et pour combien de temps Samantha était partie. Adressant rapidement un sourire désolé à l'employé de l'hôtel, il se dirigea en courant vers la femme blonde qui atteignait déjà les portes.

— Mademoiselle ! lui cria-t-il.

Se demandant si on s'adressait vraiment à elle, Cynthia se retourna au moment même où Robert arrivait à sa hauteur.

— Pardon mademoiselle, j'aimerais vous retenir quelques instants, si vous le permettez?

— Ça dépend. C'est à quel sujet?

— C'est à propos de Samantha, vous la connaissez si je comprends bien ? Je m'excuse, mais je n'ai pu faire autrement qu'entendre ce que vous disiez au garçon ajouta-t-il devant son air soupçonneux.

— J'ignore si nous parlons de la même personne, mais je connais effectivement une Samantha.

Ce jeune homme l'intriguait maintenant. Alors que Samantha était venue ici seule et ne connaissait personne aux États-Unis, comment cet individu pouvait-il être renseigné sur l'existence de son amie, de sa présence ici ? Peut-être Samantha lui cachait-elle quelque chose ?, mais elle aurait bien le temps de s'expliquer, si explication il y avait. Il fallait respecter et protéger son amie d'abord. Aussi resta-t-elle sur ses gardes afin de ne pas la trahir d'aucune façon.

— Je suis un très bon ami. Il décida d'éliminer l'explication du fiancé pour l'instant. Si nous parlons de la même, il s'agit d'une

Québécoise en vacances, non plutôt en stage et elle doit, supposément loger ici. Voulez-vous vous asseoir? lui demanda-t-il soudain en pointant les fauteuils du hall d'entrée.

Jugeant la coïncidence trop forte pour qu'ils ne parlent pas de la même personne, Cynthia accepta gentiment. Sa curiosité était piquée et l'inquiétude que cet étranger apporte de mauvaises nouvelles la gagnait.

— Je suis arrivé hier avec l'idée de la surprendre, mais c'est moi qui ai été surpris et déçu d'apprendre chaque fois que je la demandais qu'elle était absente. J'allais la demander pour la première fois ce matin quand vous m'avez fait comprendre, sans le vouloir, qu'elle serait absente pour quelques jours.

— Écoutez, si nous parlons de la même personne, la Samantha que je connais ne m'a jamais fait part qu'elle avait un « *très bon ami* » qui habitait la région. Un sentiment d'inconfort l'envahit, ce qui la conforta dans sa résolution de rester prudente et de ne rien révéler à propos de son amie.

Cynthia fit mine de se lever pour lui signifier qu'elle mettait fin à l'entretien, mais Robert la retint par le bras.

— Je ne suis pas de la région. J'habite au Québec.

— Vous êtes venu expressément du...

— Oui, j'arrive du Québec pour la voir. C'est pourquoi vous devez m'aider.

Cynthia n'en revenait pas. Cet homme assis devant elle venait du Québec pour voir Samantha sans qu'elle le sache et la manquait. La jeune femme consternée se rassit, ne serait-ce que pour tenter de mettre de l'ordre dans tout ça. Qui était-il? Que voulait-il?

— Je vous ai entendu dire qu'elle serait absente pour quelques jours. Vous savez où elle est allée et pour combien de temps?

— Je ne peux sincèrement pas répondre à aucune de vos questions. Samantha partait visiter quelques villes de la Californie, mais j'ignore pour combien de jours ils sont partis.

— « *Ils* »? Elle n'est donc pas seule?

Cynthia se rendit compte qu'elle venait de faire une erreur. Elle avait souhaité protéger son amie en révélant le moins de choses possibles sur elle et en avait déjà trop dit et le pronom qu'elle avait employé excitait la curiosité de son interlocuteur. Elle réfléchit donc rapidement à une réponse qui pourrait les sauver toutes les deux.

— Je ne pense pas que Samantha serait partie seule. Il y certains endroits pas très sûrs en Californie. Elle effectue le voyage en groupe, mais je ne me souviens plus si elle a mentionné avec quelle agence elle s'est finalement inscrite, mentit-elle plutôt fière de bien s'en sortir. L'homme demeuré silencieux sembla accepter sa réponse, mais Cynthia aurait bien aimé savoir à quoi il songeait.

Robert fut malheureux de constater qu'elle ne soupçonnait même pas son identité, car il se disait que si Samantha avait parlé de lui à cette jeune femme, qui était sans doute une bonne amie, elle aurait deviné qui il était. Ce silence de la part de Samantha le bouleversait. Il y avait toutefois une chance qu'il en soit autrement alors il décida de se présenter pour le cas où elle lui aurait parlé de lui.

— Je m'appelle Robert Doyon. Je suis pédiatre et le fiancé de Samantha en fait, précisa-t-il en lui tendant la main.

Cynthia se sentit légèrement défaillir en associant cet homme aux amours malheureux de son amie. Pourquoi n'avait-elle pas fait le rapprochement plus tôt? Au moins la chance lui souriait: elle avait eu la présence d'esprit de ne rien révéler au sujet de Marc! Jaloux comme Samantha le décrivait, il lui aurait fait une scène à elle. Espérant qu'elle n'avait rien laissé paraître, elle lui rendit sa poignée de mains et se présenta à son tour en ne mentionnant, croyait-elle, que ce qu'il voulait entendre.

— Bonjour Robert. Mon nom est Cynthia et je travaille à l'hôpital où elle a fait son stage. Nous sommes devenues des amies. Samantha m'a effectivement parlé d'un pédiatre qu'elle connaissait et qui représentait pour elle davantage qu'un ami. Elle a été peu loquace à ce sujet et comme nous ne nous connaissions pas beaucoup, je n'ai pas insisté.

Ce n'était pas tout à fait un mensonge et à son grand soulagement Robert parut heureux de cette explication improvisée, car il ne demanda pas davantage de détails. Elle profita de ce silence pour le quitter. Regardant sa montre, Cynthia se leva sans se faire retenir cette fois.

— Vous allez m'excuser, mais je dois y aller. Pardonnez-moi de ne pouvoir vous aider davantage, mais je ne sais vraiment pas où ni quand vous pourriez rejoindre Samantha. Elle ne m'a pas fait part de ses plans définitifs. Je suis désolée que vous vous soyez déplacé jusqu'ici pour rien.

— C'est correct, ne vous en faites pas. Je crois que je n'étais pas dû pour la retrouver, dit-il presque pour lui-même, le regard triste. Mais au fond de lui des sentiments de détresse et de colère naissaient à la fois contre elle et contre lui. Il aurait dû penser qu'elle consacrerait sa dernière semaine libre à visiter l'endroit, à sortir de la ville.

Au moment où Cynthia franchissait la porte, Robert se leva soudain et cria son nom en courant derrière elle. Cynthia continuait de marcher aussi la rejoignit-il sur le trottoir. La chaleur matinale commençait déjà à se faire sentir.

— Cynthia, attendez! cria-t-il encore.

Celle-ci s'immobilisa et l'attendit enfin pourtant pressée de laisser cet homme derrière elle.

— Cynthia, vous ne connaissez vraiment aucun moyen qui puisse m'aider à savoir avec quelle agence Samantha est partie? J'aimerais tant pouvoir la rejoindre. Elle n'en aurait pas parlé à quelqu'un d'autre?

Mal à l'aise, Cynthia ne savait que répondre. Samantha lui avait mentionné, lors de leur dernière journée de travail, la merveilleuse soirée de réconciliation passée avec Marc qu'elle croyait aimer comme jamais elle n'avait aimé et sa ferme intention de rompre définitivement avec Robert. Celle-ci avait également annoncé à sa nouvelle amie que Marc-Alec, ayant décidé de prendre une semaine de congé, l'emmènerait pour quelques jours visiter certaines villes de la région et ils se rendraient jusqu'à Las Vegas. Mais ce n'était tout de même pas à elle, Cynthia Jones Martin, de lui révéler que son amie ne souhaitait plus le revoir, que sa persistance ne le conduirait nulle part. Elle détestait les mensonges, mais ne trahirait certainement pas son amie.

— Vous pensez vraiment pouvoir la retracer en sachant avec qui elle est partie?

— Je dois essayer. S'il me reste une chance de ne pas être venu ici inutilement, je dois la saisir. Probablement que l'agence me fournira un plan de son itinéraire.

— Mon pauvre Robert, je crois que le sort s'acharne sur vous, mais comme je vous l'ai déjà mentionné j'ignore complètement quelles sont les démarches que Samantha a effectuées pour ses petites vacances. De plus, si je travaille près d'ici, je n'habite pas à San Francisco et je ne connais pas les agences de voyage de cette ville. Je suis réellement désolée de ne pouvoir vous aider, répéta-t-elle, se retournant pour s'en aller.

Elle sentit une main sur son bras et se retourna une fois de plus. Exaspérée, elle ne laissa pourtant rien paraître et s'arrêta. Il ne commença à parler que lorsqu'elle retourna son visage vers lui après quelques secondes. Il ne souriait plus. La tristesse, disparue dans son regard, avait fait place à la colère.

— Vous avez travaillé ensemble deux semaines, si je comprends bien, c'est pourtant suffisant pour créer des liens, ce que vous avez fait, et provoquer certaines confidences. Je ne vous connais pas Cynthia, alors je ne suis pas en mesure de bien déceler si vous me dites la vérité. Peut-être bien que oui, peut-être bien que non. Permettez-moi d'en douter cependant. J'ai la nette impression que vous me cachez quelque chose, que vous vous taisez pour la protéger. Je ne peux pas deviner ce que contient la lettre que vous lui avez apportée, vous ne souhaiterez pas me le dire et je m'en fiche. Je suppose, cependant, qu'elle demeure la preuve d'une très bonne amitié donc que vous en savez beaucoup plus que vous ne le laissez paraître...

— Je ne vous laisserai pas me traiter de menteuse, l'interrompit-elle, insultée et offusquée de la tournure que prenait leur conversation. Vous vous trompez, je ne sais vraiment pas où elle est allée exactement et je peux encore moins vous dire avec quelle agence elle a transigé. Ce qui n'était pas réellement faux, pensa-t-elle ensuite. Lorsque nous nous sommes quittées, tout ce qu'elle m'a dit était qu'elle partait visiter certains endroits de la région pendant quelques jours et qu'elle me contacterait à son retour au Québec.

— Espérons pour vous que c'est la vérité, mais je la retrouverai avec ou sans votre aide, dit-il d'un ton encore sec en tournant les talons.

Cynthia le regarda s'éloigner enfin, stupéfiée. Quel genre d'homme était-il ? Il lui avait proféré des menaces à peine voilées. Elle comprenait son amie de vouloir le laisser, mais se doutait bien que ça ne s'avérerait pas facile. Elle n'était pas inquiète pour l'immédiat, car elle demeurait convaincue qu'il ne la retrouverait pas. Cependant à son arrivée au Québec, Robert lui en ferait voir de toutes les couleurs. Il lui fallait aviser Samantha de la visite de Robert, qu'elle avait manquée fort heureusement. Il fallait qu'elle sache que Robert avait tenté de la rejoindre ici.

La jeune femme entra dans le premier restaurant qui s'avéra être un petit bistro. Prenant place à une table à côté de la fenêtre, elle commanda un café et résuma la rencontre qu'elle venait d'avoir avec le prétendu fiancé sur du papier à lettre qu'elle conservait dans son sac à main, non sans y ajouter ses commentaires sur cet individu mal intentionné. Après avoir cacheté l'enveloppe et bu la moitié de son café, elle alla remettre la lettre au même jeune homme qui l'avait reçue précédemment à l'hôtel King George, après s'être assurée de l'absence de Robert dans les parages, en l'avisant de bien donner celle-ci à Samantha et de jeter la précédente.

Redoutant une rencontre avec Robert, Cynthia avait tout de même fait rapidement et se retrouva bientôt dehors, assez loin de l'hôtel, rassurée et essoufflée d'avoir couru en songeant à la réaction et au choc que la lecture de sa lettre provoquerait chez son amie.

Chapitre 17

Viva Las Vegas

Les cheveux au vent, Samantha ferma les yeux et s'appuya au dossier de la Sebring décapotable louée à l'occasion de leur périple. Offrant une fois de plus son visage basané au soleil californien, elle se mit à fredonner une chanson populaire de Phil Collins, dont les notes rythmées sortaient de la radio.

Marc lui jeta un rapide coup d'œil. Une autre magnifique journée s'annonçait. Ils avaient eu de la chance. Depuis leur arrivée en Californie, presque trois semaines auparavant, rares avaient été les journées de pluie.

Voilà plus de quatre jours qu'ils étaient sur la route. Partis de San Francisco tôt le samedi précédent, ils avaient fait la route jusqu'à Los Angeles. Arrivés en fin d'après-midi, ils y avaient flâné pour le reste de la journée. Le lendemain, sur place, les tourtereaux avaient visité les Universal Studios, important lieu de tournage de la Californie. Leur itinéraire les avait ensuite conduit à San Diego à profiter des plages de sable fin et à s'émerveiller devant la beauté de l'océan et des superbes jardins à proximité. Le soir, le couple avait dégusté un excellent repas devant le magnifique spectacle que leur offrait la mer d'abord au coucher du soleil puis au clair de lune.

La veille à Palm Springs, ils s'étaient promenés dans les quartiers résidentiels très prisés par les acteurs. À la déception de Samantha, aucun personnage célèbre ne se montra. Au bonheur de Samantha, ils avaient couru les boutiques dans la matinée. Mais surtout, ils avaient profité de la belle journée pour se reposer sur une terrasse, car le chaud soleil ne leur aurait pas permis d'errer très longtemps parmi les vitrines qui exposaient les vêtements des couturiers reconnus.

En observant Samantha chanter les paroles de la chanson que la radio laissait entendre, Marc se remémorait ces journées enchanteresses qu'ils venaient de vivre. Elle lui démontrait un amour sincère et il le lui retournait bien. S'estimant encore une fois heureux qu'elle ait insisté pour lui parler ce fameux soir de leur réconciliation, il se disait que leur cinquième journée s'annonçait également prometteuse.

Bien reposé, Marc s'était réveillé très tôt ce matin-là et avait regardé Samantha dormir paisiblement, sans se lasser et se répétant combien il avait de la chance de l'avoir rencontrée. Après un quart d'heure, n'y tenant plus, il s'était rapproché lentement d'elle puis ses lèvres s'étaient emparées de la douceur de son cou.

Entendant un faible gémissement et croyant apercevoir un sourire dans son beau visage, il avait recommencé à l'embrasser dans le cou puis sur les épaules. Samantha avait finalement ouvert les yeux presque à contre cœur, souriant malgré tout à celui qui la tirait de son sommeil. Mais ils avaient une journée remplie et elle l'avait gentiment repoussé après avoir répondu à son baiser. Ils s'étaient vite préparés pour aller déjeuner au restaurant de l'hôtel.

Aujourd'hui, revenant un peu vers le nord, ils bifurqueraient ensuite vers l'est afin de passer la frontière californienne et se rendre à Las Vegas au Nevada. Ils visiteraient un peu la ville et ses multiples gros hôtels qui rivalisaient de faste, de beauté et d'originalité.

Ils se rendraient jouer dans un casino, le soir venu. Et, la jeune femme ne le savait pas encore, mais Marc-Alec lui réservait certaines surprises.

Marc, sans avoir l'habitude du jeu, s'était déjà rendu à quelques reprises dans un casino et savait que Samantha adorerait l'ambiance qui y régnait. Surtout celle de Las Vegas où lui-même n'était allé qu'une seule fois.

Lui jetant à nouveau un rapide coup d'œil, il entonna le refrain de la chanson avec elle. Ouvrant les yeux, Samantha lui sourit et déposa sa main sur celle de Marc qui tenait le bras de vitesse.

— J'ai hâte à ce soir. J'aurai l'impression de vivre un rêve, de jouer dans un film. C'est une vraie vie de luxe. J'ai l'impression de me répéter, mais c'est ce que je ressens.

— Tu adoreras cette expérience. On l'apprécie davantage quand on n'en profite pas souvent dit Marc-Alec faisant allusion à lui-même. Et je te prie de me croire, cette vie de luxe, comme tu l'appelles, ne fait pas partie de mon quotidien. J'en profite à l'occasion, seulement.

— Je sais, répondit-elle, compréhensive.

— Mais il reste que l'ambiance, les robes luxueuses, les smokings et les tables de jeux dans ces salles qui n'en finissent plus te feront frémir de plaisir.

— Encore plus que toi ? lui demanda-t-elle pour le taquiner.

Il s'abstint de répondre en paroles, mais lui fit un sourire entendu en hochant légèrement la tête.

— La robe que tu as choisie à Palm Springs sera parfaite pour la soirée.

— Elle est magnifique, murmura-t-elle, mais tu n'avais pas à me payer une...

— Sam, nous sommes déjà passés par là, l'interrompit-il. J'ai pu te la procurer avec plaisir et d'ailleurs, elle te va si bien. Je t'en prie cesse de te sentir coupable et laisse-toi gâter un peu. Je sais que j'ai dit que je craignais les profiteuses, mais j'ai compris que tu n'en étais pas une. Laisse-moi te faire plaisir un peu. C'est un souvenir de la Californie que je t'offre.

— J'ai déjà énormément de beaux souvenirs. Les journées, les soirées envoûtantes et uniques passées en ta compagnie font, avec la multitude de photos que nous avons prises, les plus beaux et les plus mémorables souvenirs de ce voyage, sinon de tous les souvenirs que je possède. Sans compter les magnifiques diamants que tu m'as offerts, ajouta Samantha plus doucement, le bouleversement perceptible dans sa voix, en touchant machinalement le lobe de son oreille droite.

Il y eut un moment de silence où l'allusion aux diamants remémora à chacun avec émotion, la soirée anniversaire de Mike puisque c'est à cette soirée qu'une partie de son précieux cadeau avait disparue de façon plutôt incongrue. Affligée et attristés, ils n'en avaient pas discuté depuis.

******

Samantha se souvenait qu'après s'être étreints pendant un moment, les jeunes amoureux avaient réalisé que des gens s'activaient autour d'eux. Plusieurs personnes avaient quitté le bateau et quelques-unes s'affairaient à ramasser et ranger. Après l'avoir embrassée sur le front, Marc-Alec l'avait conduite à l'intérieur afin d'aider leurs hôtes et les deux autres couples restés à ramasser. Marc avait enfilé des vêtements de rechange que Mike lui avait prêtés puis s'était joint à l'équipe.

Le ménage terminé, Amanda et Mike leur avaient offert de rester pour bavarder derrière un dernier verre. Ayant visiblement encore besoin de compagnie, ils avaient tous bien volontairement accepté. Prodiguant réconfort et mots gentils au fêté, les invités s'étaient tournés vers Samantha lorsque Louis, un séduisant jeune homme noir taillé au couteau, témoin de l'évènement entre Martin et Samantha, avait raconté les faits et mentionné la détresse qu'elle avait dû ressentir.

Mike s'était dit vraiment désolé qu'elle ait eu à subir l'ivresse de Martin, mais avait apporté une explication à son étrange comportement. Mike avait insisté pour que Martin prenne part à la célébration. Martin n'avait pas eu la vie facile ces derniers mois. Il souhaitait que ce dernier se change les idées et vienne s'amuser avec eux. Il le méritait. Mais Martin avait trop noyé sa peine dans l'alcool, ce qui n'était pas dans ses habitudes.

— Mais pourquoi a-t-il dit que j'avais gâché sa soirée, que je ressemblais à ce que sa fille aurait pu être? Voudrait-il avoir une fille? avait demandé Samantha.

— Il l'a eue sa fille Samantha, avait répondu Mike d'une voix empreinte de tristesse. Les cheveux bruns et des yeux bleus comme le ciel. Elle est décédée de la leucémie le mois passé à l'âge de seize ans. Elle ambitionnait de devenir infirmière.

Samantha avait reçu un coup de poignard en plein cœur. Comprenant la détresse de l'homme qui lui avait jeté quelques regards pendant la soirée. Il avait sous les yeux une jeune femme qui avait réussi dans le métier que sa fille projetait de faire, alors que cette dernière n'était plus et laquelle il ne pourrait plus jamais prendre dans ses bras. Au lieu de s'amuser et se changer les idées, tel que Mike avait espéré, il avait été torturé toute la veillée et avait bu pour oublier.

Sur le chemin du retour, après avoir laissé leurs amis sur une note un peu plus heureuse et la promesse de se revoir, Marc-Alec avait annoncé à Samantha qu'il lui rachèterait une chaîne identique pour compenser la perte. Cette dernière avait refusé catégoriquement expliquant que Martin avait perdu beaucoup plus qu'elle, ce à quoi Marc-Alec n'avait pu que consentir en lui prenant fermement la main.

— Mais je chérirai ces boucles d'oreilles, je te le promets avait-elle assuré en lui serrant la main également, refoulant les larmes qui lui piquaient les yeux.

— Sam, cet homme vit un réel drame, mais tu ne dois pas te sentir coupable d'avoir réussi là où sa fille se destinait, de vivre et de posséder des yeux semblables aux siens, expliqua Marc-Alec la devinant toujours attristée par cette malheureuse situation. Tu te rappelles, nous en avons parlé à la fin de cette soirée. Mike nous a certifié que tu ne lui ressemblais pas. Tu ne dispose pas des mêmes traits qu'elle. Il a déjà vu des photos. Tes yeux sont presque identiques, mais c'est tout. Dans son état, où la douleur atroce et l'ébriété se côtoyaient, Martin vous a confondues. C'est ce qui explique son comportement. Cesse de te faire du mal, je t'en prie. Tu n'y es pour rien dans sa douleur.

Ses yeux quittaient la route à l'occasion cherchant le regard de sa bien-aimée. Celle-ci gardait les yeux fermés ou les ouvrait vers le ciel échappant quelques soupirs. Il couvrit de sa main, les siennes qu'elle tenait jointes sur ses cuisses. Après un bref silence, il reprit la conversation là où ils l'avaient laissée avant qu'elle ne mentionne les diamants, lesquels les avaient propulsés quelques jours en arrière. Il savait qu'elle finirait par comprendre.

— Tu sais, ces dernières semaines ont été exceptionnelles pour moi aussi. Nous avons passé des moments formidables, magiques. Et nous allons en vivre d'autres, je te le promets. Notre histoire s'est déroulée très vite, mais je suis certain de ne pas me tromper. Je t'aime Sam. Je t'aime tellement!

— Oh! Marc, je t'aime aussi. Elle serra la main offerte et se tourna vers lui. Une larme coula finalement sur sa joue et elle l'essuya rapidement.

Le jeune homme décela la sincérité de ces paroles dans ses yeux pétillants. Souriant, il se détourna pour se concentrer sur la route. Pendant ce temps, la jeune femme regardait défiler le paysage qui devenait de plus en plus désertique et l'imprima pour très longtemps dans sa tête.

Ils avaient acheté des provisions pour pique-niquer et décidèrent qu'ils mangeraient juste avant de traverser la frontière entre les deux états. Après le repas, il ne leur resterait plus beaucoup de route avant d'atteindre leur destination.

Ils s'installèrent sur une couverture de toile carrelée rouge et noire qu'ils s'étaient procuré en prévision d'éventuels pique-niques et étalèrent la nourriture entre leurs jambes. Samantha prépara les sandwiches au jambon, Marc trancha les fromages et en mit un morceau dans la bouche de Samantha. Ce n'est qu'alors qu'ils constatèrent l'arrivée sournoise de gros nuages gris. Marc s'empressa d'aller fermer le toit de la voiture, mais ils décidèrent de braver le temps espérant qu'ils auraient terminé de manger avant la pluie, si pluie il y avait, car elle tombait peu dans cette région.

Ils n'eurent pas le temps de s'exclamer longtemps que les premières gouttes les atteignirent. De fines gouttelettes tombaient lentement. Ils n'en firent aucun cas et poursuivirent leur goûter, décidant qu'une légère bruine ne dérangerait pas leur repas.

Progressivement pourtant, la pluie se fit plus pressante et tomba à grosses gouttes. Le pain devint rapidement humide ainsi que leurs vêtements. La pluie dégoulinait sur leurs cheveux et ils furent bientôt trempés avant d'avoir pu réagir. Marc-Alec fit mine de se lever, mais Samantha l'arrêta. Déjà très mouillés, ils ne pouvaient l'être bien davantage alors pourquoi ne pas terminer leur repas sous cette ambiance pour le moins spéciale?

D'abord surprise et un peu mécontente de la pluie subite, Samantha fut soudain prise par un fou rire communicatif et eut tôt fait de convaincre Marc-Alec de demeurer sur place. Se doutant un peu de l'apparence médiocre qu'elle affichait, elle révéla à son compagnon qu'elle trouvait que ce dîner mouillé faisait partie de l'aventure et qu'il était malgré tout empreint d'un certain romantisme.

— T'es folle! s'exclama Marc en engloutissant la dernière bouchée de son sandwich. Mais il ne tarda pas à se joindre à elle.

Ils rirent pendant quelques minutes puis s'arrêtèrent regardant autour d'eux et s'imaginaient tout haut ce que penseraient ceux qui auraient pu observer le spectacle qu'ils offraient. Puis leur rire repartit de plus belle. Cependant pas âme qui vive ne se trouvait à proximité, car ils s'étaient installés un peu plus loin de la route pour pouvoir manger en paix, à l'abri des rares bruits de la région. Puis Marc s'arrêta tout d'un coup réalisant encore une fois combien il la trouvait belle même sous la pluie. Samantha cessa de rire à son tour et son regard, aussi intense que celui de son compagnon, se posa sur lui. C'était là, la partie romantique d'un repas sous la pluie, se dit-elle.

Lentement leur visage se pencha un vers l'autre et leurs lèvres se scellèrent. Ils s'embrassèrent attrapant des gouttes d'eau au passage. Rapidement, ils repoussèrent les restes du repas dans un coin de la couverture et s'allongèrent en ne cessant de s'embrasser et de s'étreindre. Les gouttes d'eau qui tombaient toujours sur eux avaient cependant diminué leur cadence, mais ils ne s'en étaient pas aperçus. Ils ne les sentaient plus. Puis la pensée soudaine d'un serpent arrivant près d'eux fit se relever Samantha en vitesse et riant malgré cette réelle possibilité, Marc-Alec la suivit, les bras chargés des restes de leur pique-nique.

La pluie cessa peu après qu'ils eurent reprit la route et le soleil darda faiblement ses rayons à nouveau alors qu'ils s'arrêtaient dans le premier établissement qu'ils virent, à quelques minutes du lieu de leur pique-nique.

Une station d'essence isolée qui était loin de fournir toutes les modernités. Ils se séchèrent dans une minuscule salle de toilette et enfilèrent des vêtements secs pour ne pas attraper froid. Ils en profitèrent pour faire le plein d'essence. Le vieil homme, sans doute le propriétaire de l'endroit, plutôt volubile et empreint de pitié pour ces gens trempés, fut assez aimable pour leur indiquer le meilleur chemin qui menait à Las Vegas.

— Bel endroit pour une lune de miel, mais soyez prudents. On rapporte beaucoup de vols par là.

— Merci beaucoup. Nous le serons monsieur répondit Marc avant de démarrer, sans détromper l'homme à leur sujet.

******

À leur arrivée à Las Vegas, Marc-Alec proposa d'aller relaxer et prendre un verre avant de se rendre à leur hôtel. Devant l'agitation invitante qui régnait sur le fameux boulevard qu'on surnommait « *La Strip* » et les rangées d'hôtels rivalisant d'originalité et d'opulence qui le longeaient, Samantha, sentant la fébrilité la gagner ne put qu'acquiescer à sa suggestion.

Assis à la terrasse du Treasure Island Tangerine, bar de l'hôtel Treasure Island, sirotant la spécialité à la tangerine du bar, le couple regarda devant eux des comédiens déguisés en pirates s'affronter dans deux bateaux, aux abords du petit lac artificiel aménagé, tout comme l'hôtel, dans un décor de piraterie.

Lorsqu'ils pénétrèrent dans le hall du Bally's, leur destination, une multitude de rangées de machines à sous s'étalait devant les yeux de Samantha. La douce musique qui s'en déversait, les cris de joie ou de frustration, les rires envahirent ses oreilles. Comme c'était le cas pour tout le réseau hôtelier de cette ville, ils durent traverser le casino, ses machines à sous et ses tables de jeux avant d'atteindre le bureau d'enregistrement. Sa petite valise à la main, déambulant derrière son copain, elle n'avait pas assez d'yeux pour tout voir dans cette immense salle.

Le sentiment envahissant la jeune femme demeurait indéfinissable. Il se trouvait bien ce genre d'exploitation dans la région où elle restait, mais la seule expérience qu'elle possédait d'un casino, elle l'avait acquise lors d'un voyage dans les îles du sud. Il s'agissait d'un petit établissement où elle avait peu joué. Rien à voir avec celui dans lequel elle se trouvait présentement.

Douchés et reposés, ils quittèrent leur chambre dans leurs élégants vêtements de soirée pour se rendre au Bally's Big Kitchen, le restaurant cinq étoiles de l'hôtel où ils logeaient. Les plats, succulents, apprêtés et présentés avec soin se succédaient devant le couple affamé et bientôt rassasié.

Après le repas, sur la forte recommandation de Marc-Alec, le couple alla marcher sur la Strip pour y expérimenter l'effervescence de la nuit. Samantha cessa de marcher alors qu'ils franchissaient le pont piétonnier au-dessus du boulevard pour se rendre de l'autre côté. Devant la multitude de panneaux au néon que leur offrait cette partie de la ville, les uns publicitaires, les autres ornant magnifiquement les hôtels, la jeune femme resta d'abord sans voix.

Arrivés dans la clarté du jour, Samantha n'avait donc pu s'imaginer jusqu'à quel point toute cette luminosité l'impressionnerait.

La main dans celle de son amoureux, elle resserra légèrement son étreinte et pointait du doigt les panneaux multicolores qui clignotaient devant ses yeux ébahis ainsi que les hôtels qui rivalisaient de beauté et de richesses au fur et à mesure qu'elle les redécouvrait. Marc-Alec, ravi de sa candide spontanéité, approuvait ses exclamations en lui mentionnant qu'elle n'était pas au bout de ses surprises.

Il la conduisit devant l'immense hôtel Bellagio. Samantha, déjà impressionnée par ce fastueux hôtel, s'exclama alors que plusieurs fontaines se mettaient en branle offrant un spectacle rythmé au son de plusieurs pièces de musique. Samantha s'extasia encore et ne se lassant pas de les regarder fut déçue à la fin du programme.

Ne cessant de la surprendre, le jeune homme l'invita à monter voir cet attrayant spectacle, qui se répétait toutes les demi-heures, du haut de la tour Eiffel de l'hôtel de Paris situé juste en face.

— Nous irons ensuite jouer au casino, sans trop exagérer, juste pour nous amuser, ensuite je t'emmènerai à un spectacle à grand déploiement semblable à ceux qu'on voit à la télévision ou dans les cabarets de France. J'aurais préféré t'emmener voir un spectacle du Cirque du Soleil, mais à la dernière minute, les places s'avèrent plutôt rares.

— Je n'arrive pas à croire que je suis réellement à Las Vegas! s'exclama-t-elle après avoir assuré son ami qu'elle comprenait et appréciait déjà grandement de pouvoir assister à un spectacle. Quand j'étais plus jeune, je pensais que cette ville resterait inaccessible pour moi. J'étais persuadée qu'elle était réservée aux gens très riches, aux grandes stars.

— Bien oui ma chérie, tu te trouves vraiment dans cette ville de jeux. Et tu y es pour les raisons que tu évoques, car tu resteras toujours ma grande star.

Elle lui sourit et l'embrassa.

— T'ai-je déjà dit à quel point je te trouve belle?

— M'en souviens pas, répondit-elle en l'embrassant encore avant qu'ils pénètrent dans le hall du Bally's puisque c'était dans cet hôtel qu'ils assisteraient au spectacle.

Son bras passé sous celui de Marc, la jeune femme se laissa guider dans cette salle immense s'imprégnant encore une fois de l'ambiance animée du casino, examinant discrètement les tables de jeux et les gens qui les entouraient.

Des hommes élégants, pour la plupart, jouaient et semblaient parier d'énormes sommes d'argent près desquels se tenaient des jeunes femmes élégamment vêtues. Également, plusieurs dames jouaient activement parmi ces messieurs.

Les croupiers en smoking noir distribuaient ou ramassaient des jetons silencieusement. Des rires et des cris marquant la joie ou la protestation fusaient çà et là. À travers tous ces bruits, Samantha avançait vers le bureau de change, toujours guidée par Marc, et se sentait de plus en plus à l'aise parmi cette clientèle qu'elle avait d'abord placée sur un piédestal réalisant que certains d'entre eux ne bénéficiaient absolument pas des moyens considérables que la plupart avaient le privilège de posséder.

Ils jouèrent à la roulette et sur quelques machines à sous. Peu avant la fin de la soirée, les jeunes amoureux n'avaient ni gagné, ni perdu. Cependant, ils s'étaient énormément amusés. Ils terminèrent leur soirée devant le spectacle promis, suggéré par le casino. Les danseurs s'offraient sur la scène dans de superbes chorégraphies, vêtus de costumes qui se surpassaient en beauté, en couleurs et en originalité, danse après danse.

C'est sur cette note que se termina leur soirée de rêve et les amoureux s'allongèrent épuisés, dans les draps de satin du lit douillet de leur suite. Commentant leur chambre, qui avait dû lui coûter une petite fortune, Samantha le remercia une fois de plus de la gâter autant, de lui faire partager ces expériences extraordinaires et lui posa ensuite une question inattendue.

— Je me demandais pourquoi, avec les moyens que tu possèdes, n'as-tu pas voyagé en première classe en avion?

— Pour pouvoir te rencontrer répondit-il très sérieux.

Elle se colla contre lui et lui demanda d'être raisonnable.

— Comme je t'ai déjà mentionné, je ne vis pas toujours au rythme de mes moyens. J'aime demeurer l'homme accessible que j'ai toujours été. Je n'effectue pas chaque voyage en première classe et cette fois, heureusement, il n'y avait plus de place. Nous étions destinés à nous rencontrer, tu vois bien.

Satisfaite de l'explication et appréciant sa philosophie, elle lui souhaita rapidement une bonne nuit en songeant à la dernière étape de leur aventure qui les attendait le lendemain: une excursion au Parc du Grand Canyon. Bien que Samantha aurait préféré demeurer encore à Las Vegas, Marc-Alec lui promit une expérience inoubliable pour leur prochaine excursion.

******

L'hélicoptère survolait le canyon depuis quelques minutes et les jeunes gens n'en finissaient pas de s'exclamer sur la splendeur de ces larges gorges qui serpentaient sur des kilomètres. Le soleil, miroitant sur les parois, ressortissait la beauté de ses rochers aux tons de bruns, de rouges, d'ocres et d'orangés. Du haut des airs ainsi qu'une fois atterris sur un plateau, Samantha imprimait ce paysage particulier dans sa tête et sur pellicule. Marc-Alec, qui n'avait aperçu cet endroit que sur photos, s'extasiait autant sur cette merveille que la nature, au fil de très nombreuses années, avait façonnée.

Revenus à Las Vegas, ils quittèrent l'hélicoptère et se rendirent avec la voiture à La Stratosphère. Ils se garèrent non loin et grimpèrent jusqu'au sommet de la tour de l'hôtel en ascenseur, d'où ils avaient une vue imprenable sur la ville. Sur le toit, trois types de manèges offraient des sensations fortes aux visiteurs. Samantha et Marc-Alec s'étaient acheté des billets avant de monter pour un des manèges qui les propulsa rapidement vers le haut puis vers le bas. Après toutes ces émotions, les jeunes amoureux se rendirent au restaurant Buffet de ce même hôtel satisfaire leur appétit.

Une fois rassasiés, ils se promenèrent, main dans la main, sur la rue, visitant quelques autres magnifiques complexes hôteliers, s'imprégnant une dernière fois de l'extraordinaire ambiance de Las Vegas. En chemin, le couple s'arrêta devant le Bellagio et ses fontaines à la demande de la jeune femme. Ils pénétrèrent dans le très luxueux et impressionnant Ceasar's Palace et déambulèrent dans son centre d'achat intérieur dont la voûte représentait un ciel de beau temps. Ils entrèrent également dans l'hôtel New York New York et essayèrent, enchantés, les montagnes russes qui parcouraient la bâtisse et l'immense cour extérieure.

À la fin de l'après-midi, les tourtereaux prirent à regret la route pour l'aéroport. Le chemin du retour vers San Francisco s'avérait trop long et épuisant pour l'effectuer en automobile et afin de pouvoir profiter au maximum et le plus longtemps possible de leur joyeuse expédition, Marc-Alec s'était occupé de leur procurer des billets d'avion pour le retour. Ils laisseraient la voiture à l'aéroport au comptoir du même commerce où ils l'avaient louée à San Francisco.

Confortablement adossée au siège de la décapotable, Samantha songea qu'à leur arrivée, une autre journée épuisante, mais combien riche de magnifiques souvenirs prendra fin. Ce n'était pas seulement une journée qui se terminerait, mais aussi leur périple quelque peu improvisé. Elle avait adoré ces petites vacances, mais la ville de Las Vegas l'avait assurément davantage impressionnée. Elle l'avoua à Marc-Alec qui approuva que cet endroit offrait plusieurs possibilités rivalisant l'une et l'autre pour divertir ses touristes.

Samantha ferma ses yeux et se dit avec tristesse qu'également tout son voyage en Californie s'achevait. Car en effet, ils prenaient l'avion tôt le matin du surlendemain pour retourner au Québec. Elle poussa un petit soupir qui n'échappa pas aux oreilles du conducteur.

— Fatiguée?

— Non, en fait oui, mais je pensais plutôt au retour qui approche. Je devrai dire au revoir à cette merveilleuse ville, endroit de ma romance. Puis ensuite à l'objet de cette romance; et étant donné certaines difficultés, j'ignore totalement quand il sera possible de nous revoir.

— Si c'est ma carrière qui te vient à l'idée et toutes les responsabilités qui y sont rattachées, ne t'inquiète pas, je trouverai le moyen de te revoir assez fréquemment. J'en aurai besoin moi aussi, t'inquiète pas. Cependant, enchaîna Marc après une légère hésitation, si tu songes à hum... à Robert et les épreuves qu'il peut te faire connaître... c'est une autre histoire.

La voiture s'était arrêtée à un feu rouge. Marc se retourna vers Samantha et vit dans son regard qu'il avait deviné juste les pensées de la jeune femme.

— Je voudrais bien t'aider chérie, mais toi seule doit y faire face.

— J'en suis parfaitement consciente et je ne t'aurais jamais demandé de t'interposer, mais j'aimerais que ce soit déjà fait. Je déteste l'idée de devoir m'expliquer une autre fois même si elle sera la dernière. Je pense bien avoir été suffisamment claire cependant, pour lui, j'ai comme l'intuition que je ne le serai jamais assez. Il essaiera de me revoir, j'en suis persuadée, dit-elle sans se douter jusqu'à quel point elle disait vrai.

— Je comprends que ça ne sera pas facile, mais j'ai confiance et tout se passera bien. Et puis je te promets d'être patient et de te donner tout mon appui, Sam, même en n'étant pas de manière physique à tes côtés.

Samantha sourit faiblement et tâcha de ne plus y penser afin de bien terminer leur séjour.

— La lumière est verte, fit-elle soudain remarquer.

******

Le taxi s'arrêta devant le King George peu après vingt heures. Pendant que Samantha se rendait au comptoir de son hôtel, Marc-Alec paya son dû au chauffeur puis apporta leurs bagages dans le hall de l'hôtel. Pendant ce temps, le chasseur de l'hôtel, ayant reconnu la jeune québécoise, s'empressa d'apporter ses bagages jusqu'à l'ascenseur. Il se posta tout près attendant que Samantha lui fasse signe de monter.

Cette dernière attendait au comptoir qu'on lui donne sa clé de chambre. Le jeune homme, achevant d'inscrire un jeune couple à leur registre, lui adressa un sourire pour lui signifier qu'il lui répondra sous peu. Samantha comprit et lui retourna poliment son sourire.

— Bonsoir mademoiselle Cartier dit-il dans un français accentué, dès qu'il fut libre. Vous avez fait bon voyage?

— Oui merci répondit celle-ci, flattée qu'il l'ait lui aussi reconnue. Pourrais-je avoir ma clé s'il-vous-plaît?

— Évidemment répondit l'autre en se retournant vers les casiers numérotés.

Samantha fut étonnée qu'il ressorte de son casier une enveloppe blanche à laquelle était rattachée la clé. Fronçant légèrement les sourcils, elle se demanda qui pouvait bien avoir laissé cette enveloppe pour elle. Elle ne se questionna pas longuement, car le jeune homme lui expliquait déjà le pourquoi de cette lettre.

— Une jeune femme est venue porter ceci pour vous un avant-midi au début de la semaine. Je ne peux vous dire qui c'est, car je n'étais pas de service, cependant elle demande de faire le message que c'est de la part d'une amie de l'hôpital.

— Je vous remercie, dit-elle en prenant la dite enveloppe, je crois savoir de qui elle vient.

Songeant à ses copines de stages, elle sourit en la rangeant dans son sac à main. Prenant la clé restée sur le comptoir, elle salua le préposé à l'accueil et se dirigea vers les ascenseurs, Marc sur ses talons.

Dès qu'ils furent seuls dans la chambre, Samantha mit ses valises près de la garde-robe, ramena les rideaux devant les fenêtres et se dirigea vers la salle de bain. Déjà assis sur un des deux fauteuils situés près de la grande fenêtre, Marc la regardait faire, attendant qu'elle arrête enfin de bouger.

— Tu vas t'asseoir un peu? lui lança-t-il alors qu'il l'entendait sortir quelques effets de sa trousse de beauté.

Elle revint rapidement, repentante.

— T'as raison, je ferai ça plus tard. Tu veux un verre? Un Martini, je présume?

— Ce n'est pas de refus.

Samantha décrocha le combiné et fit monter un Martini et un Pineau-des-Charentes. Après quoi elle se déchaussa et se laissa tomber dans le fauteuil inoccupé à proximité de lui.

— Une copine de l'hôpital m'a écrit. Elle a laissé une enveloppe en bas pendant que nous étions partis. Je me demande ce qu'elle veut.

— Lis-la, tu le sauras.

— Non, pas maintenant. En fait ce n'est pas que je refuse de la lire, mais c'est que je souhaite la réserver pour plus tard, à tête reposée.

— Et tu souhaites faire durer le plaisir...

— Exactement.

Deux petits coups discrets à la porte les interrompirent.

Après avoir payé le garçon, Marc, un verre dans chaque main, referma la porte d'un faible coup de pied. Il tendit le Pineau à Samantha, une cerise dansant au milieu de glaçons.

Reprenant sa place dans le même fauteuil, il but une gorgée de son Martini qu'il apprécia. Ils gardèrent un bref instant le silence, se délectant de ce moment de détente qui s'était fait rare au cours de la dernière semaine. Marc porta une seconde fois le verre à ses lèvres en examinant Samantha qui venait de fermer les yeux comme pour se détendre davantage. Il considéra une fois de plus la chance qu'il avait de l'avoir rencontrée.

Se sentant soudain observée, celle-ci ouvrit les yeux et sourit devant l'air songeur qu'il affectait.

— Quelque chose te tracasse?

— Pas du tout; je me remémorais les jours fabuleux qui ont suivi notre rencontre.

— Tout s'est passé si vite. J'ai encore l'impression de rêver.

— Mais non Sam chérie, tu ne rêves pas. Et nous avons encore entre les mains une journée qu'il faudra elle aussi rendre fabuleuse, dit-il après avoir repris une gorgée et déposé par terre son verre à moitié vide.

Le regardant venir vers elle, Samantha approuva et proposa de planifier cette journée afin qu'elle soit aussi inoubliable que les autres et pas trop fatigante puisqu'ils prenaient l'avion de bonne heure le lendemain de cette dernière journée.

Acquiesçant, le jeune homme l'aida à se lever, l'entoura de ses bras et l'embrassa délicatement dans le cou et sur les épaules, attentif à ses paroles. Samantha suggéra de retourner à Fisherman's Wharf et fréquenter les mêmes endroits que la fois où ils s'y étaient rendus, et elle l'entendit murmurer son accord entre deux baisers et ajouter qu'ils pourraient également visiter la prison d'Alcatraz.

Samantha entoura de sa main libre la taille de l'élu de son cœur et termina le reste de sa boisson d'un trait. Elle laissa tomber le verre sur le fauteuil vide et enlaça son amoureux de son autre main, en s'abandonnant, les yeux fermés, aux baisers devenus plus insistants.

La serrant un peu plus fort, Marc délaissa ses lèvres, lui baisa le front et relâcha son étreinte peu à peu.

— Tu me rends fou avoua-t-il, mais je meurs de faim et j'ai aussi envie de nourriture. Je propose donc d'aller manger au restaurant de l'hôtel avant qu'il ne ferme.

Réalisant qu'elle avait également faim, car ils n'avaient pas profité d'un véritable repas depuis le dîner au Statosphere Buffet, s'étant contentés de grignoter à l'aéroport de Las Vegas avant leur départ, Samantha accepta la proposition et se dirigea vers la salle de bain pour se rafraîchir et se refaire une beauté.

Pendant que Marc passait à son tour dans la salle de bain, Samantha ouvrit son sac à main pour y prendre son rouge à lèvres. L'enveloppe blanche capta son regard. La retirant du sac, elle l'examina pendant quelques secondes. Résistant à l'envie de l'ouvrir, elle alla la déposer sur la table de chevet. Elle la lirait avant de dormir, décida-t-elle.

Marc fut prêt au moment où elle replaçait le bâton de rouge dans la pochette de sa sacoche. Elle prit la clé et suivit Marc qui l'attendait à la porte. Le repas fut délicieux, agréable, mais bref, car ils tombaient tous deux de fatigue et ne pensaient qu'à un lit douillet et une nuit de sommeil satisfaisante.

Après avoir promis de la rejoindre dans la matinée, Marc l'embrassa tendrement et la laissa remonter, non sans difficulté, seule à sa chambre.

Aussitôt arrivée, ayant momentanément oublié la lettre, elle s'empressa de vider les tiroirs et boucler ses valises afin de ne rien avoir à faire le lendemain. Elle pourrait ainsi profiter de sa dernière journée sans souci.

Après une brève toilette, elle enfila sa robe de nuit et fatiguée, se mit au lit. Ce n'est qu'au moment de fermer la lumière de la petite lampe de chevet, qu'elle s'aperçut qu'elle n'avait plus pensé à l'enveloppe. Elle déchira l'enveloppe blanche en baillant et débuta sa lecture. Les mots dansaient sur le papier devant ses yeux fatigués.

Puis sans vraiment réaliser ce qu'elle lisait, épuisée, elle sombra lentement dans le sommeil.

******

Elle se réveilla très tôt ce matin-là. Le soleil se levait à peine et il faisait encore sombre dans la chambre. Samantha frotta ses yeux et laissa retomber son bras le long de son corps. Sa main tomba sur la feuille gisant toujours dans le lit à côté d'elle. Se souvenant qu'elle n'avait lu qu'à peu près les deux premières lignes, Samantha s'empressa de s'installer confortablement dans le lit pour mener sa lecture jusqu'au bout cette fois.

La jeune femme fut sous le choc en lisant les mots qu'avait écrits sa copine. Suivant les formules de politesse, l'américaine décrivait sa rencontre avec Robert qui se disait le fiancé de Samantha lorsqu'elle était venue apporter sa missive à son hôtel. Elle décrivait son insistance à vouloir la rejoindre et mentionna son erreur d'avoir dit « *ils sont partis* ». Elle avait alors décelé de la colère dans son regard, mais pensait s'en être bien sorti malgré tout.

Cynthia reportait toute leur conversation presque mot pour mot sur papier et expliquait qu'elle avait réécrit son message afin de la prévenir de cette visite troublante. Samantha cessa sa lecture et regarda dans le vide. Elle fut prise d'un vertige soudain et ses mains devenaient moites. Tout ce qu'elle retenait de cette lettre restait dans un même malaise; il s'était déplacé jusqu'à elle, à San Francisco et se proclamait déjà fiancé.

Si elle avait prévu se recoucher après sa lecture, elle savait pertinemment qu'elle ne dormirait plus. Elle devait réfléchir. Elle ne pouvait se permettre de rester là, à ne rien faire d'autre que paniquer.

La jeune femme jeta un coup d'œil sur le radio-réveil et se dit qu'avec le décalage, elle pouvait penser avec certitude qu'il ne la réveillerait pas. Samantha saisit le téléphone et effectua un appel par l'entremise de la téléphoniste de l'hôtel. Comme personne ne répondait, elle laissa un message clair et raccrocha.

Elle se rendit à la fenêtre et regarda, sans vraiment les voir, les lève-tôt qui se lançaient dans l'air frais du petit matin. Bientôt plein de gens s'agglutineraient sur les trottoirs ou dans les autobus qui commençaient leur tournée. Pour l'heure, ils étaient peu nombreux à profiter du lever du soleil.

La jeune femme s'éloigna de la fenêtre après quelques minutes en soupirant. Elle devait téléphoner à quelqu'un d'autre. Que dirait-il de cette visite dérangeante d'un homme qui se disait son fiancé? La croirait-il encore lorsqu'elle affirmerait qu'elle n'éprouvait plus rien pour lui, qu'elle ignorait qu'il viendrait? Elle se posait ces questions avec une certaine appréhension alors que les sonneries s'égrenaient dans son oreille.

Chapitre 18

Le retour

Madame Cartier déverrouilla la porte du bureau et entra en vitesse. Elle secoua son parapluie dans l'entrée puis le déposa dans le contenant prévu à cet effet. Elle se dirigea vers son bureau et suspendit son imperméable à la patère des employés au fond du local.

Elle replaça ses cheveux, pourtant non décoiffés, de ses mains puis sortit son portable de son sac à main. Il avait sonné pendant le trajet jusqu'au bureau, mais elle détestait prendre les appels en roulant. Elle écouta le message et fut surprise du ton de détresse que prenait sa fille. Elle le repassa une deuxième fois puis rangea l'objet parlant, là où elle l'avait pris.

Elle brancha la cafetière et sortit ensuite le livre des rendez-vous. Avisant les premiers clients qui se pointeraient, elle sortit leurs dossiers. Puis, entendant un bruit provenant de l'entrée, la mère de Samantha se dit que la nouvelle secrétaire arrivait tôt, mais c'était tant mieux.

Quelle ne fut pas sa surprise de voir, en fin de compte, Robert se poster devant elle ! Comme il ne rencontrait sa clientèle qu'en après-midi seulement, son étonnement fut compréhensible. Il la salua et lui parla du mauvais temps, sans sembler s'apercevoir de la réaction de son interlocutrice. Madame Cartier le laissa débiter son bavardage, sans laisser transparaître davantage sa surprise, se doutant bien qu'il finirait par lui parler de sa fille. Elle se félicita d'avoir écouté le message de cette dernière en arrivant lorsqu'il attaqua le sujet.

— Vous savez à quel moment votre fille doit arriver au pays ?

— Désolée Robert. Je ne me souviens plus exactement. Je sais qu'elle rentre cette fin de semaine et comme il nous sera impossible d'aller la chercher à l'aéroport, je n'ai pas remarqué l'heure ni la journée de son arrivée. Nous avions déjà convenu qu'elle se rendrait chez elle en taxi.

— C'est dommage. J'aurais bien aimé lui faire la surprise d'aller l'attendre à l'aéroport. Vous ignorer son numéro de vol également, je présume?

— Encore désolée, dit-elle en hochant la tête. Mais étant donné les circonstances et l'état de votre relation, peut-être devrais-tu lui laisser le temps d'arriver afin qu'elle ne se sente pas bousculée par ta hâte de reprendre avec elle. Laisse-toi désirer. Prépare-lui une surprise ou fais lui plaisir quand tu la reverras. Tout ça ne garantit rien, bien évidemment, mais tu mets toutes les chances de ton côté. Tu ne crois pas?

— Vous avez probablement raison, répondit Robert après un moment de réflexion.

Il la remercia, lui souhaita une bonne journée et la quitta peu après. Madame Cartier se laissa tomber sur son siège et soupira de soulagement dès qu'il fut ressorti sous la pluie.

Elle espérait que Robert s'en tiendrait à sa suggestion et ne se rendrait pas à l'aéroport ce samedi. Car bien qu'elle n'ait pas menti au sujet du retour de Samantha chez elle, madame Cartier, comme toute bonne mère, connaissait la date et l'heure de l'arrivée de sa fille.

La dame avait observé les consignes que sa fille lui avait données dans son message. Elle constata que la jeune femme avait effectivement deviné les intentions de Robert. La mère de Samantha détestait les mensonges et avait bien hâte que Samantha lui explique les raisons qui l'avaient poussée dans son message à lui demander d'agir ainsi.

*****

Samantha déjeunait seule au restaurant de son hôtel. Elle mangeait ses croissants de façon distraite en songeant aux derniers déroulements depuis son réveil. Elle avait laissé quelques consignes à sa mère, l'implorant surtout de ne rien révéler à Robert à propos de son retour au pays puis avait ensuite rejoint Marc-Alec.

Pour ne pas trop l'affoler, elle n'avait rien dit à celui-ci lorsqu'elle l'avait eu au téléphone un peu plus tôt. Elle tenait à lui annoncer la visite de Robert en personne. Elle ne savait pas comment il allait réagir et croyait que des explications de la sorte ne se faisaient pas au téléphone. La jeune femme l'avait tout simplement avisé de venir la rencontrer au restaurant de son hôtel aussitôt qu'il le pourrait. Bien sûr, Marc-Alec avait demandé des explications, mais elle l'avait convaincu de patienter.

Samantha promena son regard autour d'elle. Les gens mangeaient calmement sans se douter de la tempête de rage et d'impuissance qu'avait soulevée Robert en elle. Pourquoi avait-il eu besoin de venir la troubler jusqu'ici ? Elle abhorrait cette tendance à l'épier et elle le détestait franchement à présent.

Ses pensées revinrent vers celui qu'elle attendait. Bien sûr, il devait se poser des questions depuis qu'elle lui avait appris qu'elle désirait discuter avec lui. Samantha l'avait rassuré sur ses sentiments envers lui, mais ne savait trop si elle s'était montrée suffisamment convaincante, étant donné son propre émoi.

La jeune femme mordit dans son croissant et jeta un œil à sa montre. Marc-Alec retardait. Ce dernier lui avait dit devoir prendre un rapport de dernière minute au bureau avant de la rejoindre. Même si au fond d'elle, Samantha savait que c'était impossible, elle espérait qu'il n'ait pas changé d'avis, car depuis qu'elle le connaissait, il n'avait jamais accusé de retard.

Un jeune serveur fraîchement moustachu, aux cheveux roux et brillants passa près de sa table avec une cafetière et du lait et lui demanda si elle souhaitait réchauffer son café. Elle accepta poliment. Le jeune homme terminait de verser le lait dans sa tasse lorsqu'elle le vit entrer dans la salle à manger d'un pas lent. Elle prit une gorgée de café presque brûlant et lui fit un signe de la main.

Il la rejoignit en trois enjambées et s'excusa de son retard. Il lui donna un baiser auquel la jeune femme, nerveuse et encore secouée, répondit machinalement et rapidement. Ce que nota le jeune homme, mais il n'eut pas le temps d'en faire la remarque. Elle attaqua dès qu'il se fut installé et que le jeune rouquin, revenu remplir la tasse du nouveau venu, fut retourné à d'autres tables.

— Robert est venu ici. Il est venu à San Francisco pour me voir.

******

Il lui avait immédiatement pris la main, ce qui demeurait en sa faveur. Il l'encouragea à poursuivre ses aveux, se doutant bien qu'elle finirait par lui indiquer d'où elle tenait cette certitude. Elle pressa légèrement la main de Marc-Alec et résuma la lettre que son amie lui avait écrite.

Elle lui mentionna aussi l'erreur que Cynthia croyait avoir commise ainsi que sa peur que Robert devine ainsi sa relation avec lui. Elle craignait à la fois et la réaction de Robert à son retour suite à cette déduction et qu'il se soit mis dans la tête de venir l'accueillir à l'aéroport et les voit ensemble. Elle ne pouvait prévoir jusqu'où ses crises de jalousie iraient et elle s'en inquiétait énormément.

Elle lui parla de la colère qui l'habitait face à Robert et de l'amour qu'elle ressentait pour lui, Marc-Alec. Enfin, elle lui avoua qu'elle avait un peu craint sa réaction lorsqu'il entendrait parler de Robert une nouvelle fois.

Se souvenant de son comportement quand elle lui avait parlé de cet égoïste jaloux la première fois, il comprenait ses craintes. Il enferma les mains de la jeune femme dans les siennes, s'avança vers elle et la regarda dans les yeux.

— Je ne ferai pas la même erreur deux fois, la rassura-t-il. Je t'aime, je te fais confiance et c'est ensemble que nous allons traverser ce mauvais moment.

Il trouva les mots pour la réconforter et lui fit promettre de l'appeler ou demander de l'aide si cet homme devenait trop insistant ou même méchant ou violent avec elle. Puis ils élaborèrent quelques plans pour leur retour, au cas où son ex petit ami déciderait de se rendre à l'aéroport.

Le garçon au desk, ayant confirmé à Samantha que Robert avait quitté l'hôtel quelques jours plus tôt, ils décidèrent, rassurés sur ce point, de profiter de leur dernière journée et de mettre Robert et sa jalousie de côté. C'est apaisée et plus amoureuse que jamais que Samantha sortit du restaurant au bras de son bien-aimé.

Comme prévu, ils retournèrent prendre un bain de foule au Fisherman's Wharf. Ils allèrent visiter la prison d'Alcatraz qui impressionna grandement Samantha. Elle imaginait bien les anciens prisonniers errer dans les corridors permis ou se lamenter dans leur cellule, l'agitation dans la cafétéria et les gardiens se promener sur les différents paliers d'où ils pouvaient exercer une surveillance constante.

Ils reprirent ensuite le chemin les menant jusqu'à l'embarcadère pour faire leurs adieux à Mike et Amanda qui les attendaient. Ils avaient passé une belle journée et le petit matin n'avait laissé aucune trace de tristesse sur leur visage. Ils s'étaient bien amusés au cours de cette dernière journée sans que rien ne vienne l'assombrir. Sauf peut-être les adieux qu'ils adressaient à leurs amis au moment de leur départ du bateau en toute fin d'après-midi.

Le lendemain matin, installés dans l'avion qui les ramenait, le couple se tenait la main sans parler. Samantha songeait aux journées magnifiques qu'ils avaient vécues ces dernières semaines en regardant les boules de nuages qui s'étalaient sous eux.

Samantha détourna soudain la tête du hublot.

— Je t'appellerai aussitôt que je pourrai et dès que la voie sera libre pour venir, j'espère que tu pourras te libérer assez vite.

— Comme je t'ai déjà mentionné, il est possible que ce soit un peu difficile les premières semaines puisque j'ai été absent quelques temps. Mais je te promets, je ferai de mon mieux mon amour, tu le sais?

La jeune femme acquiesça en serrant un peu plus fort la main qu'elle tenait ainsi que ses mâchoires pour éviter de pleurer. Elle savait que leur amour ne s'avèrerait pas facile étant donné leur éloignement, leur travail respectif et les énormes responsabilités de Marc-Alec, mais elle sentait qu'il survivrait et que de beaux jours les attendaient.

Ils se lâchèrent la main à regret lorsque l'agent de bord leur apporta un verre de jus d'orange ainsi qu'un léger goûter. Malgré sa tristesse, Samantha s'aperçut dès la première bouchée qu'elle avait très faim.

******

Après avoir passé les douanes, Samantha attendait ses bagages à quelques mètres de Marc-Alec sans le regarder. Ils s'étaient fait leurs adieux en sortant de l'avion et agissaient comme s'ils ne se connaissaient pas pour le cas où Robert se trouverait là. Si elle lui jetait un regard, il lui deviendrait encore plus difficile de réprimer l'envie de l'embrasser à nouveau.

Après avoir déposé sa dernière valise sur le petit chariot roulant qu'elle s'était procuré, elle prit le chemin de la sortie sans jamais regarder derrière. Elle était triste et ne souhaitait que se jeter dans ses bras à nouveau, mais gardait cette réserve avec calme juste au cas où « *l'autre* » attendrait parmi les gens venus chercher quelqu'un de cher à leurs yeux.

En chemin vers la sortie, Samantha regardait par la porte qui s'ouvrait fréquemment pour laisser passer les gens arrivés avant elle. De l'autre côté de la barrière face à cette porte, s'entassaient les gens qui cherchaient des yeux ceux qu'ils étaient venus rencontrer et les quelques chanceux qui les avaient repérés en leur faisaient de grands signes de la main. À chaque ouverture, qui ne durait que quelques secondes, elle ne vit pas Robert, mais ne se sentirait complètement rassurée uniquement lorsqu'elle franchirait elle-même la porte.

Une fois passée cette fameuse porte, elle balaya encore la foule des yeux et se promena un instant parmi les gens qui ne faisaient pas attention à elle. Un soupir s'échappa de ses lèvres. Marc ne tarda pas à franchir la même porte qu'elle et elle l'interpella. Surpris, ce dernier hésitait à répondre. La cherchant des yeux, il ne put faire autrement que se diriger vers elle, puisqu'il rencontra son regard si brillant.

— Le champ est libre ? lui murmura-t-il alors qu'elle était venue à sa rencontre, résistant cependant, à l'envie forte qui le prenait de l'étreindre et de l'embrasser encore.

Il n'avait pas résisté longtemps pourtant en réalisant que Robert n'était vraiment pas venu. Samantha était demeurée avec lui jusqu'à ce qu'il doive prendre le transfert avec une autre compagnie aérienne qui le ramènerait dans la ville de Québec. Ils avaient bien profité de chaque instant jusqu'à la déchirante séparation se promettant encore de se rappeler sous peu.

******

Elle pliait les vêtements qu'elle venait de laver et songeait à la conversation téléphonique qu'elle avait eue avec Marc la veille. Elle n'avait pas encore parlé à Robert. Elle ne trouvait pas le courage de l'appeler et se demandait quand lui, le ferait et pourquoi il ne l'avait pas encore fait. Elle était pourtant de retour depuis bientôt deux jours.

La sonnerie du téléphone interrompit ses pensées et la fit sursauter. Assise sur une causeuse, Samantha fixait l'objet de ce bruit, hésitant à répondre. Mais, décida-t-elle après la troisième sonnerie, elle ne pouvait remettre éternellement ce contact qu'elle devait avoir avec LUI.

— Oui allo? articula-t-elle tremblante.

— Samantha enfin! bienvenue dans ton pays.

La jeune femme se détendit à la voix d'Élisabeth. Souriante, elle invita son amie à venir la rejoindre pour lui raconter son voyage. Elle avait tant de choses à lui apprendre. Élisabeth ne fut pas longue à arriver.

Assise au salon, un café à la main, Élisabeth écoutait le récit de son amie. Samantha lui racontait ce qu'elle avait fait, ce qu'elle avait vu, son expérience à l'hôpital de San Francisco et les amies qu'elle y avait rencontrées.

Elle lui narra sa rencontre avec Marc-Alec et son frère, mais omit de lui faire part de son accident qui avait contribué à faire naître l'amour entre eux. Elle ne lui mentionna pas également la richesse de ces cousins. Elle hésitait encore à révéler, même à sa grande amie, son histoire d'amour.

— Tu as visité d'autres villes de la Californie seule? Et comment?

— J'ai loué une voiture. Je m'étais fait un petit itinéraire que Marc-Alec a bien voulu révisé avec moi.

Samantha s'en voulait de mentir à son amie, mais elle le devait. Un jour elle lui raconterait la vérité, mais pas maintenant. Pas tant que son histoire avec Robert ne serait pas réglée en tout cas. Elle avait encore besoin de ce petit jardin secret. De plus, c'était survenu si rapidement et se demandait ce qu'Élisabeth en penserait, ne se souvenant plus si elle connaissait les détails difficiles de sa vie avec Robert.

— Tu n’as pas eu de mésaventures?

— Pas vraiment. J’ai été chanceuse. Je me suis perdue un peu, mais Marc m’avait bien expliqué le chemin et je ne tardais pas trop à le retrouver.

— Et à Las Vegas, tu n’as pas eu peur de toutes ces maisons de jeux et des gens parfois non fréquentables que tu peux rencontrer? Bien que j’adorerais y aller, je ne peux m’imaginer seule dans cet endroit. C’est sans doute formidable comme endroit, mais aussi dangereux. J’ai de la difficulté à croire que toi, Samantha Cartier, ordinairement si prudente, soit allée seule dans cette ville.

Samantha remarqua le ton soupçonneux des multiples questions de son amie et se douta bien qu’Élisabeth ne croyait pas trop à son aventure et s’en voulut davantage de ses mensonges. Elle n’aurait pas dû mentionner l’épisode du casino, mais dans son enthousiasme, elle n’avait pas réfléchi. Et maintenant il était trop tard. Elle ferma les yeux un bref instant et soupira. Elle ne pouvait s’en sortir ainsi. Elle devait des explications à sa bonne amie.

— Tu as raison, je n’étais pas seule. Mais c’est une si longue histoire.

Élisabeth but une gorgée de son café, avoua avoir tout son temps et Samantha décela dans ses yeux toute l’attention et le support sur lesquels elle pouvait compter. Élisabeth n’avait pas cru que Samantha lui disait la vérité et, dans son désir de la respecter, ne lui avait posé aucune question directement. Elle lui avait cependant ouvert une porte pour le cas où son amie voudrait tout de même se confier. Connaissant très bien celle qui se trouvait près d’elle, Élisabeth devinait dans l’intonation de sa voix le poids d’un lourd secret qui habitait Samantha et, qui par le fait même l’empêchait d’être elle-même.

Reportant une autre fois la tasse à ses lèvres, Élisabeth se montra ensuite attentive à son amie. Elle déposa la tasse sur la petite table vitrée devant la causeuse et croisa les mains sur ses genoux, recouverts par un jeans vert auquel un veston s’assortissait sur une blouse de coton, blanche.

Samantha regarda sa copine dont les cheveux auburn étaient retenus en arrière par deux peignes dorés. Elle se félicitait d'avoir une amie telle qu'Élisabeth qui semblait toujours comprendre comment elle se sentait. Samantha réalisa soudain qu'elle avait grand besoin de se confier.

Samantha entreprit un monologue, confirmant à son amie ses difficultés croissantes avec Robert, le comportement possessif et jaloux de ce dernier qui semblait loin de s'améliorer. Elle décrit sa rencontre avec Marc-Alec, ajoutant des détails aux sorties qu'ils avaient effectuées, les magnifiques vacances qu'ils avaient passées ensemble et les sentiments qu'ils éprouvaient l'un pour l'autre. Elle mentionna enfin la lettre de Cynthia et la peur de sa prochaine rencontre avec Robert qui la déchirait depuis.

— Je sais que c'est très sérieux entre Marc et moi. J'ai le sentiment intense que je n'ai pas été pour lui qu'une aventure de voyage. Je suis également persuadée que je n'aimais plus Robert avant même que je ne sois partie là-bas. Je n'éprouvais que de la pitié et la tristesse d'un amour que j'aurais souhaité retrouver et que je savais perdu, mais je me suis trouvée incapable de le détromper. À présent, je ne sais vraiment pas comment lui avouer tout ça ou même si je dois lui parler de Marc. Lorsque j'ai rompu avec Robert, j'ai utilisé des termes pour ne pas trop le blesser, c'était déjà si difficile et je suis convaincue qu'il les a mal interprétés et qu'il espère encore qu'on se remette ensemble puisqu'il s'est rendu à San Francisco, acheva-t-elle en passant sa main dans ses cheveux dorés et soupirant en signe d'impuissance.

Élisabeth, qui venait de reprendre une gorgée de café, avait écouté son amie sans l'interrompre. Celle-ci s'avança sur le bout de la causeuse comme pour se rapprocher de Samantha.

— Tu m'avais déjà mise au courant des problèmes que vous aviez toi et Robert, mais j'ignorais leur ampleur. Je m'en veux de ne pas avoir décelé plus tôt ces...

— Ce n'est rien Élisabeth. Je m'efforçais de ne rien laisser paraître, tu le sais bien.

— Écoute, aussi dur que ça puisse paraître, tu dois faire face à Robert, car tu dois suivre ce que te dicte ton cœur et je présume qu'il te supplie de ne pas laisser tomber Marc. Ça se passera bien, j'en suis sûre, tu sauras trouver les mots qu'il faut pour t'expliquer.

— Probablement, mais je n'aime pas ça du tout. J'appréhende beaucoup sa réaction.

— Je suis consciente que ça ne sera pas facile. Robert devra pourtant comprendre que vous seriez tous deux malheureux si tu persistes dans cette relation qui battait de l'aile depuis un bon bout de temps.

— C'est ce que je me dis. Je sais aussi que plus tôt ce sera fait mieux ce sera, mais en même temps, j'hésite à répondre chaque fois que le téléphone sonne et encore davantage à l'appeler. Et ce que je ne m'explique pas, c'est le fait qu'il ne m'ait pas donné aucun signe de vie depuis mon retour.

— Il te donne le temps de t'ennuyer de lui, j'imagine. L'occasion de lui parler se présentera bien assez tôt et tu seras prête, t'en fais pas, lui affirma Élisabeth en lui tapotant la main. Et tu sais bien que tu peux m'appeler n'importe quand.

Samantha sourit faiblement, remercia son amie et lui avoua mieux se sentir depuis qu'elle lui avait fait part de son secret.

Élisabeth fit une plaisanterie pour détendre l'atmosphère : ce qui réussit. Les deux amies rirent de bon cœur puis diversifièrent leurs sujets de conversation, retrouvant leur complicité amicale.

******

La dernière patiente venait de quitter le cabinet. Robert sourit en rangeant un peu son bureau. Sa journée s'achevait tôt aujourd'hui, car il avait demandé à Catherine de ne pas lui prendre des rendez-vous passé seize heures.

La journée s'était bien passée: des examens de routine chez des patients dont la condition allait de mieux en mieux. Il terminait même plus tôt qu'il avait pensé.

Saluant sa secrétaire au passage, il se rendit au stationnement de l'édifice où l'attendait la Porsche de l'année qu'il venait d'acquérir quelques jours auparavant. Au volant de la voiture qu'il s'était promis d'acheter une fois qu'il serait bien établi en tant que pédiatre, Robert chantonna le refrain qui jouait à la radio.

Il s'arrêta chez un fleuriste qui lui fit un arrangement à en couper le souffle. Robert remercia la dame à la caisse et sortit avec un énorme bouquet de fleurs exotiques aux couleurs diverses. Plaçant délicatement le bouquet emballé sur le siège du passager, il peigna ses cheveux à peine en désordre. Satisfait du reflet que le rétroviseur lui rendait, il remit le contact et reprit, soudainement nerveux, le boulevard qui le mènerait chez Samantha.

Le jeune médecin avait hâte de la revoir et se sentait probablement aussi nerveux que si c'était le jour de ses noces. Il avait décidé d'oublier son passage en Californie et d'ignorer les doutes qui l'avaient assailli alors. S'il ne s'était pas rendu, il n'aurait jamais su ou du moins, jamais pensé qu'elle serait partie à l'aventure avec quelqu'un d'autre. Mais après tout, peut-être l'histoire d'un voyage en groupe qu'avait évoqué cette infirmière était réelle!

Robert se disait également que c'était ses doutes à lui, des jugements forts probablement injustifiés, et qu'il se devait ainsi de laisser une chance à Samantha. Elle lui avait demandé de lui faire confiance et de cesser ses crises de jalousies et il avait été sur le point de faillir à sa demande. Il l'aurait vraiment perdue cette fois. Il ne devait pas s'imaginer des choses à partir de celles que la jeune Californienne lui avait dites. Il écouterait d'abord ce qu'aurait à lui dire Samantha. Il présumait qu'elle avait hâte de le revoir et que leurs retrouvailles seraient très émouvantes.

Persuadé que ce voyage lui avait fait le plus grand bien, il l'admettait facilement maintenant, Robert pensait qu'ainsi, ils retrouveraient les jours heureux qu'ils avaient, jadis, connus.

Il avait de plus bien réfléchi et tentait de se persuader qu'elle avait le droit de se faire des amis masculins, du moment qu'ils se tiendraient à distance ne put-il s'empêcher de penser. Il tenait réellement à sa seconde chance et devait donc reléguer ses élans de jalousie aux oubliettes.

En lui téléphonant la veille, il s'était demandé s'il avait raison de le faire. C'est avec soulagement qu'il avait raccroché sans qu'il n'y ait eu de réponse. Il n'avait pas réessayé depuis. Malgré l'envie pressente de la rejoindre qui le tenaillait, le jeune médecin jugeait qu'il valait mieux lui laisser du temps à son retour pour se remettre de son voyage et ne pas l'assaillir dès sa première journée de retour au Québec, comme lui avait sagement suggéré sa future belle-mère. Il lui laissait ainsi davantage de temps pour s'ennuyer de lui. De plus, il s'animait à la pensée de lui faire une surprise.

Il la convaincrait de ces bonnes résolutions et qu'elles étaient réelles cette fois. Et par-dessus tout, il lui avouerait tout son amour et mentionnerait son ennui d'elle qui le rongeait depuis la dernière fois qu'ils s'étaient vus. Il avait bon espoir après tout ce temps qu'elle lui pardonne. Une fois de plus, il réalisa qu'elle avait vu juste en leur imposant cette séparation. Laquelle permettait aux deux parties de bien réfléchir. Il regarda le bouquet sur la banquette du passager et se dit que ce dernier ainsi que sa toute nouvelle voiture sport achèveraient de la convaincre.

La Porsche tourna sur la rue où résidait Samantha. Lorsqu'il vit le bloc de quatre logements qui lui était si familier, son cœur bondit. La nervosité l'envahit à nouveau, car il ignorait l'issue de leurs retrouvailles. En garant la voiture dans la rue, il tenta de se rassurer et se dit que tout se passerait comme il l'espérait.

Les fleurs soigneusement empaquetées dans les bras, Robert prit une profonde inspiration et grimpa deux par deux les marches de l'escalier qui le conduisait au deuxième. Par chance, un homme qu'il avait déjà rencontré à plusieurs reprises depuis que Samantha habitait cet immeuble en sortait au moment où il allait sonner à l'appartement de Samantha. L'homme lui avait retenu la porte en le saluant et il avait ainsi pu monter sans s'annoncer. La surprise serait donc totale.

Les deux jeunes femmes se levaient lorsqu'elles entendirent les quelques coups discrets à la porte. Élisabeth, voyant l'après-midi s'achever, devait prendre congé. Le temps s'était écoulé rapidement, mais les amies s'étaient promis de se revoir bientôt.

Élisabeth proposa d'aller ouvrir pendant que Samantha, perplexe, se rendait à la cuisine avec les tasses vides. En les rinçant, elle se demandait qui cela pouvait bien être puisqu'elle n'attendait personne et qu'en plus on n'avait pas sonné à la porte d'en bas.

Elle diminua l'intensité de l'eau qui coulait afin d'entendre le nouveau venu. Elle figea et la fragile tasse de porcelaine blanche lui glissa des mains puis tomba dans l'évier lorsqu'elle reconnut la voix qui saluait son amie.

Chapitre 19

Les visiteurs

« *Faire comme si rien ne s'était passé, comme s'il était un bon ami. Chasse cette nervosité* » se répétait Samantha en se dirigeant vers la porte où se tenaient Élisabeth et Robert.

Elle salua son amie qui derrière le nouveau venu lui faisait signe que tout se passerait bien. Une fois de plus Samantha vit dans les yeux bruns d'Élisabeth qu'elle pourrait compter sur son amitié en tout temps. Elle la remercia en lui donnant une accolade.

La porte refermée, Robert sortit de son mutisme et lui offrit les fleurs.

— Bienvenue chez toi, Samantha. Tiens, voici un petit quelque chose pour bien t'accueillir.

— Petit tu dis? questionna Samantha en prenant le bouquet tendu. Elle remarqua que Robert s'avança vers elle, sans doute pour la serrer dans ses bras mais, mine de rien, elle mit le bouquet entre eux. Passe au salon, je vais les mettre dans l'eau et je te rejoins dit-elle s'efforçant d'y mettre de la conviction afin qu'il ne la suive pas à la cuisine. Elle ressentait le besoin de prendre quelques grandes respirations.

En les plaçant dans le vase, la jeune femme se rappela les dernières fleurs qu'il lui avait apportées et un sourire mélancolique effleura ses lèvres. De la cuisine elle répondait un peu évasivement aux questions de Robert sur la qualité et l'appréciation de son voyage.

Un peu avant d'entrer dans le salon, le vase à la main, elle s'arrêta et le vit debout devant la baie vitrée et se demanda ce qu'il regardait dehors. D'après son attitude et le ton de sa voix, Samantha jugea qu'il devait être mal à l'aise. D'ailleurs elle avait perçu un malaise dès qu'il lui avait tendu le bouquet. Elle l'avait probablement accentué en évitant l'accolade qui aurait dû s'imposer.

« *Nous serons deux à l'être. Nous partirons ainsi sur un pied d'égalité* », pensa-t-elle en franchissant l'entrée du salon.

— Elles sont magnifiques, merci, dit-elle simplement en déposant le vase sur la table du salon.

Il se retourna légèrement surpris de la trouver là sans l'avoir entendue venir.

— Tu m'excuseras d'être venu sans prévenir, mais je voulais te faire une surprise.

« *C'est réussi, crois-moi* », se dit-elle.

— Je suis vraiment content de te revoir, poursuivit-il en avançant vers elle.

Instinctivement elle recula d'un pas. Comme elle aurait voulu que Marc-Alec soit là.

— Tu veux quelque chose à boire? demanda-t-elle en se dirigeant vers son petit bar, heureuse de provoquer une distraction.

— Non merci. Il continuait de marcher vers elle. Tu m'as beaucoup manqué Samantha.

— Même pas un verre de vin ramené de la Californie? risqua-t-elle encore.

Samantha sentait ses mains devenir moites. Il était près d'elle et lui souriait. Il semblait avoir soudainement reprit de l'assurance et l'espace d'un instant la crainte lui transperça le corps.

— Non vraiment, rien merci. Une autre fois pour le vin, ajouta-t-il souriant toujours. J'ai pensé à toi chaque jour et davantage les quelques derniers qui nous séparaient encore.

Sa proximité la gênait. Elle songeait à quel point ses interventions ne semblaient nullement le déconcentrer. Son assurance et son calme la bouleversaient. Lentement, il leva la main et lui effleura les cheveux quelques secondes. Elle pensait qu'il allait l'embrasser et ne savait plus quoi faire ni quoi dire pour l'éviter. Elle allait faire un pas de côté pour se dégager, mais la main de Robert retomba le long de son corps en lui effleurant la hanche.

— Si tu pouvais imaginer combien j'ai envie de te serrer contre moi Samantha. Mais je ne veux pas te brusquer. J'ai beaucoup réfléchi et j'ai compris l'inconfort que tu ressentais dans le mélange de sentiments qui te hantaient avant ton départ... et que tu pourrais peut-être ressentir encore un peu. Aujourd'hui, je suis venu pour parler et je suis déterminé à te laisser le temps qu'il faut par la suite. Puisse-t-il être court, mais j'attendrai.

Samantha s'étonna de cet aveu inattendu. Passant sa main sur son front, elle prit enfin la parole.

— C'est vrai, nous avons beaucoup de choses à discuter. Viens t'asseoir, fit-elle, heureuse de se dégager.

— Comme je te disais, j'ai longuement réfléchi et j'en suis arrivé à la conclusion que tu avais raison à propos de cette séparation Sam. Samantha, se reprit-il se souvenant qu'elle l'avait déjà un peu disputé, car elle détestait les surnoms et les diminutifs.

Samantha se sentit défaillir à l'évocation de ce diminutif dont la désignait, pourtant, celui qu'elle aimait. Il sonnait tellement doux dans la bouche de Marc-Alec. Dieu qu'elle s'ennuyait de lui. Elle se rendit compte une fois de plus jusqu'à quel point elle en était amoureuse puisque devant le calme et la douceur de Robert et le croyant sincèrement empreint de bonnes intentions, elle n'éprouvait pas du tout l'envie de lui donner une seconde chance.

Robert s'apprêta à lui révéler ce à quoi il avait songé dans la voiture et qu'il s'était maintes fois répété depuis quelques jours. Mais celle qui se trouvait dans la causeuse à côté de la sienne le devança.

— Je constate que tu es rempli de bonnes intentions, mais moi aussi j'ai beaucoup réfléchi. Même si tu persistais dans tes bonnes résolutions, je crois que nous ferions une grave erreur en demeurant ensemble.

— Tu as rencontré quelqu'un d'autre laissa-t-il tomber malgré lui en se remémorant sa rencontre avec Cynthia. Regrettant ces propos, il se cala au fond du divan et lui fit signe de continuer.

Samantha, qui avait choisi d'ignorer sa remarque, poursuivit.

— Malgré la volonté que tu as de le faire, je n'ai pas le droit de t'imposer ces changements. À la longue ça te rendra malheureux, tu ne seras pas toi-même et tu finiras par craquer et le résultat comptera deux personnes malheureuses. Notre relation a déjà bien été, mais ça n'a pas duré. Nos caractères sont trop différents pour imaginer une belle relation. J'ai trop besoin de contacts sociaux pour me priver de relations que tu pourrais juger menaçantes. Tu as besoin d'une fille qui vit un peu plus pour toi que moi je suis prête à le faire.

Robert demeurait silencieux, mais ses mâchoires se crispaient et la jeune femme le remarqua.

— Je ne veux pas te laisser de faux espoirs Robert. Comme je te l'ai déjà mentionné, si nos chemins ont à se recroiser, un jour ils le feront. Pour l'instant je ne veux ni ne peux m'investir davantage dans une relation avec toi. Je pense bien agir en mettant un terme final à notre relation. Je suis désolée.

— Sûrement pas autant que moi, dit-il en se levant. Si c'est ce que tu veux, je ne peux te prendre de force, mais je ne cesserai pas de t'aimer.

— Je sais que ça peux sonner faux à tes oreilles, mais je suis persuadée que tu arriveras à m'oublier.

Il demeura silencieux et se laissa conduire à la porte. Passant un doigt sous ses yeux vitreux il lui dit qu'elle pouvait garder les fleurs. Sur le pas de la porte il se retourna et la regarda quelques secondes et se pencha sur elle. Samantha se laissa embrasser, mais lorsque son baiser devint plus insistant, elle se dégagea.

— Tu ne m'as pas répondu. As-tu rencontré un autre homme?

— Il me semble que je t'ai expliqué la raison de notre rupture et...

— Oui et si tu crois que c'est une raison suffisante pour terminer une relation, je me vois dans l'obligation de te croire. Cependant tu pourrais tout de même avoir connu quelqu'un. Est-ce le cas?

Samantha se contenta d'abord de le regarder. Sur ses lèvres se dessina un sourire sans joie.

— Arrête, Robert!

— Tu sais, j'y suis allé dans la dernière semaine, mais je t'ai manquée risqua-t-il devant son silence.

— Oui, j'ai su. Le réceptionniste m'en a informée, crut-elle bon de préciser, et je suis navrée que tu te sois déplacé pour rien.

— Alors? insista-t-il.

— Robert, notre relation est maintenant chose du passé et je ne crois pas qu'il soit bon de revenir là-dessus.

— Chose du passé? Tu veux dire que tu as effectivement rencontré quelqu'un et que c'est déjà terminé? demanda-t-il plein d'espoir.

— Je t'en prie. Tu vois comment tu es? Tu interprètes jalousement tout ce que j'affirme. Ce n'est pas ce que j'ai voulu dire, ça n'a rien à voir. De toute façon, peu importe ce qui se passe ou se passera dans ma vie, je ne crois pas que cela te concerne à présent ajouta-elle après une courte pause. Restons amis si tu veux, c'est tout.

Lorsqu'il se retrouva dans sa voiture, triste de cette nouvelle rupture et désolé qu'elle n'ait pas vu sa nouvelle acquisition, Robert se dit que bien qu'elle n'ait rien confirmé, il était persuadé qu'il y avait eu quelqu'un et qu'il existait peut-être encore. Il ne savait pourquoi, il en avait senti la présence dans le cœur de Samantha. Plutôt, il le devinait au comportement indifférent qu'elle lui avait démontré. Elle était si triste la dernière fois qu'ils s'étaient vus. Un si grand changement vis à vis de ses sentiments ne pouvait s'être opéré depuis...

Du moins, il en doutait. Mais il était décidé à la reconquérir. Il tiendrait ses promesses et ses résolutions et il finirait par regagner son amour. Un jour elle oublierait l'autre, si vraiment il existait, et lui reviendrait.

Samantha s'allongea sur une causeuse et la figure dans ses bras croisées, elle laissa couler ses larmes amères. Elle ne savait plus si c'était des larmes de tristesse ou de soulagement. Bien qu'elle n'éprouvât plus d'amour pour Robert, elle l'avait tout de même déjà aimé et il n'était pas une mauvaise personne au fond. Sa colère était disparue et elle détestait lui faire du mal. Mais elle ne reviendrait plus dans ses bras, même si pour elle et Marc-Alec ça ne devait plus fonctionner.

Cependant, se raisonna Samantha, ses larmes coulaient davantage de soulagement, car elle avait tellement craint ses réactions surtout depuis qu'elle savait qu'il était venu pour la retrouver à San Francisco. Et à sa surprise, il n'avait pratiquement rien mentionné à ce sujet.

Elle sécha finalement ses joues du bout des doigts et son regard tomba sur l'appareil téléphonique près d'elle. Elle n'en pouvait vraiment plus.

— Samantha quelle bonne surprise! s'exclama la voix au téléphone. J'en connais un qui sera heureux dit Pierre après s'être informé d'elle. Je suis content que la secrétaire ait dû partir tôt sinon je n'aurais pas pu te parler. Il faudra que tu viennes nous voir bientôt.

— Oui j'aimerais bien, tu peux en être sûr.

— Bon, assez bavardé. Tu dois avoir hâte de parler à ton cher Marc et j'ai encore un peu de travail à faire avant de quitter le bureau.

— Pierre, ne lui dit pas que c'est moi qui appelle.

— Ne t'inquiète pas. Je te laisse lui faire la surprise. Au revoir.

Pierre pressa le bouton de l'appareil qui guidera sa voix dans le bureau de son cousin.

— Oui ? fit une voix dans un soupir.

— Ligne deux pour toi.

— Merci, je la prends dit-il sur un ton soucieux sans demander de détails.

— Marc-Alec Fortin à l'appareil.

— Bonjour Marc-Alec Fortin.

Un sourire illumina son visage. Après cette dure journée qui semblait ne plus vouloir se terminer, cette merveilleuse surprise tombait bien.

— Sam, mon amour ! Enfin tu donnes signe de vie.

— Marc, mon chéri nous nous sommes parlé hier !

— Oui, mais tu me manques tellement.

— Je m'ennuie de toi aussi, si tu savais à quel point.

Ils bavardèrent longuement. Samantha lui avoua être libre de toute attache avec Robert Junior. Bien qu'elle eut trouvé difficile de devoir lui faire comprendre à nouveau son désir de rompre, elle lui révéla qu'elle avait été surprise par une quelconque aisance à le faire puisqu'il n'avait pas vraiment opposé de résistance, ni fait aucune scène.

— C'est dommage pour lui, car je crois que cette fois il avait bien réfléchi et semblait déterminé à ce que ça fonctionne nous deux. Il agissait de façon très calme et…

— Serais-tu en train de me dire que tu regrettes de l'avoir balancé? demanda le jeune homme en feignant l'inquiétude.

— Pas vraiment, peut-être, je ne sais plus. Il pourrait me servir de désennui en attendant qu'on se revoie, plaisanta-t-elle.

— T'es pas possible!

Après encore quelques brefs échanges et l'ébauche d'une promesse de Marc-Alec de se libérer bientôt, ils se promirent de se rappeler et raccrochèrent.

Entendre la voix de celui qu'elle aimait acheva de la rassurer. Mais une fois le téléphone raccroché, elle ressentit un immense vide. La main toujours sur l'écouteur, elle rêvait, éveillée, à leur prochaine rencontre. Elle avait tellement hâte de le revoir, de se blottir dans ses bras. Et cette fois, ça serait encore plus merveilleux, car elle se savait entièrement libérée, la conscience tranquille.

La jeune femme se leva enfin de la causeuse et se dirigea vers sa chambre. En se préparant à faire une sieste avant de se rendre à l'hôpital pour son premier jour de travail après ses vacances, Samantha réalisa qu'elle avait hâte de revoir ses compagnes de travail et de soigner les petits malades qui l'attendaient.

******

En ce lundi soir, elle entrait dans son appartement fatiguée, mais satisfaite de sa journée de congé bien méritée. Ses photos de voyages en main, Samantha avait enfin pu se libérer plus longuement et était allée les montrer à sa mère. Restée chez elle à profiter de la piscine et à se prélasser au soleil très chaud de ce mois de juin, elle avait passé du bon temps avec sa mère.

À la fin de la journée, les deux femmes encore seules, madame Cartier avait invité sa fille au restaurant où elles avaient bavardé et plaisanté telles deux bonnes amies. Elles étaient revenues ensuite à la maison maternelle que Samantha quitta peu de temps après, se découvrant une fatigue soudaine.

Il y avait plus de trois semaines que Samantha était revenue et elle s'occupait du mieux qu'elle pouvait pour ne pas trop penser à son bien-aimé qu'elle n'avait pu voir encore. Bien qu'ils se parlaient assez souvent au téléphone, la jeune femme avait besoin de se divertir et de travailler pour tromper son ennui de lui.

Et elle y arrivait sans trop de mal. Elle se faisait ajouter des journées supplémentaires à son horaire, sortait avec des amies, dont Élisabeth, et venait chez sa mère assez régulièrement.

La mère de Samantha n'ignorait pas l'issue des relations de sa fille avec le jeune pédiatre. Bien qu'elle en fut déçue au début, car elle aimait bien le jeune homme, elle trouvait sa fille davantage sereine qu'avant son départ aux États-Unis et avait fini par accepter les problèmes qui les séparaient.

Décidant de s'asseoir pour quelque temps sur le perron, de l'autre côté de la porte vitrée, Samantha repensa à la réaction de sa mère lorsqu'elle lui avait finalement avoué, sur son insistance, son escapade californienne, seule avec Marc ainsi que les sentiments qui les unissaient. D'abord surprise de ces amours si rapides pour elle, elle avait convenu au fil des jours que sa fille semblait réellement heureuse.

Le soleil venait de se coucher et la pénombre s'installait. L'air était bon et frais sur sa peau. Les couleurs magnifiques du coucher s'estompaient peu à peu. Elle buvait une tisane citronnée puis rejoindrait ensuite son lit. Elle recommençait à travailler le lendemain soir pour quelques nuits en ligne et avait quelques courses à effectuer durant l'après-midi. Elle ne devait donc pas être trop fatiguée.

Elle avait passé près de demander congé la fin de semaine qui venait de passer, car Marc avait annoncé sa visite, mais à sa grande tristesse, il avait dû la remettre pour se rendre chez un client dans le Maine qui possédait plusieurs commerces et n'était disponible que ces journées-là. S'il ne pouvait venir la prochaine fin de semaine, elle donnerait sa disponibilité pour travailler à l'hôpital.

Sans qu'il ne lui ait rien promis, elle espérait que cette fois s'avérerait la bonne. Elle refusait de penser qu'il en serait toujours ainsi.

La jeune femme but encore sa tisane puis bavarda un moment avec une voisine qui arrivait en bas. Le soleil à présent couché, la noirceur s'était installée et elle s'apprêta à entrer.

La sonnerie du téléphone retentit et Samantha regarda machinalement sa montre en se levant de sa chaise, se demandant qui voulait lui parler à cette heure tardive, sinon sa mère qui avait peut-être oublié de lui dire quelque chose.

— Bonsoir mademoiselle. Si Samantha Cartier est dans les parages pouvez-vous lui dire que je l'aime et que je m'ennuie?

La jeune femme sourit à cette question et surtout à cette voix qui lui manquait tant.

— C'est elle-même qui vous parle monsieur. Vous pouvez donc lui répéter, car elle n'est pas certaine d'avoir bien compris.

— Je t'aime et je m'ennuie Sam. Si je ne pouvais pas me libérer bientôt, je crois que je te ferais enlever.

— T'es fou, dit-elle en riant.

— Mais rassure-toi, je n'aurai pas à le faire, car si tu veux toujours de moi, même après que je t'aie fais tant de peine, je viendrai la prochaine fin de semaine, c'est promis. J'ai terminé un dossier urgent et je peux m'accorder enfin quelques jours de congé. J'ai vraiment besoin de te voir, mon amour. J'arriverai en avion pour être auprès de toi le plus vite possible.

Samantha avait pleuré de joie.

******

Le vendredi suivant, Samantha attendait à l'aéroport de Dorval. On venait d'annoncer l'atterrissage de l'avion dans lequel se trouvait Marc-Alec. C'était la fin de l'avant-midi et en regardant sa montre, la jeune femme constata que l'avion était à l'heure. Elle était tout excitée. Près d'un mois s'était écoulé depuis qu'ils s'étaient vus.

Samantha trouvait difficile de tenir en place. Elle avait trouvé la semaine si longue. Son amoureux venait pour la fin de semaine. Après avoir rattrapé le retard et mis à jour des dossiers qui ne cessaient de rentrer, il pouvait s'accorder une fin de semaine complète, et un peu plus même, de répit. Elle songea que dorénavant ils se verraient probablement plus souvent.

Mais ce qui comptait pour le moment c'était aujourd'hui. C'était cette fin de semaine merveilleuse qui les attendait. Les gens commençaient à franchir les portes avec leurs valises. Samantha attendait en s'efforçant d'afficher une certaine contenance. Elle n'arrivait pas à croire qu'il serait bientôt là, qu'elle se blottirait dans ses bras et qu'ils s'embrasseraient à nouveau.

D'autres personnes sortaient et Samantha attendait toujours sans pouvoir voir de l'autre côté des portes. Les gens autour d'elle commençaient à se dissiper partant avec ceux et celles qu'ils étaient venus chercher.

Des questions commençaient à fuser dans sa tête. Inquiète, elle se dirigea vers les ordinateurs pour vérifier si c'était le bon numéro de vol, la bonne compagnie aérienne qui venait d'atterrir. L'appareil venait-il de Québec ? Les yeux toujours fixés à l'écran, elle regardait défiler les numéros de vol.

Une main lui toucha l'épaule. Elle se retourna pour vérifier qui l'avait accroché. Mais c'était lui. Il était là, plus beau que dans ses souvenirs et des larmes piquèrent ses yeux déjà brillants.

Sans un mot, Marc-Alec la prit contre lui et l'étreignit longtemps. Ils demeurèrent ainsi quelques minutes, incapables de dire quoi que ce soit.

En chemin, le voyageur lui expliqua qu'il avait mis du temps à retrouver sa valise qui n'arrivait pas sur le tapis roulant.

Elle avoua que l'idée d'aller manger au restaurant lui avait traversé l'esprit, mais qu'elle avait plutôt opté pour un léger dîner fait maison où ils seraient seuls, en tête à tête, ainsi que tout le reste de la journée.

En entrant dans l'appartement, Marc-Alec laissa tomber sa valise à ses pieds et enlaça Samantha. Il l'embrassa doucement d'abord puis de plus en plus avidement. Répondant à ses avances, Samantha lui avoua encore qu'il lui avait atrocement manqué.

Il promenait ses mains sur son dos à demi dénudé par une camisole au col très évasé pendant qu'elle glissait les siennes sous son chandail sport bleu.

Leurs soupirs résonnaient doucement dans les oreilles de l'autre et si leurs lèvres se laissaient pour errer dans un cou ou sur des épaules, elles se recherchaient peu après. Samantha se dégagea progressivement et invita son ami.

— Viens, je vais te faire visiter mon appartement.

— D'accord, commençons par ta chambre, répondit-il un peu haletant.

Il se savait incapable d'attendre plus longtemps de la prendre, de sentir sa peau nue contre la sienne. Son désir d'elle avait atteint des sommets qu'il ne soupçonnait plus.

— J'avais plutôt songé à la cuisine, dit-elle pour le taquiner encore.

— Tu ne peux pas me faire ça Sam, dit-il en la soulevant. Pas après un mois. Alors, où se trouve cette magnifique chambre?

Sans rien dire, elle le regarda de ses yeux pétillants et du doigt lui indiqua le chemin de sa chambre à coucher. Ils savaient tous deux qu'elle en avait envie autant que lui.

Marc la déposa doucement dans le milieu du lit double et enleva son chandail qu'il lança sur la chaise dans un coin de la pièce. Puis il s'étendit près d'elle en soupirant.

Après leurs ébats, ils restaient sur le dos, la main dans la main dans une communion silencieuse lorsque Samantha fit mine de se lever en mentionnant qu'elle avait faim. Marc-Alec la regarda ramasser ses vêtements puis l'interpella.

— Avant que nous mangions, j'aimerais t'offrir une petite surprise. Tu veux prendre le paquet qui se trouve dans le sac blanc à l'intérieur de ma valise?

Lui jetant un regard intrigué, voulant signifier encore une fois qu'il n'aurait pas dû, Samantha se dirigea vers la dite valise en enfilant le chandail de Marc-Alec. Elle trouva le sac en question et le ramena à sa chambre pour l'ouvrir.

Ayant revêtu son pantalon, le jeune homme attendait sa réaction assis sur le lit.

Samantha avait déchiré le papier d'emballage du paquet qui se trouvait dans le sac. Elle fut émue aux larmes en reconnaissant le kimono bleu qui avait fait l'objet de leur première dispute dans le quartier chinois de San Francisco.

— Tu es allé l'acheter quand même vilain garnement!

— Je savais que tu l'aimais beaucoup. En plus, il est fait pour toi; je ne pouvais pas le laisser là! J'ai demandé à la vendeuse de me le mettre de côté et j'y suis retourné le lendemain puisque j'avais deviné, avec un heureux pressentiment, ce que nous deviendrions l'un pour l'autre. J'ai oublié de te le donner avant de partir de San Francisco. J'espère que tu n'es pas trop fâchée!

L'enfilant par-dessus son chandail, Samantha l'écoutait parler en se remémorant leur petite dispute comme si elle s'était passée la veille. Ses yeux brillaient et Marc avait vu juste en retournant le chercher, lui qui avait craint, un peu, qu'elle ne s'irrite.

Elle tourbillonna un peu devant lui puis se jeta à son cou. Elle s'éloigna un peu de lui afin de lui exprimer sa gratitude.

— Tu sais que tu es fou?, mais tu es aussi un amour. Non, je ne suis pas en colère contre toi. Tu sais que je regrettais presque de ne pas m'être laissée convaincre à l'occasion dont cette fois-là. Mais je détestais cette impression de profiter de ton argent. Je n'ai jamais été si gâtée par un gars et à présent, je comprends que l'argent n'a rien à voir entre nous. Je t'aime, mon Marc chéri. Merci. Merci beaucoup.

Toujours assis sur le rebord du lit, il l'attira à lui et l'embrassa tendrement en lui cernant la taille de ses bras. Il lui fut reconnaissant de bannir ce sentiment de profiteuse qui l'avait hantée alors et de comprendre qu'il ne souhaitait aucunement la faire se sentir ainsi en lui procurant des gâteries qu'elle ne pouvait s'offrir. Cependant Marc-Alec apprécia qu'elle ne le considère pas comme son porte-monnaie comme d'autres avant elle avait si maladroitement, ou habilement selon le cas, su le faire.

La fin de semaine fut pour eux remplie de moments de bonheur et d'extase, mais s'écoula rapidement. L'heure des adieux fut bientôt arrivée, mais Marc promit que l'attente de leur prochain rendez-vous ne serait pas aussi longue et qu'ils pourraient se retrouver d'une façon un peu plus régulière. Après avoir regardé décoller l'avion ce lundi matin, Samantha retourna chez elle où la routine reprit aussitôt sa place.

******

Elle signa son dernier dossier et le rangea avec les autres. La nuit l'avait tenue très occupée, mais les dernières minutes arrivaient et elle n'était pas fâchée. C'était sa dernière nuit de travail. Et elle se disait épuisée, car il y avait eu beaucoup de travail toute la semaine. Et ses compagnes de travail étaient du même avis.

Depuis son retour de San Francisco, elle avait travaillé énormément et s'était permis rarement plus de deux jours de congé consécutifs saufs les fois où l'homme de sa vie lui rendait visite. Elle avait pris la décision de faire du temps supplémentaire pour s'occuper et ne pas voir le temps passer entre les visites de son amoureux, mais surtout parce qu'elle souhaitait s'acheter une voiture neuve. En effet, celle qu'elle possédait prenait de l'âge et nécessitait de plus en plus de réparations.

Mais cette fois, elle prenait un repos mérité de quatre jours. Et Samantha les passerait dans la vieille capitale. C'était maintenant son tour de se rendre dans la vieille ville. Quatre jours avec lui puisqu'il pouvait se libérer également le lundi, songea-t-elle en se rendant dans la salle du personnel pour prendre son sac à main. Il avait travaillé, la semaine dernière, au congé de la fête du travail pour pouvoir se libérer pendant la fin de semaine de congé de Samantha. Depuis la Californie, cette fin de semaine consistait en la plus longue de celles dont ils avaient pu profiter ensemble.

Elle prendrait l'autobus pour Québec peu de temps après son travail puisqu'il devenait risqué d'utiliser sa voiture sur de grandes distances. Elle en profiterait pour y dormir un peu. Marc-Alec avait promis d'aller la chercher au terminus. Il avait aussi insisté pour qu'elle ne prenne qu'un billet aller-simple. Elle prendrait l'avion, qu'il tenait à lui payer, le lundi soir pour son retour. Ce dernier serait plus confortable et plus rapide, donc le voyage moins fatigant et le week-end plus long pour eux.

À la sortie de l'hôpital, Samantha salua ses compagnes qui étaient descendues avec elle. Les clés à la main, elle se dirigea vers sa petite voiture qu'elle laisserait dans le stationnement de la gare d'autobus. Elle n'avait pas besoin de retourner chez elle, puisqu'elle avait apporté ses effets dans la valise de son auto.

Un vent frais souffla sur son visage et elle remonta le collet de sa veste. Septembre, succédant à un été passablement chaud, contrastait par ses journées froides, venteuses et pluvieuses. Malgré que le dernier mois de l'été ne fût encore qu'à ses débuts, on n'avait vu depuis les derniers jours du mois d'août, de journée ensoleillée. Ce matin le soleil se cachait encore derrière les nuages, mais il faisait soleil dans son cœur. Après avoir franchi une rangée d'automobiles, Samantha s'arrêta à mi-chemin de son véhicule. Un visiteur l'attendait.

Elle fixa le jeune homme appuyé sur le pare-choc arrière de l'automobile. Le soleil sortit de sa cachette un moment, mais le vent frais persistait et faisait flotter ses courtes mèches de cheveux blonds. Vêtu d'un survêtement de sport bleu et vert, il patientait, les bras croisés sur sa poitrine. Il semblait sourire, mais d'où elle était, Samantha ne pouvait le jurer.

Elle se remit finalement à marcher, mais lentement. Du moins plus lentement qu'avant de l'apercevoir, sûrement pour se donner une contenance. Elle supposa qu'il l'avait vue sortir et que ses yeux ne la quittaient plus depuis cet instant. Elle arriva bientôt à sa hauteur.

— Bonjour, en quoi ma voiture a-t-elle l'honneur de ta visite? questionna-t-elle pince-sans-rire.

Il sourit faiblement à cette question. Il décroisa ses bras et délaissa l'auto. Il fit un pas vers Samantha qui avait laissé une distance raisonnable entre eux.

— Parce que c'est toi sa propriétaire et que je souhaitais te voir poursuivit-il dans le même ordre d'idées.

Samantha le contourna, déverrouilla la portière et mit son sac à l'intérieur du véhicule puis regarda Robert toujours planté derrière la voiture. La jeune femme reconnut l'odeur de son eau de toilette au passage. Elle le trouvait toujours d'une beauté remarquable, mais son cœur ne battait plus pour lui malgré l'effet qu'il désirait visiblement lui faire.

— À quel sujet souhaites-tu voir sa propriétaire? demanda-t-elle en s'appuyant sur la portière ouverte, prête à monter dans la voiture.

Samantha ne riait pas. Son ton ferme indiquait qu'il devait faire vite. S'il avait compris, Robert fit mine de rien puisqu'il ne répondit pas tout de suite. Il la fixait en se demandant encore une fois pourquoi il avait tout fait pour la perdre. Il poussa un soupir puis s'avança vers elle.

— J'aimerais te parler. Pouvons-nous aller déjeuner quelque part ? demanda-t-il enfin.

Samantha émit un faible soupir que Robert ne sembla pas remarquer. Il tombait très mal. Elle n'avait pas le temps d'aller où que ce soit. Elle avait un autobus à prendre pour partir rejoindre celui à qui elle pensait jour et nuit.

— Une autre fois... peut-être. Aujourd'hui je n'ai pas le temps. C'était ma dernière nuit de travail et je pars pour quelque temps à Québec.

— Tu pars seule ? Tu vas rejoindre quelqu'un ?

— Écoute Robert, nous ne sommes plus ensemble et je n'ai pas de compte à te rendre. Tu mènes ta vie à ta guise et je fais la mienne comme je l'entends.

— Ce n'était pas un interrogatoire, mais juste une question comme ça. Tu es trop sur la défensive. Détends-toi, je ne voulais t'accuser de rien.

— Je ne suis pas sur la défensive. Je veux juste que nous fassions notre vie chacun de notre côté sans avoir à nous justifier. Et c'est valable aussi pour moi. Maintenant si tu veux m'excuser, je suis fatiguée et je dois y aller. Si le sujet dont tu désires m'entretenir te semble important, tu peux m'appeler un de ces jours et nous en parlerons, conclut-elle, en se penchant vers l'intérieur de son véhicule et espérant ainsi clore la discussion.

— Je le considère important, mais si tu es réellement pressée, en effet ça peut attendre. Mais pas trop… Je te recontacterai, dit-il en s'éloignant pour qu'elle puisse reculer avec sa voiture.

Elle fut surprise et soulagée qu'il n'insiste pas, car après tout il s'était déplacé jusqu'à l'hôpital pour la voir. Robert la salua sans s'opposer et la regarda quitter le stationnement fier de lui. Il la savait déstabilisée qu'il n'ait pas insisté. Et il était persuadé qu'elle avait reconnu le parfum qu'elle aimait tant. C'est elle qui lui avait fait découvrir. Il avait eu le temps de voir son visage changer alors qu'elle passait près de lui. C'était un premier pas vers sa réussite pour la reconquérir.

Cependant le doute qu'elle avait rencontré quelqu'un pendant son voyage le reprit. S'imaginant un nouveau scénario, il se disait qu'il pouvait bien venir de Québec et que c'était lui qu'elle allait revoir. Sûrement, se disait-il encore, car à moins d'aller s'amuser avec des amies, elle n'avait aucune autre raison de se rendre à Québec puisqu'elle ne connaissait personne là-bas. Du moins pas avant de faire ce fameux voyage. Il finirait bien par connaître la raison de cette visite, par savoir si elle fréquentait un autre homme.

Lorsque la petite Fiesta fut hors de sa vue, il se dirigea vers sa Porsche, sa fierté, qu'il n'avait pu encore lui faire partager. Un jour prochain, il lui montrerait. Elle y monterait même, car elle lui reviendrait. Il le pressentait, il le fallait pourtant. Et ce jour-là, il sera comblé. La femme de sa vie se trouverait à ses côtés dans la voiture de ses rêves.

******

Par la fenêtre, Samantha regardait défiler le paysage et les quelques maisons qui se trouvaient à l'occasion non loin de l'autoroute. Elle repensa à la visite inattendue de Robert ce matin-là.

Elle n'avait pas eu de nouvelles de lui depuis la journée qu'elle lui avait annoncé officiellement leur rupture. Cette irruption soudaine de Robert l'avait laissée un peu mal à l'aise. Samantha, qui pensait que celui-ci s'était résolu à l'oublier, se demandait pour quelle raison il revenait dans sa vie après cette absence de plusieurs semaines. Pensait-il qu'elle s'était finalement ennuyée de lui ? Il se trompait.

Elle remarqua qu'il avait été facile de l'éconduire, mais il avait probablement agi ainsi dans le but de lui plaire, de lui démontrer qu'il était prêt à respecter ses engagements. Ses efforts resteraient vains pourtant. Lui et elle resteraient de l'histoire ancienne.

Elle espérait qu'il ne renouvelle pas sans cesse ces visites surprises. Elle souhaitait tant vivre pleinement et heureusement son amour avec Marc sans l'ombre de Robert derrière eux. Mais sans doute la contacterait-il au moins une autre fois puisqu'il souhaitait discuter avec elle. Mais pour le moment, se raisonna-t-elle, il ne fallait pas y penser. Dans peu de temps, les bras de son cher Marc-Alec seraient autour d'elle et une magnifique fin de semaine qu'il avait si agréablement planifiée les attendait. Elle avait si hâte et n'allait pas la gâcher en lui mentionnant la visite inattendue de son ex petit ami.

Marc-Alec. L'image de celui-ci lui apparut clairement dans sa tête et eut pour effet de l'apaiser. D'une façon instantanée, ses pensées se détournèrent complètement de Robert pour se concentrer sur lui.

Depuis sa première visite, il avait tenu parole et était revenu à quelques reprises. Ils s'étaient promenés dans Montréal. Ils avaient visité des musées, des expositions. Les amoureux avaient également assisté à différents spectacles qu'offraient les festivals d'été. Ils avaient aussi profité d'une autre fin de semaine pour aller marcher, main dans la main, dans les rues du Vieux-Montréal où Marc leur avait payé une promenade inoubliable en calèche. Cette journée-là, ils l'avaient terminée par un souper romantique sur la terrasse d'un restaurant de la Place Jacques-Cartier.

Et surtout ils s'étaient aimés pour tous les jours qu'ils ne le pouvaient pas. Samantha conservait de ces fins de semaines des souvenirs inoubliables. Elle était tellement amoureuse et n'ignorait pas tout l'amour que Marc-Alec lui portait également. Maintenant c'était son tour de se rendre dans la vieille capitale. Elle se rendait chez lui pour la première fois. La jeune femme avait très hâte de voir l'univers quotidien de celui qu'elle aimait tant.

Son regard vague revint peu à peu à la réalité qui se déroulait devant lui. Constatant que l'autobus n'avait pas encore fait la moitié du trajet, elle se dit qu'il lui restait amplement de temps pour faire une sieste avant leur arrivée prévue pour midi. Soudain lasse, elle se cala dans le fauteuil confortable qu'elle venait d'incliner puis ferma les yeux. Elle s'endormit presque aussitôt, l'image de son amant tournoyant encore dans sa tête.

Elle l'aperçut dès que l'autobus s'engagea dans sa rampe de stationnement. De l'autre côté de l'immense vitre, il attendait que le véhicule soit presque immobile avant de sortir de l'établissement. Il avait travaillé tout l'avant-midi et venait directement de son bureau. Il portait un complet gris perle ainsi qu'une chemise blanche. Samantha le vit défaire sa cravate et l'insérer dans une de ses poches de pantalon. Ses yeux le perdirent dans la foule quelques secondes puis le retrouvèrent alors qu'il surgissait à l'extérieur du terminus, ses lunettes fumées perchées sur le dessus de sa tête. Son cœur bondit. Elle se trouvait chanceuse que ce beau jeune homme soit venue expressément pour elle.

La température s'était réchauffée. Les nuages avaient disparu et le soleil dardait ses rayons du mieux qu'il pouvait. Il fixait la descente d'escalier en tenant son veston sur l'épaule.

Samantha suivait la filée de gens dans la rangée qui longeait les bancs, un bagage à main en bandoulière sur son épaule. Aussitôt qu'elle mit pied à terre, elle s'empressa de se blottir dans les bras de Marc-Alec qui l'accueillit tendrement aussi heureux qu'elle.

« *Il leur restait plus de trois jours ensemble! Puissent-ils s'éterniser!* » songea Samantha en montant dans la BMW noire de Marc-Alec. Elle avait déjà oublié la visite surprise de Robert et le malaise qu'elle avait suscité et ne se doutait évidemment pas qu'elle amènerait des suites si rapidement.

Chapitre 20

La soirée de Robert

L'homme qu'il vit dans le miroir le fit sourire de satisfaction. Il déposa son peigne sur la tablette où reposaient ses effets de toilette et ajusta une dernière fois sa cravate dont les deux tons de bleu se mariaient parfaitement à la couleur de ses yeux. Son complet gris anthracite et sa chemise blanche lui seyaient admirablement et il trouvait ses cheveux vraiment bien réussis.

Aujourd'hui était un jour spécial. Comme c'était la tradition chez les Doyon, qui pratiquaient la médecine depuis quatre générations, on organisait une grande célébration lorsqu'un des leurs recevait son diplôme. Et ce soir, c'était son tour de se faire fêter. Plusieurs mois s'étaient écoulés depuis qu'il l'avait reçu, mais il avait été difficile de pouvoir réunir tout le monde pour cette soirée extraordinaire. Ses parents avaient donc décidé d'attendre son anniversaire de naissance et célébrer les deux en même temps.

En ce troisième samedi d'octobre, journée même de son anniversaire, il serait celui sur qui tous et chacun porteraient leur attention. Il devait être digne de la tradition. Il devait être le plus beau, le plus remarqué et surtout le plus fier. C'est pourquoi son reflet devait le satisfaire pleinement.

Pourtant quelqu'un manquait afin que son bonheur soit total, songea-t-il en soupirant. Robert se souvint de sa brève discussion avec Samantha quelques semaines auparavant dans le stationnement de l'hôpital. Il souhaitait lui parler de cette soirée spéciale prévue pour lui depuis longtemps déjà. Il prévoyait l'inviter, la voulait à son bras. Il avait attendu ce vendredi-là, près de la voiture de Samantha jusqu'à ce qu'elle termine son travail. Mais elle n'avait pas voulu discuter avec lui et il l'avait laissée tranquillement repartir, espérant que l'occasion se prête très prochainement.

Avant ce court entretien, il l'avait laissée tranquille quelques semaines depuis leur rupture définitive, espérant qu'elle finirait par s'ennuyer de lui, par comprendre qu'il était réellement prêt à lui laisser une certaine liberté. Il avait bien constaté qu'apparemment elle n'était pas encore disposée à lui revenir. Mais il ne s'avouerait pas vaincu, pas maintenant.

******

Se brossant les dents, le jeune médecin se remémora ensuite le retour de Québec de Samantha, le lundi de cette même fin de semaine. Il l'avait attendue toute la soirée. Entrée chez elle peu avant minuit, elle avait déposé son bagage sur une causeuse, allumé et tamisé la lampe sur pied installée dans un coin du salon, mis ses clés sur la table, située entre les fauteuils et s'était dirigée vers le répondeur qui clignotait sur le comptoir de la cuisine. Samantha avait appuyé sur le bouton afin d'entendre ceux qui lui avaient téléphoné pendant son absence. La boîte affirmait qu'il y avait quatre nouveaux messages.

— Salut, c'est Élisabeth annonçait le premier message. J'ai pu me procurer des billets pour une première de film jeudi prochain. Je t'invite. J'attends de tes nouvelles aujourd'hui, si tu reviens assez tôt, ou demain. Bye!

— Salut c'est moi, enchaînait une voix masculine, je voulais être certain que tu t'étais bien rendue alors rappelle-moi dès ton arrivée.

— C'est encore moi disait la même voix. J'ai oublié de te dire que j'ai passé un très agréable week-end et tu me manques déjà. J'attends toujours ton appel.

Samantha souriait béatement, manifestement rêveuse. Son sourire s'effaça cependant en entendant le message suivant.

— Bonsoir ma colombe, n'oublie pas que tu m'as promis un entretien. J'aimerais beaucoup te parler le plus rapidement possible: c'est vraiment important.

— Que dirais-tu de maintenant ? Avait-il demandé derrière elle en sortant de l'ombre.

Elle avait sursauté et s'était retournée, la main sur sa poitrine.

— Robert ? Que fais-tu ici et à cette heure ? Tu m'as fais peur ! Ce n'est pas très malin, tu sais !

— Je sais. Je suis désolé. Pardonne-moi, mais il fallait que je te voie et j'ignorais que tu arriverais si tard, avait-il expliqué en s'avançant lentement vers elle.

— Et co... comment, avait-elle commencé en bégayant, le cœur encore palpitant.

— Comment je suis entré ? Tu te souviens du double de ta clé que tu m'as tant de fois demandé de te remettre avait-il enchaîné sur son hochement de la tête en lui exhibant l'objet. J'oubliais chaque fois, sincèrement. À un tel point que cette clé m'est complètement sortie de la tête jusqu'à aujourd'hui.

Samantha, reculée jusqu'au mur au bout du comptoir, ne bougeait plus. Il cessa d'avancer, réalisant à quel point il lui avait réellement flanqué la frousse.

— N'aie pas peur ma colombe, je ne te ferai aucun mal, voyons. Je concède qu'il est tard, mais j'ai pensé que tu arriverais à une heure plus raisonnable. Tu veux qu'on s'assoie sur une causeuse ? Nous serons plus confortables. Je tâcherai d'être bref afin que tu puisses aller au lit plus vite.

Il s'était rendu au salon après avoir déposé la clé sur le comptoir pour lui prouver sa bonne foi. Elle avait paru se détendre et l'avait suivi peu après sans toutefois prendre place à côté de lui. Il lui avait parlé de la soirée que sa famille organisait pour souligner l'obtention de son diplôme et sa réussite, lui affirmant qu'elle en connaissait l'importance puisqu'il avait apporté ce sujet à quelques reprises au cours de leur relation. Il ajouta que cette soirée serait d'autant importante, car ils célèbreraient son anniversaire, qui arrivait à grands pas, en même temps. Il avait terminé son monologue en ajoutant qu'il désirait ardemment qu'elle l'accompagne.

— Je ne te demande pas de me promettre quoi que ce soit quand à l'avenir de notre couple; juste de m'accompagner l'avait-il implorée devant un premier refus.

— Robert, je ne peux pas. Je croyais que j'avais été suffisamment claire en ce qui nous concerne avait-elle fini par déclarer après quelques secondes de silence et un soupir.

— C'est à cause de lui? avait-il demandé en pointant le menton en direction du répondeur. C'est ton nouveau petit ami? C'est sérieux entre vous? L'as-tu rencontré récemment ou lors de ton voyage en Californie? C'est lui que tu es allé voir à Québec?

— ARRÊTE avait-elle crié. Cesse de vouloir toujours tout savoir sur moi. Tu te fais du mal pour rien avait-elle continué sur un ton plus doux.

— Tu t'inquiètes pour moi? Tu m'aimes encore, donc?

— Robert, s'il te plaît! Cesse de tout interpréter à ta manière. Tu sais à quoi t'en tenir en ce qui me concerne. Je n'ai plus rien à te dire. Va-t-en à présent.

— Parce que moi, je t'aime toujours. Énormément. Passionnément.

La prenant par surprise, il avait ignoré sa demande, avait rapidement franchi la courte distance qui les séparait et l'avait enlacée, embrassée sur les joues, les lèvres en continuant ses aveux entre chaque baiser.

— Immensément. Ardemment. Il la sentait bouger pour se défaire de son emprise, mais il la contrôlait bien et poursuivait ses déclarations enfiévrées en l'embrassant. Je brûle d'amour pour toi et je déteste l'idée qu'un autre homme puisse t'aimer, mais je dois me faire à l'idée, n'est-ce pas? Si c'est ce que tu souhaites, je te respecterai. Je te laisserai tranquille. Je souhaite ton bonheur, tu sais?

Les mouvements de Samantha cessèrent lorsqu'il la lâcha. Il s'éloigna légèrement pour la regarder et lui faire comprendre qu'il s'en tiendrait à ce qu'il venait de lui révéler. Samantha douta de sa sincérité, mais espéra qu'il lui reste une parcelle de jugeote.

— C'est vrai? Plus de visites inattendues, plus d'appels insistants, plus de questions?

— Une dernière! J'aimerais bien savoir si quelqu'un a vraiment pris ma place, mais je promets tout de même de ne plus insister. Mais avant que je ne reparte, donne-moi au moins cette nuit, une seule nuit. J'ai tellement besoin de toi.

— Robert, tu ne comprends pas. Je n'ai pas à te donner une nuit en échange de ta promesse. Toi et moi c'est terminé depuis longtemps. Je ne reviendrai pas sur les explications que je t'ai données. Et ce que je fais ne te regarde plus. Pars maintenant, il est tard, avait-elle exigé avec une pointe de colère, après s'être éloignée de lui afin qu'il ne lui prenne pas l'idée de la reprendre dans ses bras. Elle se dirigea vers la porte.

— Quelques heures, alors? Avait-il encore tenté en l'acculant brusquement au pied du mur, fou de désir. Surprise, elle était demeurée pétrifiée un instant. Prenant son immobilité pour un consentement, il l'avait embrassée dans le cou en promenant une main sous la chemise de Samantha, lui caressant douloureusement les seins et la retenant plaquée au mur de l'autre.

— Samantha, ma colombe, mon amour, donne-moi seulement une heure ou deux lui avait-il soufflé en tentant de détacher le jeans de Samantha.

Puis un coup de genou dans les parties l'avait fait plier en deux.

— Ce n'est pas de cette manière que tu vas remonter dans mon estime Robert Doyon. Je ne voulais pas en arriver là, mais tu m'y as obligée. Pars maintenant ou j'appelle la police, avait-elle menacé de la cuisine où elle était accourue, le téléphone à la main.

Il s'était excusé d'avoir agi ainsi. Il avait tant patienté. Elle se trouvait si près de lui et son désir d'elle, si fort, l'avait empêché de réfléchir. Il avait docilement quitté l'appartement en se demandant comment une fille pouvait le rendre misérable à ce point.

******

Revenant au moment présent, Robert se posait encore la question en s'admirant dans le miroir, mais il n'y pouvait rien. Cette fille, il l'avait dans la peau. Samantha n'avait jamais certifié avoir une relation amoureuse avec un autre homme, mais ses soupçons avaient été pratiquement confirmés à la fin de sa journée de travail, la veille. Il avait entendu la mère de Samantha parler à son père de ses projets pour la fin de semaine et glisser dans la conversation qu'elle ne verrait pas sa fille, car elle retournait passer quelques jours chez un ami à Québec.

— UN AMI à Québec ! se répéta-t-il tout bas. Tu parles !

Quand on retourne chez un ami dans une ville aussi éloignée que Québec, cet ami n'est pas juste un ami s'était-il dit alors. Si c'était sérieux entre elle et cet « *ami de Québec* », ça ne le resterait pas longtemps. Ce n'était sûrement qu'une idylle de vacances qui ne tarderait pas à s'émousser. Il serait patient cette fois, sa Samantha chérie lui reviendrait. Il le fallait, car il se voyait totalement incapable de la chasser de sa tête et de son cœur. Elle n'était peut-être pas disposée à le revoir à cause de son imbécilité, mais elle finira par réaliser qu'il l'aimait vraiment.

En attendant, son absence ce soir était vraiment dommage, mais il n'y pouvait rien pour l'instant. Il trouverait bien des idées pour provoquer des rencontres fortuites avec elle, car il voulait respecter sa parole et faire preuve de bonne volonté et amener progressivement Samantha à l'aimer de nouveau. Pour l'heure, il était temps de se rendre à la fête à laquelle il devait briller. Il se fit un clin d'œil et sortit, ramassant les clés de sa Porsche sur le secrétaire dans le hall d'entrée au passage.

La fête était déjà commencée. Le son du piano et des violons sortait par les fenêtres et quelques voitures étaient garées dans la rue, en face de la majestueuse résidence en stuc blanc de ses parents. Lorsqu'il sortit de sa voiture, la fraîcheur de ce soir de fin octobre le happa, mais à l'intérieur, avec tous les invités qu'ils attendaient, il règnerait une chaleur presque suffocante.

Toujours par les fenêtres, qu'on avait heureusement ouvertes, il entendit quelques rires fuser et se hâta de grimper le large escalier de béton, au pied duquel on avait installé une arche de ballons bleus et blancs, afin de rejoindre les autres à l'intérieur. Dans l'entrée, il prit, au passage, une coupe de Champagne parmi celles qui se trouvaient sur le plateau posé sur le petit buffet et sourit à sa mère qui venait vers lui.

Toujours mince malgré ses quatre grossesses, vêtue de sa robe noire sans manche qui lui arrivait aux genoux et pourvue d'une abondante chevelure châtaine à peine grisonnante, Francine Doyon ne faisait pas ses soixante ans. Tout sourire, elle avançait en faisant valser ses rangs de perle sur sa poitrine. Elle embrassa son fils sur les joues et l'invita à rejoindre les autres.

— Je vois que tu t'es servi ! Viens, ton père veut te présenter, dit-elle en l'entraînant vers le petit cercle au milieu de l'immense salon décoré de blanc et d'or. Elle le prit par les épaules et lui assura qu'il était très beau.

— Merci, mais tu ne peux être objective, tu es ma mère.

— Alors nous compterons combien d'invités t'avanceront le même compliment, répliqua-t-elle sûre de ses propos.

— Maman, je t'en prie, fit-il en riant, conscient toutefois, qu'elle avait raison.

Après les salutations d'usage à un médecin, qu'il avait déjà rencontré lors de sa participation à différents congrès, et à son épouse, la dame s'adressa au père de Robert :

— Vous pouvez être fier de votre fils. Il fera un bon médecin et il est très en beauté, ce soir.

— Et de un, murmura Francine à l'oreille de son fils.

Il la regarda du coin de l'œil et prit une gorgée du pétillant breuvage avant de remercier la dame en question qui lui fit ses plus beaux yeux. Blonde aux yeux bruns, elle était ravissante dans sa robe bleu royal au décolleté plongeant. Robert estimait son âge au début de la trentaine. Pour ce qui était de son mari, Robert pouvait dire qu'il était encore séduisant, cependant, ses tempes grisonnantes trahissaient un âge plus avancé et il ne semblait pas s'occuper beaucoup d'elle.

Il fut heureux d'échapper à la blonde qui semblait décider d'entretenir la conversation avec lui, pour aller à la rencontre de ses sœurs qui arrivaient accompagnées de leurs conjoints. Il discutait encore avec l'une d'elle lorsque la blonde apparut à ses côtés, deux coupes dans les mains. Elle lui en tendit une.

— J'ai remarqué que ta coupe était presque vide. Le fêté ne doit manquer de rien.

Il la remercia en prenant la boisson offerte et se tourna vers sa sœur qui prit congé en lui jetant un coup d'œil complice. Mais Robert ne souhaitait pas passer la soirée avec cette femme entreprenante qui devait guetter dans les soirées, chaque mâle susceptible de lui plaire. Devant le silence de Robert, elle l'invita à danser quand l'orchestre engagée entama une valse. Quelques couples s'agglutinaient déjà sur la piste de danse aménagée dans une grande salle attenante au salon. Il n'eut d'autres choix que d'accepter, mais il se promit de lui trouver quelqu'un d'autre pour lui tenir compagnie.

Après la danse, son père lui fit un signe du bord de la piste. Un homme l'accompagnait. Trop content de saisir l'occasion, Robert délaissa sa compagne en s'excusant rapidement et rejoignit les deux hommes.

— Tu te souviens de Monsieur Lacroix?

C'était un très bon ami de son père. S'étant perdus de vue pendant quelques années, monsieur Lacroix et son père s'étaient revus par un heureux hasard, voilà plusieurs mois. L'homme et Robert s'étaient bien entendus dès le départ. Monsieur Doyon le lui avait présenté alors que Robert effectuait une petite visite à ses parents et que l'homme se trouvait chez ces derniers.

Cet homme savait mettre les gens à l'aise et abordait d'intéressants sujets. Ils avaient ainsi conversé aussi facilement que s'ils étaient, aussi, des amis de longue date. Ils s'étaient revus quelques semaines auparavant alors que monsieur Lacroix avait gentiment accepté de leur donner un coup de main lors de l'emménagement de Robert dans son nouvel appartement.

— Bonsoir Robert. Ravi de te revoir et toutes mes félicitations, ajouta-t-il en tendant la main.

Robert lui tendit également la sienne. Il était sincèrement enchanté de revoir cet homme qu'il considérait également comme un ami. Ils s'installèrent dans un des fauteuils loués, qu'on avait mis à la disposition des invités autour de la piste de danse. La conversation entre les trois hommes devenait agréablement animée lorsque madame Doyon interpella son mari. Demeurés seuls, Robert et l'ami de son père continuèrent de bavarder ensemble laissant Robert Sr Doyon seconder sa femme qui supervisait et dirigeait les domestiques.

Ces derniers s'affairaient à dresser et organiser les tables pour le buffet. Robert entendit le rire de la blonde derrière lui, mais n'y prêta pas attention. Voyant les enfants de ses deux sœurs ainées tournoyer autour des tables, pressés de manger, leur sujet de conversation tourna autour de la famille.

— Vous avez des enfants? demanda Robert qui se rendit compte qu'il ne savait pas grand chose sur cet homme.

— J'ai eu une fille qui aurait tout près de vingt-quatre ans aujourd'hui. Il fit une pause avant de poursuivre. Robert se redressa sur son fauteuil s'attendant à une mauvaise nouvelle. Elle est décédée dans un accident d'avion il y a deux ans.

— Je suis désolé, fit-il, épouvanté par la terrible nouvelle.

— On n'a jamais retrouvé son corps. J'ai longtemps refusé de croire à sa mort, mais je me suis aperçu que ça ne servait à rien de m'accrocher sinon de continuer à me faire du mal.

— Je suis désolé répéta Robert ne trouvant rien d'autre à dire. Il se jugeait ridicule, mais les mots ne venaient pas.

— J'ai perdu ma première femme, la mère de ma fille, alors qu'elle était dans la fleur de l'âge. Perdu dans ses pensées, l'homme semblait disposé à se confier. Elle a succombé à un anévrisme au cerveau... et la petite venait de célébrer ses onze ans quelques semaines plus tôt. Trois ans plus tard je me suis remarié. Ma fille n'était pas une enfant rebelle et a très bien accepté ma nouvelle femme. Elle était à l'aise financièrement, mais c'était une femme très gentille et très simple. Nous avons acheté un immense manoir en banlieue de Québec. Nous y avons vécu heureux jusqu'au terrible accident de ma fille. Elle était en voyage en Europe. Je suis tellement descendu bas que ma relation avec ma femme s'est détériorée.

— La perte de son enfant, même devenu grand doit être horrible.

— Effectivement, mais on doit se dire à un moment donné que la vie continue. D'autres ont besoin de nous et ça, je ne voulais pas le voir. J'ai mis trop de temps à comprendre. Mais à présent, je sais que j'ai subi les épreuves que je devais traverser, et que je ne peux rien y changer. J'essaie de sourire à ce que le reste de ma vie a à m'offrir. Il souriait maintenant alors qu'il regardait Robert.

— Tu veux voir la photo de ma fille, Jennifer?

— Bien sûr, affirma-t-il en prenant la photo tendue.

Ses yeux s'agrandirent, il sentit ses jambes ramollir et une chaleur le gagner. Pourtant il devinait son teint pâle. S'il n'avait pas été assis, il serait tombé, assurément. Le père éploré devinait son embarras et lui demanda quel en était la raison. Robert hésita avant de répondre.

— Je ne comprends pas, finit-il par articuler. Cette ressemblance, c'est impossible.

— Quelle ressemblance?

Robert sortit de son porte-monnaie une photo de Samantha qu'il avait toujours en sa possession et la tendit à son compagnon. Il vit l'expression de ce dernier changer rapidement.

— Qui-est-ce? On dirait ma fille. Comment as-tu pu entrer en possession d'une photo de ma fille?

— C'est ma petite amie, Samantha. C'est elle qui me l'a donnée. Elle m'a laissé pour quelque temps afin de prendre un peu de recul et faire le point sur ses sentiments, mais on s'aimait beaucoup. Je suis persuadé qu'elle me reviendra bientôt, mais elle me manque terriblement.

— C'est vraiment étrange cette ressemblance, poursuivit monsieur Lacroix en fixant les deux images qu'il tenait dans ses mains. Tu crois vraiment qu'elle se nomme Samantha? Il y a longtemps que tu la connais?

— Nous étions ensemble depuis deux ans quand on s'est laissés, il y a quelques semaines.

— Deux ans, tu dis? C'est étrange, la disparition de ma fille remonte à deux ans.

— Je ne peux pas croire qu'il s'agit de la même personne, dit Robert en hochant la tête voyant où l'homme voulait en venir. Il sentit un mystérieux malaise s'installer. Elle s'est toujours prénommée Samantha, poursuivit-il comme pour le convaincre. J'ai vu des photos d'elle lorsqu'elle était petite. J'ai rencontré ses parents. Non, c'est sûrement impossible.

— Je suis vraiment perplexe. J'ai peine à croire qu'elles sont réellement deux filles différentes, mais je dois bien te croire. On dirait des jumelles… Si vous êtes faits pour vivre ensemble, elle te reviendra, sois patient, ajouta-t-il après une légère hésitation en se penchant pour lui remettre sa photo, l'air peu convaincu. Il n'avait pas envie de s'obstiner davantage sur ce terrain glissant.

En se relevant, il remarqua la blonde à la robe bleue qui regardait dans leur direction. Il saisit l'occasion de changer de sujet, car la tension et le malaise entre eux étaient devenu palpable.

— La femme avec laquelle tu dansais plus tôt est l'épouse du Dr Pellerin n'est-ce pas? demanda-t-il en fixant la jeune femme.

— Oui, pourquoi? demanda Robert à son tour, gardant son regard sur son interlocuteur, également heureux de parler d'autre chose et de sentir son embarras s'apaiser.

— Elle regarde souvent par ici, l'air de se demander à quel moment tu te libéreras. Elle est gentille, mais son mari la délaisse fréquemment. J'ai l'impression que c'est un mariage de raison. Je les ai rencontrés à plusieurs reprises lors de galas ou de soirées et elle semble s'amuser à flirter presque chaque fois. Et souvent il est un peu plus jeune qu'elle, ajouta-t-il en un demi-sourire en se tournant vers Robert.

— Ouais, mais moi, elle ne m'intéresse pas vraiment. Mais que fait-elle dans la vie à part de tenter de séduire les jeunes hommes.

— Elle possède une agence privée, je crois. Elle recherche des gens disparus, des amis, des membres d'une même famille perdus de vue depuis longtemps, ou file des gens pour obtenir des preuves d'une quelconque culpabilité, selon les demandes.

— En fait elle est détective privé?

— Si on veut.

Son père vint les rejoindre à ce moment leur expliquant que le buffet sera bientôt prêt, mais en attendant, des serveurs circulaient dans la maison en offrant de délicieux canapés en guise d'amuse-gueules. Robert, père, et son ami se mirent à bavarder laissant Robert, fils, songeur.

Ce dernier se risqua enfin à lever les yeux et la vit discuter avec quelques autres invités puis il entendit son rire en cascades se joindre aux autres. Lorsque monsieur Lacroix l'avait aperçue un peu plus tôt, Robert n'avait pas souhaité attirer l'attention de la jeune femme, mais à présent, il avait changé d'avis.

S'excusant auprès des deux hommes, il se leva et alla prendre deux coupes du délicieux Champagne qui trônait encore sur une table à l'entrée. C'était son tour de lui offrir une pleine coupe. Peut-être pourrait-elle lui être utile un jour? Sait-on jamais? Il la vit sourire lorsque leurs regards se croisèrent.

******

Anne-Marie s'étira le bras à la recherche de son sac à main qu'elle avait laissé à côté du lit, quelques heures plus tôt. Elle s'assit sur le rebord du lit et fouilla à l'intérieur. Elle y trouva son paquet de cigarettes et en mit une entre ses lèvres, encore légèrement maquillées de rouge. Elle extirpa également de son sac, son briquet et se leva en quête d'un cendrier.

Le drap glissa lentement sur son corps nu. Elle prit une énorme bouffée de cigarette et se dirigea à la salle de bain.

Elle s'examina en replaçant ses blonds cheveux bouclés avec ses doigts dans un lent mouvement de va et vient. D'un naturel brun, elle les aimait bien en blond. Ses yeux, d'un brun presque noir, aux cils très longs, dominaient son joli visage aux traits délicats. Son regard descendit et s'attarda sur ses petits seins bien fermes dont les pointes encore durcies n'en finissaient plus de subir le désir et l'extase qu'elle avait ressentie un peu plus tôt.

Âgée de près de quarante ans, son beau corps svelte qui n'avait connu aucune grossesse continuait de plaire. Personne ne lui donnait jamais les trente-huit ans qu'elle accusait. Un frisson la parcourut en sortant de la salle de bain quand elle regarda l'homme encore endormi dans le lit. Elle fit violence au désir qui montait en elle et enfila plutôt sa robe bleu royal. Elle attachait les anneaux d'or à ses oreilles lorsqu'un grognement venu du lit la fit se retourner.

— Bonjour dit-elle. Lève-toi mon beau paresseux. Je dois partir ou mon mari trouvera que mes copines et moi fêtons tard.

Robert regarda sa montre. Dehors, la noirceur était toujours installée. Il mit une seconde à réaliser qui était cette femme et ce qui venait de se passer. Il s'habilla en vitesse et alla reconduire Anne-Marie chez elle.

— Nous reverrons-nous? demanda-t-il avant qu'elle ne descende de l'auto. Il détesta cette question. Au fond de lui, il ne voulait aucunement lui donner l'impression qu'il se plaisait en sa compagnie et qu'il désirait vraiment la revoir. Mais il n'avait d'autre choix puisqu'il pressentait avoir prochainement besoin d'elle, même s'il ne savait pas encore précisément de quelle manière elle pourrait l'aider.

— Si tu veux mon beau lapin. Fais-moi signe. Elle fit mine de descendre de la voiture après lui avoir plaqué un rapide baiser sur la joue.

Robert la retint par le bras. Elle jouait à l'indépendante, maintenant! Il aurait voulu la laisser aller, son attitude d'allumeuse qui éteint la flamme aussitôt le dégoûtait, mais il n'avait pas le choix.

— Et comment?

Sans un mot, souriante, elle lui tendit une carte qu'elle prit dans une pochette de sa sacoche.

— À très bientôt mon chéri.

Et elle sortit dans l'air frais du petit matin qui allait bientôt se lever. Robert lut sur la carte:

Anne-Marie Langevin, détective privé:

Recherche active de personnes ou objets dans un but sérieux ou non

Résultats garantis

Suivait un numéro de téléphone. Il rangea la carte dans son porte-monnaie et démarra, satisfait.

Chapitre 21

La privée

Avant d'entrer dans la douce chaleur du petit restaurant où ils s'étaient donné rendez-vous, Samantha crut voir venir un peu plus loin sur le trottoir, quelqu'un dont elle ne souhaitait pas vraiment la présence. Elle frissonna et resserrant son manteau sur elle, Samantha pressa le pas, se hâta d'entrer et de demander à la serveuse qui l'accueillit, une table pour deux personnes.

Remerciant la serveuse qui lui apportait le café qui la distrairait du vent froid de novembre, elle parcourait vaguement le menu offert en songeant à celui qu'elle avait cru apercevoir. Elle venait de terminer son quart de travail et en ce vendredi venteux où la bruine venait de s'installer, elle s'était rendue à pied à l'endroit prévu de leur rencontre. C'est à ce moment que ses yeux lui avaient joué un vilain tour. En prenant une gorgée du chaud breuvage, elle tenta de se rassurer.

— Impossible que ce soit lui; il ne vient jamais par ici, songea-t-elle.

Elle préféra tourner ses pensées vers son bien-aimé. Devant se rendre à San Francisco le lundi et ce pour quelques jours, il en profitait pour passer la fin de semaine chez elle, même si elle devait travailler. Il arrivait directement de chez lui ce matin par le jet privé d'une connaissance et elle lui avait suggéré de la rencontrer à ce petit restaurant, où elle venait déjeuner à l'occasion avec ses copines de travail à la fin de leur quart de nuit.

Ils avaient vécu, comme d'habitude, un weekend idyllique trois semaines auparavant à Québec où elle s'était rendue pour une deuxième fois malgré la culpabilité qui l'avait rongée tout le long de la fin de semaine. Tout comme lorsqu'elle lui avait finalement parlé au téléphone le soir de son retour de sa première visite, elle avait volontairement omis de parler à Marc-Alec de la bouleversante visite de Robert chez elle.

Malgré sa promesse faite à San Francisco, de l'aviser si Robert lui faisait du mal, elle ne voulait en aucun cas l'inquiéter pour le moment. Le fait qu'il se trouvait si loin et l'heure tardive ne se prêtaient pas à ce genre de confidences. Il aurait été aussi perturbé qu'elle, probablement davantage puisqu'il lui était impossible de la prendre dans ses bras pour la rassurer. Comme elle ne lui avait rien mentionné à ce sujet, elle avait préféré ne pas l'aborder non plus pendant leur fin de semaine. Samantha ne désirait pas inquiéter son amoureux.

Sans vouloir se montrer trop naïve, elle espérait que cette fois Robert avait compris. La jeune femme ne pouvait se résoudre à croire qu'il avait changé à ce point et persisterait à se montrer aussi entêté.

Suite au départ de Robert ce fameux soir, elle avait verrouillé sa porte et, appuyée contre celle-ci, avait espéré en pleurant qu'il n'ait pas déjà pris le temps de faire une copie de sa clé chez le serrurier. Après avoir laissé couler ses larmes quelques minutes, elle s'était ressaisie afin que Marc-Alec, qui attendait un signe d'elle, ne remarque pas l'état dans lequel elle se trouvait, lorsqu'ils se parleraient au téléphone.

Entendre sa voix lui avait procuré un bien énorme, mais elle avait évidemment très mal dormi. Ainsi que les nuits suivantes. Comme Robert ne s'était manifesté d'aucune façon depuis cet évènement troublant, la crainte et l'inquiétude qui l'habitaient alors, avaient, au fil des semaines, fait place à un satisfaisant sentiment d'apaisement. Robert ne semblait plus être une menace à son bonheur.

Il avait finalement compris que leur histoire était bel et bien terminée. Samantha avait eu raison d'avoir jugé bon de ne pas en parler à Marc-Alec lors de sa visite à Québec afin de ne pas lui causer de soucis inutiles. Samantha esquissa un sourire. Son tendre amour arriverait bientôt et elle était persuadée de pouvoir enfin l'aimer dans une entière liberté, sans craindre que « l'autre » revienne sans cesse.

Après avoir demandé à la serveuse qui passait entre les tables de lui remplir sa tasse de café, elle tâcha de se concentrer sur la liste des petits déjeuners. La jeune infirmière releva la tête en entendant quelqu'un s'installer en face d'elle.

— Samantha! Je suis heureux de te revoir, fit-il en lui prenant la main.

******

Le taxi avançait lentement dans la file. Trop lentement. Tellement que le client sur la banquette arrière s'impatientait. Il n'avait pas prévu un embouteillage d'une telle ampleur. Sur les trottoirs, la foule progressait plus rapidement qu'eux.

— Il doit y avoir des travaux ou un accident quelconque. Ça coule pas comme dans du beurre, mais ce n'est pas ainsi habituellement expliqua le chauffeur, portant une casquette à l'effigie de son équipe de hockey préférée, à son voyageur.

— Est-il possible de passer ailleurs? Je vais rater mon rendez-vous.

— J'ai bien peur que ça soit ainsi dans tout le quartier, mais je veux bien essayer concéda le conducteur en soulevant sa casquette pour se gratter le dessus de la tête.

Au premier embranchement possible, le taxi tourna, mais un scénario identique se répéta. L'homme derrière consulta sa montre, ce qui n'échappa pas au conducteur qui regardait dans son rétroviseur.

— Je suis désolé, s'excusa ce dernier sentant la colère de son client monter d'un cran.

— Je sais que ce n'est pas de votre faute, mais ça n'a aucun sens. Nous sommes dans le même coin depuis près d'une demi-heure. Je ne veux pas…

Soudain la voiture bifurqua dans une ruelle qui venait de leur apparaître, coupant ainsi la parole du client pressé, et la remonta jusqu'à la prochaine artère principale qui s'avéra moins achalandée. Le reste du trajet fut loin de s'effectuer en vitesse, mais au moins, ils ne roulaient pas pare-chocs à pare-chocs.

L'homme fut soulagé lorsqu'il aperçut l'endroit de son rendez-vous un peu plus loin. Il vérifia l'heure encore une fois: il ne serait pas trop en retard. Au coin de la rue, le feu de circulation vira au rouge. Il paya son dû au fan du Canadien, le remercia et sortit dans le froid, son sac sur le dos.

******

Samantha picorait son omelette au jambon. Elle n'avait plus vraiment faim, mais il avait insisté pour qu'ils commencent leur repas. L'homme en face d'elle savourait son repas d'un tout autre appétit. Ce qu'il venait de lui avouer, en fait, jouait beaucoup en faveur de sa perte d'appétit. Elle délaissa l'omelette à peine entamée et mordit dans sa tranche de melon d'eau.

Elle allait prendre une seconde bouchée lorsqu'elle le vit venir vers sa table. La jeune femme haussa les sourcils, roula rapidement des yeux et lui fit discrètement signe de ne pas s'approcher. Alors que l'autre avait penché la tête dans son assiette, elle en profita pour lui faire signe d'arrêter de la main. À son grand soulagement, il comprit et recula. Il s'installa sur une banquette un peu plus loin.

Elle mordit dans son fruit puis, s'excusant auprès de son vis-à-vis, prétexta devoir passer à la salle de bain. Une femme en sortait au moment où elle entrait. Elle n'y décela personne d'autre. Elle disposerait donc d'un peu de temps pour se refaire une contenance.

Samantha se regarda dans le miroir. Elle paraissait si fatiguée. D'abord se passer un peu d'eau à la figure pour retrouver son assurance et elle irait parler avec le nouvel arrivé.

Quelqu'un poussa la porte et entra. Elle se retourna et se trouva nez à nez avec lui. Elle se jeta dans ses bras.

— Marc, oh! Marc, mon amour!

— C'est lui? demanda-t-il simplement après l'avoir accueillie contre lui, même s'il connaissait la réponse.

Elle fit oui de la tête, un air piteux sur son visage. Un sourire sans joie se dessina sur ses lèvres.

— Je crois que tu t'es trompé de salle de bain, mon chéri.

Souriant à sa plaisanterie, il lui assura avoir deviné qu'en quittant la table, elle souhaitait lui parler. Rapidement elle lui communiqua l'aveu que l'autre homme lui avait lancé et lui résuma la conversation qu'elle venait d'avoir avec celui-ci.

— Je t'expliquerai en détails plus tard, car je ne veux pas qu'il sache que tu es là. Je lui ai dit que j'attendais Élisabeth. J'ai fait semblant de l'appeler sur mon cellulaire et inventé une histoire de pneu crevé. J'espère le voir partir sous peu pour me laisser avec elle. Lorsqu'il me quittera, nous nous rejoindrons à mon appartement. Je t'en prie, fais comme si on ne se connaissait pas. Et je te promets de tout te révéler.

— Je ne sais pas pourquoi je le fais, mais je veux bien t'écouter, se rendit-il après une brève hésitation pressentant une mauvaise nouvelle. Tu sais, ce n'est pas le genre de déjeuner auquel j'aspirais, surtout après la gentille promenade dans les rues montréalaises bondées de véhicules que je viens tout juste d'expérimenter.

— Je sais. Moi aussi, je suis déçue, mais on se reprendra demain. Je t'aime. File maintenant avant qu'une femme entre ici, conclut Samantha en souriant vraiment cette fois.

Il lui vola un baiser et sortit en même temps qu'une femme arrivait.

— Je crois que je me suis trompé, s'excusa-t-il à la femme perplexe, laissant une Samantha riant dans sa barbe.

Elle quitta la salle de bain peu après pour retourner auprès de Robert, qui ayant terminé son repas, l'attendait patiemment.

— Je suis désolée d'avoir été si longue, mais ... débuta la jeune femme en s'attablant. Elle allait lui dire qu'elle avait reçu un appel d'Élisabeth annonçant son arrivée prochaine quand son portable sonna.

S'excusant auprès de Robert, non sans remarquer au préalable qu'il s'agissait d'un appel de Marc-Alec, elle prit la communication légèrement inquiète.

— Salut c'est Élisabeth fit la voix fort masculine de Marc-Alec. Mon pneu est réparé et je suis en route.

— Élisabeth! s'exclama Samantha, heureuse que Marc ait songé à jouer cette comédie.

— Fais en sorte que ce pantin déguerpisse. Je n'apprécie pas vraiment de te voir si près et si loin à la fois, surtout en mauvaise compagnie. Tu me donnes des chaleurs.

— Enfin. Je suis heureuse que tout soit rentré dans l'ordre. Évidemment je t'attends.

— Je m'ennuie de toi et j'ai hâte de te montrer à quel point dit encore Marc-Alec d'une voix sensuelle.

— Parfait, alors à bientôt fit Samantha pour conclure rapidement. Elle commençait à éprouver de la difficulté à conserver son sérieux.

— Je suis vraiment désolée de te bousculer, dit-elle en s'adressant à Robert.

— Je sais. Je m'en vais. Cependant, avant mon départ j'aimerais ajouter quelque chose à ce que nous discutions plus tôt. On ne peut balancer en l'air tout ce qu'on a vécu ensemble. T'as peut-être besoin d'aller voir ailleurs, mais tu reviendras. Je sais que nous sommes faits l'un pour l'autre.

— Si c'est ce que tu crois. Samantha n'avait aucune envie de discuter. Si ça lui faisait plaisir de le croire… du moment qu'il la laissait tranquille. Pour le moment, je suis heureuse et tu pourrais chercher à l'être aussi. J'ai accepté que nous mangions ensemble ce matin, mais j'aimerais que tu cesses de venir me voir, Robert. Si on se croise, comme ce matin, dit-elle tout en sachant que ce n'était pas le cas malgré les dires de Robert, on se dit bonjour, comment ça va?, mais c'est tout. Ne fais pas exprès de venir me rencontrer et n'entretiens plus d'espoir inutile, tu te fais du mal pour rien. Peux-tu comprendre une fois pour toutes et accepter que ce soit terminé?

— D'accord, je ne t'importunerai plus, accepta-t-il à la grande surprise de Samantha, après un bref silence comme s'il avait réfléchi à la question. Je voulais juste savoir, j'en avais besoin, où tu en étais réellement. Maintenant j'attendrai que tu me fasses signe la première si tel est ce que tu souhaites. Je t'attendrai. D'ici là, j'espère que tu seras heureuse ma colombe, lui souhaita-t-il en se levant. En passant, j'ai payé ton addition.

Il l'embrassa sur la joue puis quitta le restaurant sans regarder derrière lui. Samantha soupira de soulagement, ferma les yeux un instant en espérant que cette fois il disait vrai et se passa les mains sur son visage. Elle termina sa tranche de melon et quitta la banquette à son tour.

******

Elle le salua encore de la main avant qu'il ne franchisse les portes. Elle détestait l'idée de le laisser partir sans elle pour San Francisco, mais elle devait s'y plier. De toute manière, il n'aurait aucun temps à lui consacrer une fois là-bas. Elle se consolait de la promesse qu'il lui avait faite. Il reviendrait la voir en revenant avant de rentrer à Québec.

Pendant cette longue fin de semaine, Samantha avait aimé, après qu'elle eut dormi une partie de la journée suite à ses nuits exténuantes à l'hôpital, se réveiller en sachant qu'il était présent dans son appartement, humé l'odeur des repas qu'il préparait. Elle avait admiré ses talents culinaires alors qu'il avait amoureusement concocté d'excellents soupers pendant qu'elle dormait encore. Elle avait apprécié leurs multiples discussions et sa compréhension à son égard. Elle concluait une fois de plus qu'elle désirait réellement vivre avec cet homme.

Il se retourna et lui envoya un dernier baiser avant de disparaître de l'autre côté des portes de sécurité. Elle fit mine d'attraper le baiser envoyé, ferma le poing et le colla sur son cœur. Lorsqu'il fut hors de vue, du doigt, elle essuya une larme et retourna à sa voiture.

Même s'il était pressé d'entendre ses explications le matin du déjeuner au restaurant, il l'avait laissée se coucher, la sachant épuisée et émotive. Ils en avaient discuté le soir venu devant de tendres et délicieux filets de porc au vin. Il lui avait posé la question au milieu du repas.

— Pourquoi, au juste, avons-nous dû jouer cette comédie ce matin?

— Il m'a avoué qu'il sait pour nous, avait répondu l'interrogée après avoir avalé sa bouchée. Ce n'est plus un doute ou un pressentiment, il connaît notre liaison. Tu sais comment il est, je t'en ai parlé à plusieurs reprises, alors je souhaitais garder notre relation secrète le plus longtemps possible afin qu'il soit réellement persuadé que je l'ai laissé parce que je ne l'aimais plus. Ce qui est vrai, mais étant donné les circonstances de la naissance de notre amour, je ne souhaitais pour rien au monde qu'il le sache, saute à d'autres conclusions et se mette en colère contre moi.

Sans l'interrompre, Marc-Alec avait porté à sa bouche un morceau de brocoli et fait signe à sa belle de poursuivre, car il ne comprenait toujours pas la cause de cette inquiétude.

— Comme je te l'ai mentionné, il a effectué quelques visites pour me revoir et me parler. Il souhaitait chaque fois en savoir davantage sur ma vie amoureuse, mais je n'ai jamais rien confirmé. Cependant lorsqu'il est venu la dernière fois et qu'il a entendu ta voix sur le répondeur, il a poussé ses recherches et sûrement épié ou fait parler ma mère qui travaille à son bureau. Je ne voulais pas qu'il te voie. J'ignore comment il aurait réagi, mais je ne désirais prendre aucune chance. Je ne souhaitais pas d'altercation entre vous.

Le jeune homme avait terminé d'avaler son dernier morceau de pain avant d'émettre un commentaire sur un fait sur lequel il avait accroché.

— Je ne savais pas qu'il avait entendu ma voix sur le répondeur!

Samantha avait dégluti. Elle avait oublié qu'elle avait omis de lui parler de cette affreuse visite. Elle avait déposé sa fourchette puis lui avait narré son arrivée chez elle et tout ce qui avait suivi. Son interlocuteur avait d'abord été bouleversé puis fâché qu'elle ne lui en ait pas fait part au téléphone ce soir-là comme il lui avait maintes fois demandé de le faire si quelque chose du genre se produisait.

— Je ne voulais pas t'inquiéter alors que tu ne pouvais rien faire pour moi à cette heure de la nuit. De plus, tu te trouvais si loin. Tu ne pouvais pas juste descendre un palier ou traverser la rue pour venir me consoler! s'était-elle défendue tout en se sachant un peu coupable. Nous aurions tous les deux trouvé ce moment très difficile.

Il avait senti la tension monter légèrement. Il s'était levé, excusé et l'avait serré contre lui pendant qu'elle s'efforçait de tarir ses larmes. Il détestait cet homme qui causait à la femme qu'il aimait un chagrin et une inquiétude d'une telle ampleur, qui lui présentait des promesses sur un plateau d'argent et qu'il ne tenait jamais.

À présent, confortablement installé dans l'avion qui venait de prendre son envol, l'hôtesse interrompit ses pensées afin de lui servir, avec le sourire, le verre d'Amaretto qu'il avait commandé.

Dès qu'elle fut partie servir les gens dans la rangée derrière lui, Marc-Alec se dit qu'il espérait bien que cette fois ce Robert tiendrait sa parole et laisserait Samantha tranquille, chassant ainsi l'inquiétude qui le rongeait chaque fois qu'il devait la quitter. Sinon il lui conseillerait de déménager. Et pourquoi pas chez lui? songea-t-il en ébauchant un sourire.

******

Robert se souvenait avoir consenti à sa demande ce matin là, mais il savait secrètement qu'il n'en resterait pas là. Cet idiot de Québec ne pouvait pas lui ravir sa Samantha. Elle lui reviendrait, elle l'aimait. Il l'avait vu dans ses yeux lors de leur discussion avant son départ pour San Francisco. Elle avait répondu à ses baisers au début, le soir où il l'avait attendue chez elle. Si elle avait besoin d'aller voir ailleurs pour le comprendre, il attendrait... un peu, avait-il pensé. Et il avait tenu sa promesse. Il ne l'avait jamais plus importunée, mais il pensait à elle chaque jour.

Mais à présent, quelques mois s'étaient écoulés depuis ce déjeuner en novembre et il était temps d'agir. Elle prenait trop de temps pour se rendre compte qu'au fond d'elle son amour pour lui, Robert Doyon, existait toujours. Il allait régulièrement la voir en secret, mais à présent il ne voulait plus se contenter de la voir de loin. Il ne le pouvait plus. Il en avait mal tellement il désirait la serrer contre lui. Par sa faute, il l'avait perdue, mais il saurait la retrouver. Il avait longuement cherché de quelle manière il s'y prendrait.

Puis une idée avait lentement germé en lui. Il savait maintenant comment utiliser Anne-Marie. Il s'était bien dit qu'elle lui serait utile un jour. Il avait voulu se débrouiller seul pour des recherches simples, mais à présent l'aide d'une professionnelle ne serait pas de refus. Mais, se disait-il, pour réussir son plan, il lui faudrait encore s'armer de patience, car elle aura besoin de temps pour oublier l'autre. Il userait encore de patience, mais son but approchait.

Convaincre Édouard qu'il avait découvert qu'il avait véritablement fréquenté sa fille Jennifer, qui se faisait maintenant appeler Samantha, n'avait pas été une mince affaire. Mais jamais à bout d'arguments, il avait su le prendre par les sentiments en lui révélant que les faits troublants, qu'il jugeait pratiquement impossibles concernant les jeunes filles, l'avaient conduit à une recherche intensive dont ils connaissaient à présent le résultat définitif. Les coïncidences évidentes avaient achevé de le persuader.

Il s'était senti coupable de mentir à cet homme si bon, non épargné par les épreuves et la douleur. Cependant Robert se disait que s'il savait la vérité plus tard, Édouard Lacroix comprendrait qu'il voulait reconquérir son bonheur et sa raison de vivre, qu'il se battait pour être heureux. Il la lui dirait… plus tard.

******

Dans la minuscule salle d'attente où la réceptionniste l'avait installé quelques minutes auparavant, juste avant de prendre congé, trois chaises droites au dossier capitonné avoisinaient la sienne. Sur une petite table carrée en bois verni, gisant devant la rangée de chaises, une pile de magazines était soigneusement placée au milieu. Un porte-manteau vide se trouvait à l'entrée juste à côté de l'affiche informant la clientèle d'enlever bottes et caoutchoucs.

La porte du fond s'ouvrit et une femme la franchit pour se diriger vers la sortie puis la blonde Anne-Marie apparut peu après, tout sourire chassant d'un seul coup ses pensées. Il se leva et lui tendit la main. Mais elle ouvrait grand ses bras.

— Robert, mon chéri, quel plaisir ! Tu es chanceux, je n'ai pas d'autres clients du reste de la journée. Je suis complètement à toi.

Après la brève accolade, elle l'invita à la suivre dans son bureau. Elle referma soigneusement la porte et il entendit le déclic du verrou. La pièce n'était pas très grande non plus, mais il y avait de la place pour un grand bureau et son siège pivotant, deux classeurs sur lesquelles trônaient une plante verte et deux fauteuils placés devant son bureau pour les visiteurs. Robert allait s'y installer, mais elle le rejoignit en deux enjambées et le retint juste à temps.

— On n'est pas obligé de parler affaire tout de suite. Et je n'ai pas eu droit à mon bécot et mon câlin. Je me suis ennuyée, tu sais! On ne s'est pas beaucoup vus depuis ta petite soirée. Et pas très longtemps. Vilain! fit-elle, moqueuse en lui passant un doigt sous le menton. En tout cas, selon moi, deux fois par mois c'est loin d'être suffisant.

Ils s'étaient revus à quelques reprises depuis, pour entretenir leur relation et oublier un peu Samantha, s'était-il dit, mais à la croire, c'était largement insuffisant. Elle se blottit contre lui et entrouvrit les lèvres. Il sentit ses seins durcis entre le fin lainage de son chandail gris et le mince tissu de sa propre chemise et se dit qu'elle ne portait pas de soutien-gorge. Les mains d'Anne-Marie caressèrent ses fesses puis glissèrent vers le devant cherchant sa braguette. Son sexe se durcit et s'il voulait la repousser quelques secondes auparavant, il n'y pensait plus maintenant. Ils firent l'amour sur le grand bureau dépourvu de paperasses, passionnément, mais sans véritable tendresse.

Il plaçait sa chemise à l'intérieur de son pantalon pendant qu'elle lissait les plis de sa jupe noire. Il la regarda contourner le bureau et prendre place sur son fauteuil comme si rien ne s'était passé, toujours maîtresse d'elle-même.

— Pourquoi fais-tu ça?

— Faire quoi?

— Tromper ton mari.

— Parce qu'il ne compte plus ses conquêtes.

— Et tu le fais pour te venger? Avec moi?

— Oh! Mon chéri! Non ce n'est pas pour me venger. Nous vivons un mariage libre c'est tout. Et si je fais l'amour avec toi c'est que j'ai bien envie de le faire et tu me plais. Allons ne t'inquiète pas.

— Je ne m'inquiète pas, je voulais juste savoir, car je n'aimerais pas qu'un mari cocu vienne frapper à ma porte.

— Il n'a pas à savoir quand ni avec qui j'ai une liaison, mais il sait que je le fais. Et c'est la même chose pour moi. Nous ne nous racontons rien, mais nous devinons tous deux ce que l'autre peut faire lorsqu'il se retrouve seul sans chercher à valider. Rassure-toi, il ne viendra pas chez toi.

— Bon très bien, passons au but de ma visite alors, dit Robert rapidement afin qu'elle ne pense que son intervention cache un sentiment plus profond à son égard.

Il lui expliqua qu'il désirait d'elle qu'elle trouve où demeurait un certain Marc-Alec dans la région de Québec. Lors d'une conversation qu'il avait surprise entre son ex belle-mère et son père, alors qu'il ne devait pas rentrer au bureau cet après-midi là, elle mentionnait que ce jeune homme était quelqu'un de sérieux qui travaillait dans une très bonne compagnie d'informatique.

Il avait cru entendre le nom de la compagnie et le prénom de celui qui lui avait volé sa colombe chérie et le mentionna à Anne-Marie. Il jugeait cette information suffisante pour le conduire à Samantha. Il s'arrangerait avec le reste. C'est pourquoi le nom de Samantha ne franchit pas ses lèvres devant la détective.

— En effet, c'est un bon tuyau. Je n'aurai qu'à trouver les noms exacts en accomplissant des appels discrets et quand ce sera fait, je le suivrai jusqu'à sa demeure. Je t'en donnerai rapidement des nouvelles et ça ne te coûtera pas très cher, ajouta-t-elle les yeux brillant de malice.

Et lorsque je serai assuré que Samantha se trouve chez lui, Édouard pourra accomplir le reste du travail et avec du temps et de la patience elle parviendra à l'oublier et je pourrai la reconquérir songea Robert quelques minutes plus tard alors qu'il retournait à sa superbe voiture.

******

Robert déposa les assiettes remplies d'œufs brouillés, de jambon et de rôties dans le plateau et se rendit à la chambre où Anne-Marie dormait encore. Son mari parti pour quelques jours, elle avait débarqué chez lui avec un peu de vêtements et il ne pouvait se résoudre à la mettre à la porte. Elle était gentille et semblait vraiment attachée à lui. De plus, elle lui avait apporté une aide précieuse dans la réalisation de son plan.

Elle avait agi efficacement pour trouver où résidait le cher Marc machin-chose et le reste n'avait pas été bien compliqué. La filant, ils avaient attendu le moment propice. Samantha s'était débattue, bien sûr, mais ils avaient réussi à l'emmener. Le plus ardu restait à venir. Tenter de chasser ce Marc de son cœur et de sa mémoire s'avérerait long, mais il s'armerait de patience.

En attendant pour combler ce vide il y avait Anne-Marie. Il sourit en regardant sa blonde amie commencer à se réveiller. Il glissa le cabaret sur la table de chevet et acheva de la réveiller d'un baiser. Ils avaient toute la journée devant eux. Il ne recevrait le coup de téléphone qu'il attendait seulement en début de soirée.

Chapitre 22

La serveuse de La jungle

Marc-Alec n'avait pas mis longtemps pour comprendre que quelque chose s'était produit. Habituellement ponctuelle, le retard se Samantha l'avait inquiété. Il avait effectué ses recherches personnelles dès l'heure du dîner pour essayer de la retrouver avant de se résoudre vers le milieu de l'après-midi à aviser la police.

Celle-ci lui avait répondu qu'elle ne pouvait rien entreprendre avant vingt-quatre heures puisque Samantha était une personne adulte et responsable qui aurait pu partir de son plein gré. C'était la marche à suivre, il était désolé avait expliqué l'agent de police, au grand désarroi de Marc-Alec qui ne voyait pas pourquoi Samantha serait partie volontairement. Ils s'aimaient sincèrement. Heureux ensemble, ils ébauchaient plein de projets. On l'avait enlevée, c'était certain! avait rapidement conclu Marc-Alec.

Venus à son domicile le lendemain soir pour noter les détails connus entourant la disparition de Samantha, les policiers lui avaient donné rendez-vous le lundi suivant au poste de police pour l'interroger davantage. Marc-Alec pressentait, puisqu'il était l'amoureux de la victime, qu'il devenait le principal suspect dans cette histoire cauchemardesque, comme c'est souvent le cas lors de la disparition d'un conjoint. Suite à cet interrogatoire et après avoir vérifié ses alibis solides auprès de ses associés et collègues de travail et de certains clients, ils s'étaient résolus à chercher une autre piste, enfin convaincus de la possibilité qu'elle ait été enlevée.

Avait suivi une enquête considérable, formidablement médiatisée dans laquelle les policiers, munis de photos d'elle données par Marc-Alec, avaient fait appel au public. Des témoins s'étaient manifestés. Des agents les avaient interrogés, dont les vendeuses de la bijouterie et du magasin de musique où Samantha était passée ainsi que ceux qui se souvenaient l'avoir vue à bord de l'autobus.

Ils avaient effectué des recherches et recueilli d'autres témoignages dans les quartiers résidentiel et commercial où se trouvaient respectivement la résidence et le bureau de Marc-Alec. Plusieurs groupes de volontaires, dirigés par des agents, avaient effectué des battues dans les champs avoisinants. Dès le début de l'enquête, Marc-Alec avait promis une forte somme en guise de récompense à tout indice donné qui pourrait mener à Samantha. Mais on rapportait chaque fois une mauvaise nouvelle à l'homme éprouvé. Rien ne réussissait.

Les enquêteurs avaient même demandé des cheveux sur la brosse de Samantha afin de compléter des tests d'ADN pour le cas où ils pourraient les comparer si un jour ils découvraient un corps. La mort dans l'âme, le jeune homme avait satisfait leur demande.

Ces vaines tentatives avaient cessé après plusieurs semaines. N'aboutissant à aucune piste et ne décelant aucun nouvel indice, les recherches avaient peu à peu diminué puis le dossier, sans être fermé avait dernièrement été relégué aux affaires non résolues. Même les médias n'évoquaient plus sa disparition.

L'inspecteur Toupin, responsable de l'enquête resterait disponible et en communication avec Marc-Alec, mais ne pouvait rien faire de concret pour le moment. Il affirmait que majoritairement, sans corps et sans indice sur le coupable, l'enquête ne progresse pas.

Marc-Alec ne comprenait pas pourquoi cette soudaine disparition survenait et perturbait son bonheur et leurs projets. Il avait ardemment besoin de Samantha et voulait continuer ses propres recherches, mais il se butait toujours à la même chose : il n'obtenait aucun indice susceptible de le mener à elle.

Il commençait à perdre espoir, à perdre l'entrain qui le caractérisait. Il ne sortait plus depuis longtemps avec ses amis, qui avaient essayé de l'entretenir pour lui changer les idées, ne rentrait plus travailler tous les jours et Pierre-Antoine s'inquiétait pour son cousin. Ce dernier le repoussait chaque fois qu'il lui en faisait part, criant qu'il s'ennuyait infiniment de Samantha, qu'il ne pouvait se concentrer sur quoi que ce soit d'autre et qu'il désirait être seul.

Désespéré que toute la fortune dont il jouissait ne puisse en rien aider à la retrouver, il l'imaginait se morfondre parmi ses ravisseurs, espérant qu'on vienne la libérer enfin. Il abhorrait l'idée qu'elle soit maltraitée, mais savait que ça pouvait être la réalité et plus le temps passait, plus ses espoirs de la revoir vivante diminuaient. D'où la cause de son repli sur lui-même.

******

Il mit son clignotant et entra dans le stationnement du petit bar. Il n'avait pas vraiment songé à revenir en sortant de chez lui, mais inconsciemment il avait guidé sa Honda sport à cet endroit. Sur le panneau, les lettres lumineuses composant le nom du bar, La jungle, clignotaient. En se garant il sourit au souvenir de sa première visite la semaine auparavant.

Il avait finalement décidé de sortir et avait choisi ce bar peu fréquenté pour oublier, noyer sa peine et ses frustrations, pour pouvoir ne plus penser à tout ce qui le faisait tant souffrir et rester tranquille, sans sentir son espace vital envahi par un surplus de gens circulant dans une pièce trop restreinte d'un bar pour la foule qu'elle contenait.

Décidé à se saouler pour atteindre son but, il s'était installé au bout du comptoir. Peints sur les murs ou en modules plastifiés, de grands arbres et des lianes décoraient l'endroit. Des cris de singe venaient parfois troubler les pauses entre les morceaux de musique que planifiait le D.J.

C'était la première fois qu'il y venait et n'avait pas du tout envie de socialiser avec qui que ce soit. Il s'était même permis d'être un peu bête avec Karine, la serveuse, qui ne souhaitait que se montrer gentille…

— T'es pas très bavard, avait-elle remarqué en plaçant une deuxième bouteille de bière devant lui après lui en avoir versé la moitié dans son verre.

— Je ne suis pas ici pour bavarder, avait-il répondu sans lever les yeux de son verre afin de lui signifier que la conversation était close. Mais elle avait tout de même enchaîné.

— La plupart des gens qui prennent place derrière ce comptoir ont quelque chose à me raconter…

— Je ne suis pas la plupart du monde. Il l'avait coupée en la regardant cette fois, le mépris se lisant dans ses yeux. Elle troublait la solitude qu'il était venu chercher.

— Fâche-toi pas, moi je veux juste faire la conversation, mais tu sais je suis comme une tombe. Ce que me racontent les gens n'intéresse personne alors je répète rien. Si tu penses que ça peut te faire du bien d'en parler, je peux t'écouter, sinon… libre à toi, fit-elle en haussant les épaules.

— Excuse-moi. Je ne voulais pas être bête, mais je n'ai pas grand chose à raconter.

— Tes yeux me disent autre chose eux. Tu sais, j'en ai vu des âmes en peine. Leurs yeux, leur comportement ne trompent pas. Et je vais te dire un secret, j'étudie la psychologie. C'est ce métier de barmaid qui m'a donné l'idée. Et je pense avoir du talent pour définir le non-verbal. Mais je ne veux pas jouer au psy, je veux juste t'écouter, ou bavarder si le cœur t'en dit.

— Il y a longtemps que tu joues au psychologue dans cet endroit, Karine? demanda Marc-Alec après avoir bu une gorgée de bière. Il avait lu le nom sur la bandelette qu'elle portait à la poitrine et se voyait ravi de détourner la conversation de lui.

Finalement, il avait trouvé intéressant de converser avec elle et Marc-Alec en avait oublié de commander une troisième puis une quatrième bière. Il était parti de chez lui avec l'idée de noyer son chagrin, et oublier que l'absence de Samantha lui faisait terriblement mal. Rien qu'un soir, pour une fois. Ça ne s'était pas passé tout à fait ainsi, mais sa soirée l'avait tout de même satisfait jusqu'à un certain point.

Le lendemain et les jours suivants, le jeune homme était rentré au bureau motivé et plus productif. Pierre-Antoine avait été heureux de ce changement et lui en avait fait part. Ce soir, il se montrerait plus gentil avec Karine, se dit-il en sortant de la voiture. À regarder l'aire de stationnement, le bar ne serait pas bondé ce soir non plus.

Il prit place sur le même banc, demeuré libre et attendit que Karine, qui le reconnut, vienne le servir. Elle semblait heureuse de le voir de meilleure humeur. Pourtant, la soirée ne se termina pas sur la même note que la semaine précédente.

Entraîné dans la conversation avec Karine, entrecoupée par les tâches de la serveuse, Marc-Alec ne comptaient plus les bières qu'il ingurgitait malgré les prudents avertissements de la jeune femme. À la manière d'un homme ivre, il lui raconta tout naturellement son malheur et les évènements qui avaient suivis dans des propos pas toujours cohérents. Dans son chagrin pas bien guéri, il exigeait une autre bière. Tard dans la nuit, après que Karine lui eut refusé une autre bière, sa tête devenue lourde finit par tomber sur le comptoir.

******

Il ouvrit les yeux et un mur beige, contre lequel était placée une petite bibliothèque remplie de livres et sur le dessus de laquelle trônait une télévision à côté d'un appareil lecteur de DVD, se dressait devant lui.

Il se redressa vivement sur ses coudes, ne reconnaissant pas la pièce et constata que le divan, sur lequel il était étendu, lui était également inconnu. Il était torse nu et nota que le fermoir de son Jeans était baissé. Le bruit d'une douche qui parvenait à ses oreilles, s'arrêta.

Parcourant la pièce du regard, il reconnut sa chemise étalée sur la table de bois de merisier qui se tenait au centre et l'enfila. Il se passa une main dans les cheveux et se pencha pour ramasser la couverture tombée du divan afin de la plier. En se relevant un éclair de douleur lui zébra la tête. Il laissa tomber la couverture, bien pliée, sur le bras du divan, s'assit et se prit la tête à deux mains cherchant où il se trouvait. Ses questions ne mirent pas longtemps à trouver des réponses.

En survêtement de sport, Karine apparut, souriante en achevant de démêler sa longue chevelure brune. Le peigne glissait facilement dans ses cheveux mouillés.

— Bonjour. Tu en mets du temps pour te réveiller? J'ai eu le temps de déjeuner et de me laver. Faut dire que dans l'état où t'étais hier…

— Épargne-moi les détails, je ne suis pas trop fier de moi. Mais qu'est-ce que…?

— Tu fais ici? Je ne pouvais toujours pas te laisser conduire dans cet état! Mark, un autre employé, m'a aidée à t'installer dans ma voiture et tu t'es un peu aidé à rentrer ici. J'ai enlevé ta chemise et ouvert ton… pantalon afin que tu sois plus à l'aise pour dormir expliqua-t-elle un peu hésitante. Et tu es tombé comme une bûche.

Marc-Alec s'imagina Karine défaisant sa chemise bouton après bouton. Il la voyait défaire lentement le bouton de métal et la fermeture éclair et sentit le désir l'envahir. Il se ressaisit rapidement et eut honte. Ses yeux s'étaient baissés machinalement. Il attacha son bouton de jeans et remonta la fermeture éclair, embarrassé et espérant qu'il ne s'était rien passé entre elle et lui. Karine sembla deviner ses pensées.

— Rassure-toi, je n'ai pas abusé de ton corps, fit-elle avec un clin d'œil.

Pour toute réponse, il grimaça et acheva de se vêtir.

— Je dois partir.

— Maintenant? Tu devrais déjeuner avant.

— Non merci, juste un ou deux comprimés d'aspirine feront l'affaire.

******

En arrivant au bar, Marc-Alec se félicita de ne pas avoir utilisé sa BMW qu'il réservait pour Samantha et les grandes occasions. Comme sa voiture se trouvait seule dans le stationnement, Karine aurait sûrement commenté ses moyens financiers et il n'avait pas envie d'en discuter.

Avant de monter dans sa voiture, Marc-Alec dit au revoir à Karine et lui expliqua qu'il lui était reconnaissant de l'avoir hébergé, mais à présent il avait envie d'être seul. De toute façon il l'avait assez embêtée. Elle mit ses mains sur ses épaules et, bien qu'il la trouvât trop familière, il ne fit pas un geste pour les enlever.

— Tu ne m'as pas ennuyée. Ça m'a fait plaisir de te rendre service et t'héberger. Je t'aurais appelé un taxi sinon... Elle se rapprocha et l'embrassa lentement sur la joue. Tu reviendras prendre une bière la semaine prochaine?

— Peut-être, je ne sais pas, dit-il en se dégageant doucement. Il monta dans son véhicule et la remercia encore. Il la salua de la main et démarra. Karine ne monta dans sa voiture que quand elle ne le vit plus.

Marc-Alec roula lentement admirant le paysage. Il pressentait qu'il plaisait à Karine et qu'elle aurait souhaité davantage qu'un baiser sur la joue. Il l'avait vue le regarder partir dans son rétroviseur.

Un sentiment difficile à expliquer le remplissait. Il vit le visage de Samantha puis celui, plus net de Karine. Un mélange de bien-être, de tristesse et de honte l'habitait. Le fait de plaire, de recevoir des marques d'affection de la part d'une femme lui ferait un bien énorme. Mais il ne pouvait tromper Samantha. On n'avait aucune preuve qu'elle n'existait plus et il l'aimait toujours tellement. Des larmes coulaient silencieusement et il ne pouvait les arrêter. Du doigt, il essuya une larme sur sa joue, là où Karine avait posé ses lèvres. Il ne voulait plus la revoir… Mais il pressentait qu'il en serait autrement.

******

Il y avait trois semaines qu'il n'avait pas revu la jeune barmaid luttant contre ses désirs et ses sentiments. Il n'y avait toujours pas de développement à propos de l'enlèvement de Samantha et il avait besoin de compréhension, d'attention, de douceur, d'une touche féminine en fait. Son entourage l'aidait bien, mais ce n'était plus suffisant. Il aimait toujours Samantha, mais il ne savait plus s'il s'avérait raisonnable de continuer à espérer qu'on la retrouve.

Il se souvenait du chemin pour se rendre chez Karine et le parcourut avec un peu de nervosité. Il avait apporté une bouteille de vin pétillant et une boite de chocolat pour la remercier de l'avoir pris en main quelques semaines plus tôt et pour se faire pardonner son arrivée tardive. Il se gara de l'autre côté de la rue, tourna la clé pour cesser de faire rouler le moteur de sa voiture et se laissa aller contre le dossier.

Ne voyant pas sa voiture, il réfléchit, se disant qu'elle n'était probablement pas chez elle et il ne semblait pas trop tard pour changer d'idée et rebrousser chemin. Pourtant il ne bougea pas. Fermant plutôt les yeux, il s'assoupit bientôt.

Le bruit d'une auto qui arrivait le réveilla. Il fouilla dans sa poche et glissa un bonbon à la menthe dans sa bouche, prit son paquet et mit la main sur la poignée de la portière. Il hésitait à sortir, se doutant bien de l'issue possible de la soirée. Ses pensées volèrent vers Sam. Son trop grand besoin d'elle entraînait un besoin d'affection auquel il ne devait pas succomber, méditait-il. D'un autre côté, il aimait un fantôme qui ne reviendrait probablement pas, tenta-t-il de se déculpabiliser.

Il prit inconsciemment une grande respiration, sortit dans la noirceur du soir et traversa la rue en direction de l'immeuble à logements. Il l'interpella au moment où elle allait introduire la clé dans la serrure. Karine se retourna et scruta le nouvel arrivant.

— C'est toi, Marc-Alec?

— Désolé d'arriver si tard. Il brandit le sac où apparaissait la silhouette de la bouteille. T'as le temps de prendre un verre? J'aimerais partager avec toi. Je ne voulais pas en prendre trop ce soir. Elle sourit à sa plaisanterie et il poursuivit. Je sais que j'ai mis du temps à redonner signe de vie, mais tu connais ma situation et... j'avais besoin...

— Oui, je comprends, mais tu es là maintenant. Entre, dit-elle en le laissant passer. J'imagine que si tu te trouves ici c'est parce que tu en as envie? Désires-tu parler à la psy ou à la barmaid?

— À une amie, répondit-il en sortant la boîte et la bouteille du sac. Et il s'aperçut qu'elle pouvait effectivement répondre à ce titre pour la soirée.

Ils discutèrent de leur quotidien pendant leur première coupe, mais le jeune homme se garda de donner trop de détails sur le sien. Lorsque Marc-Alec servit une deuxième coupe à Karine, il remarqua que ses yeux brillaient. Il arrêta son mouvement quelques secondes et la regarda mordre dans un chocolat. Ses cheveux, noués en arrière laissaient échapper quelques mèches. Il la trouvait belle.

— Tes yeux sont magnifiques.

— Merci. C'est gentil, mais c'est sans doute l'effet du vin… à moins que ce ne soit le fait que je sois contente que tu sois là.

— Est-ce que ça pourrait davantage être la seconde solution?

— Tu peux croire ce que tu veux, mais il est vrai que j'ai attendu ton retour. Je t'ai moi-même demandé de revenir. Tu te souviens?

— Oui c'est vrai. Il ferma les yeux et savoura une gorgée de vin. Il la trouva directe, mais admirait sa franchise. J'avais aussi envie de te revoir, mais j'avais l'impression de tromper Samantha, expliqua-t-il. Il me fallait être seul et réfléchir. Mais je ne regrette pas d'être venu.

Karine prit un chocolat dans la boîte, se rapprocha de son compagnon et lui mit dans la bouche. Marc mâcha lentement la friandise en la regardant. Sa main monta vers le joli visage et lui caressa la joue. Leurs lèvres se cherchèrent. Le baiser, timide au début, devint passionné. Karine l'enlaça et s'abandonna à lui. Elle se leva et lui prit la main pour l'inviter à faire pareil. Elle prit sa coupe et la cogna sur la sienne. Souriant, elle but le reste d'un trait. Marc-Alec l'imita.

— Ne me rends pas ivre ce soir. J'ai bien dormi sur ton fauteuil la dernière fois, mais…

— T'inquiète pas, cette fois tu ne dormiras pas sur le sofa. Et elle l'entraîna dans sa chambre. Docilement il la suivit.

Lorsqu'il se réveilla au petit matin, il se remémora la nuit désastreuse qu'il lui avait fait vivre. Elle l'avait conduit à sa chambre puis, au pied du lit, avait déboutonné sa chemise en l'embrassant. Tout se déroulait d'une manière identique à celle où il avait fait l'amour pour la première fois avec Samantha dans la chambre de son hôtel à San Francisco. Tout comme Karine, c'était Samantha qui avait commencé à le déshabiller. Dans les bras de Karine, il voyait le visage de Samantha flotter au-dessus de lui. Incapable d'aller plus loin, il l'avait doucement repoussée en s'excusant.

Il la savait déçue, mais elle avait affirmé comprendre la situation. Marc-Alec se demandait pourquoi il se trouvait encore là. À sa place, il aurait bien mis le gars dehors. Il était touché par sa patience et sa compréhension.

Elle bougea près de lui. La voyant ouvrir les yeux, il lui demanda encore de le pardonner. Lui assurant que ce n'était rien, elle enchaîna sur des sujets anodins. Toujours nue, elle grimpa sur les hanches du jeune homme, se balançant légèrement le corps puis étira la jambe pour sortir de l'autre côté du lit.

— Je dois aller me préparer pour mes cours, expliqua-t-elle à côté du lit, sachant qu'elle l'avait tout de même excité.

Réalisant où elle voulait en venir, il lui attrapa un poignet alors qu'elle faisait mine de quitter la chambre.

— T'as commencé quelque chose, tu ne vas pas t'en aller maintenant?

Comme elle ne tentait pas de revenir dans le lit, il insista, au plaisir évident de la jeune femme.

— Je veux vraiment que tu restes. J'ai envie de toi, Karine.

Elle avait peine à croire ce qu'elle entendait, mais remonta tout de même dans le lit, satisfaite.

Chapitre 23

Un espoir trompé

Lors de la première visite du médecin, Samantha lui avait expliqué sa situation, mais il ne la croyait pas vraiment. Le récit de monsieur Lacroix, si détaillé et si convainquant l'avait dissuadé de croire en la version de la jeune femme. À sa deuxième séance des doutes se sont infiltrés et il a commencé à penser que si l'un pouvait dire vrai, pourquoi l'autre ne bénéficierait pas d'être crue également? Pourquoi un plus que l'autre?

Pendant sa troisième et plus récente visite, il lui a fait part de ses soupçons et de ses recherches auprès de certains journalistes et dans les archives de certains journaux. Le Dr St-Onge récapitulait alors qu'il attendait sa jeune patiente dans une fébrile agitation, certain de l'effet que produirait son annonce sur Samantha, tel qu'elle disait se prénommer. Nerveusement, il effectuait quelques pas lorsqu'elle entra dans le salon bourgogne.

— J'ai pu rencontrer un des journalistes qui avait fait le reportage sur ton enlèvement. J'ai des raisons de croire que tu es véritablement Samantha Cartier et je suis prêt à t'aider à t'en sortir, mais tu devras m'aider. J'ai délaissé l'accident de Jennifer Lacroix pour m'investir dans une autre recherche. Celle de ton propre enlèvement. J'ai parlé à un des journalistes qui avait effectué un suivi sur ce fait, expliqua-t-il, encore trop enthousiaste pour s'asseoir, à une Samantha ravie lorsqu'elle se fut assise devant lui.

L'aider? Quelle question! Samantha aurait tout donné pour voir se terminer son cauchemar, pour apercevoir enfin une lumière au bout du tunnel. Et voilà que maintenant le psychologue la lui montrait. Bien sûr sa disparition avait dû faire la une de bien des journaux. Comment avait-elle pu oublier ce fait? se disait-elle. Cependant, elle hocha vigoureusement la tête en guise de réponse à sa demande, sans interrompre l'homme qui continuait son monologue.

Le journaliste du reportage du crash de l'avion dans lequel Jennifer prenait place avait été assez aimable pour lui montrer quelques articles sur l'accident, mais ceux-ci n'avaient pas été bien utiles, car ils manquaient de preuves. C'est alors que le psychologue avait eu l'idée de faire des recherches sur l'enlèvement de Samantha. Non seulement ces indices pourraient contribuer à la croire, mais aussi à l'aider à pouvoir redevenir Samantha Cartier.

— Si tu peux me fournir une photo de toi et de la fille du Dr Lacroix, des articles qui t'appartiennent, je pourrais les montrer aux policiers pour confirmer mes dires, leur montrer votre ressemblance, leur expliquer la situation que tu vis, en fait.

— Ça pourrait être compliqué dit Samantha en laissant échapper un long soupir. La seule photo de Jennifer que je pourrais vous donner se trouve sur la commode dans ma chambre, mais Nanny remarquera sa disparition et j'aurai des comptes à rendre. En ce qui me concerne, on m'a confisqué tout ce que je possédais, y compris la plus récente photo de Marc-Alec et moi pour me couper de la vie que je vivais et faciliter le retour de ma mémoire, la renaissance de « *leur* » Jennifer.

— Il doit bien y avoir un objet, quelque chose pour prouver que j'ai bien rencontré la personne qu'ils recherchaient il y a peu de mois ! Écoute, enchaîna-t-il après une courte pause, je comprends ta position et ça me semble un peu compliqué en effet, mais si tu veux que je t'aide à t'en sortir tu dois trouver un moyen de me procurer ces preuves. N'oublie pas qu'ils sont la clé qui t'ouvrira la porte.

Samantha, tête baissée, acquiesça en silence. Après lui avoir détaillé sa démarche et le plan qu'il avait en tête, le docteur St-Onge laissa s'écouler plusieurs minutes pour faire croire que la thérapie se poursuivait.

Toujours à sa réflexion sur ce qu'il lui avait proposé, Samantha l'entendit se lever et releva la tête. Il lui expliqua qu'il reviendrait dans deux jours pour venir quérir ce qu'il lui demandait. Il prétexterait que pour obtenir de meilleurs résultats, il fallait intensifier la thérapie. Une à deux fois par semaine s'avérait insuffisant

— Allez, courage, murmura-t-il en lui tapant légèrement l'épaule en mettant terme à leur « *heure de thérapie* », un heureux dénouement s'approche.

Samantha le précéda et sortit dans le corridor qui la menait à sa chambre. Bruno l'attendait à mi-chemin. Avant de quitter la pièce à son tour, quelque chose sur le fauteuil où elle avait pris place attira le regard du psychologue. Il sourit d'un air triomphant.

******

Samantha se regarda dans le miroir de sa chambre. Elle avait les yeux rougis par les larmes. Un mélange d'émotions l'habitait. L'ennui de Marc-Alec et de ses proches, le chagrin de l'absence cruelle et prolongée de ceux-ci, le découragement de ne jamais plus pouvoir satisfaire son besoin pressant, urgent de les serrer contre elle, toujours présents, faisaient cependant lentement place à la joie d'une lueur d'espoir.

Il fallait qu'elle se ressaisisse. La jeune femme essuya ses yeux du revers de la main. Elle devait trouver un objet, un détail susceptible d'aider la démarche du psychologue. Elle essayait de trouver depuis le départ de ce dernier dans l'après-midi. Sa liberté se trouvait à portée de main maintenant. Elle en avait plus qu'assez d'être malheureuse et de pleurer constamment. Elle reverrait peut-être Marc-Alec bientôt et espérait de tout cœur qu'il l'attendait encore après tout ce temps.

Après un dernier sanglot, elle essuya ses yeux une fois de plus et enfila sa chemise de nuit tout en réfléchissant. Les mains encore tremblantes, elle défit les boucles d'oreille en trèfle. Données par celui si cher à son cœur, elles demeuraient les seuls objets qui avaient échappé, elle ne savait plus trop comment, à la confiscation dont elle avait été l'objet à son arrivée.

Samantha avait pris l'habitude de les porter quelques minutes certains soirs avant de se mettre au lit. Seul privilège qu'elle s'accordait pour ne pas se les faire enlever elles aussi. Pendant ces précieuses minutes, elle s'imaginait, se sentait avec Marc-Alec. Le reste du temps, elle les cachait dans un tiroir, car la laissant ranger seule ses vêtements fraîchement lavés, Nanny n'accédait jamais à ses tiroirs.

En retirant de son oreille sa deuxième boucle, celle déjà dans sa main tomba par terre. Elle s'agenouilla aussitôt et tâta de la main les fibres du tapis à la recherche de la délicate boucle diamantée. Son trèfle ! Le seul et unique lien qui l'unissait encore à Marc. Il fallait absolument qu'elle la retr…

— Mais oui ! s'écria-t-elle soudain.

Samantha porta instinctivement sa main devant sa bouche espérant que personne ne l'avait entendue. Après quelques interminables secondes, ne percevant aucun bruit annonçant quelqu'un venant vers sa chambre afin de s'enquérir de la raison de ce cri, elle conclut que personne n'avait effectivement entendu et se remit en quête de son précieux bijou qu'elle mit peu de temps à retrouver. Toute trace de larmes avait disparu pour laisser place à un sourire déterminé.

Elle songea au docteur St-Onge et à leur prochaine réunion. Elle savait ce qu'elle allait lui fournir à présent. La jeune femme se traita de stupide et de nigaude pour ne pas y avoir songé plus tôt. L'enthousiasme l'empêchait de bien réfléchir. Mais ce qui comptait maintenant, c'était qu'elle avait enfin trouvé ce qu'elle allait donner au psychologue pour prouver qu'elle était bien Samantha Cartier, la petite amie de Marc-Alec Fortin.

******

Pierre-Antoine se fâcha et referma sans douceur la porte de son bureau sur Marc-Alec. Maintenant à demi assis sur le devant de son meuble de travail, il déversa sa colère sur son cousin et PDG de leur entreprise.

— Tu ne peux tout de même pas avoir effacé tous les messages sur ton cellulaire? Tu connais notre situation précaire dans ce dossier. Nous aurions pu retracer les appels et les moments où ce client les a effectués. Ça nous aurait grandement aidé, figure-toi, s'emporta Pierre-Antoine.

Marc-Alec le laissa continuer, préoccupé. Il se doutait que Karine avait un rôle à jouer là-dedans, mais ne la condamna pas devant Pierre-Antoine. Elle avait la fâcheuse habitude de libérer son téléphone cellulaire des enregistrements qu'il contenait pour laisser de la place à d'éventuels messages de sa part, croyant qu'après quelques jours il avait eu amplement le temps de les écouter. Il l'avait déjà semoncée à deux reprises pour ces innocents méfaits, mais apparemment, elle avait contourné ses mises en garde. Et cette fois des conséquences en découlaient.

Mais en cet instant, ce n'était pas sur Karine qu'il souhaitait se concentrer, mais plutôt sur les mots que son cousin venait d'utiliser. Ce dernier semblait se calmer, mais il continuait de lui faire la morale. Revenant à ses préoccupations, Marc-Alec s'en voulait de ne pas y avoir songé plus tôt, mais il n'était probablement pas trop tard et il devait agir au plus vite.

Constatant qu'il ne détenait plus l'attention de Marc-Alec, Pierre-Antoine se tut.

— Tu n'as pas l'air de réaliser l'importance de ce que je t'explique cher cousin!

— Je te concède que c'est excessivement important, mais je viens de penser à quelque chose qui pourrait aider à retrouver Sam. T'as parlé de retracer des appels et je me suis souvenu que j'avais complètement oublié quelque chose d'important. Sam possédait un téléphone cellulaire. Elle venait à peine de l'acquérir la dernière fin de semaine que nous nous sommes vus. Il faut que j'aille voir la police. Immédiatement. Et je reparlerai à Karine. Désolé, ajouta-t-il après avoir avancé d'un pas, pour se faire pardonner de se sauver rapidement.

Il laissa derrière lui un Pierre-Antoine désemparé et secouant la tête, pas vraiment convaincu d'avoir bien compris les divagations de son cousin au sujet des femmes de sa vie.

******

Une série de coups à la porte la réveilla. Du moins, elle crut en avoir entendu. La jeune femme émergea lentement de son sommeil et remarqua le livre fermé sur son lit, près d'elle. Puis ses yeux se posèrent sur la lampe de chevet toujours allumée. Ses souvenirs revinrent. Elle avait lu avant de s'endormir, mais elle ignorait combien de temps son sommeil avait duré. Ce qu'elle savait cependant était qu'elle avait très bien dormi. Elle s'était mise au lit, le cœur léger d'avoir trouvé une partie de la solution à son terrible problème.

Samantha savait qu'elle avait découvert la preuve parfaite pour mener à sa délivrance. Comme elle avait maintes fois porté les boucles d'oreille, on pouvait sûrement les distinguer sur quelques photos parmi la multitude que Marc-Alec avait prises d'elle. Et elle pensait bien que ce dernier avait dû en fournir aux enquêteurs. Fort possiblement pourrait-on également y prélever ses empreintes digitales. Elle ne pensait qu'au moment où elle lui donnerait enfin la clé qui la délivrerait.

Les sons à la porte se répétèrent et la voix de monsieur Lacroix traversa cette dernière.

— Jennifer ma chérie, dors-tu?

Elle eut envie de faire la sourde oreille afin qu'il comprenne qu'elle dormait profondément, mais elle savait qu'il reviendrait à la charge.

— Je dormais, mais je suis réveillée répondit-elle enfin d'une voix encore ensommeillée. Entre papa, lui commanda-t-elle, l'appelant ainsi selon sa volonté et s'assoyant, les jambes toujours sous ses couvertures.

— Quelle heure-est-il? questionna-t-elle, une fois qu'il eut entré et soigneusement refermé la porte derrière lui.

— Il est neuf heures du matin, répondit-il en s'installant près d'elle sur le lit après qu'elle eut bougé afin de lui faire de la place.

— Tu souhaites me parler?

— En fait je désirais que tu saches que je suis conscient qu'il y a des périodes où tu es plus secouée émotionnellement et comprends que tu en vis une ces jours-ci. J'aimerais que cette situation te soit moins pénible. Je souhaitais m'excuser pour hier et voulais savoir comment tu te sentais ce matin.

— Ça va mieux l'assura Samantha qui le savait loin de se douter à quel point.

— Parfait. J'en suis très heureux et j'aimerais bien célébrer cela. Refais savoir à Nanny tes films favoris ou les acteurs et actrices que tu apprécies et je louerai des films qu'on pourra regarder ensemble ce soir.

Elle lui assura qu'elle trouvait l'idée bonne et réfléchirait à sa demande. Elle ajouta qu'elle se faisait une joie de cette soirée spéciale. Il y avait longtemps qu'ils n'avaient pas répété cette distraction. L'homme lui baisa le front, heureux de ce petit bonheur, lui souhaita une belle journée et se leva, car il devait aller travailler.

— Autre chose dit-il la main sur la poignée de la porte en se souvenant d'une conversation téléphonique qu'il avait eue la veille.

L'idée des thérapies lui était venue, croyant fermement qu'il avait une chance de retrouver sa fille. Il avait entrepris des démarches auprès de ce psychologue qui avait quitté le pays plusieurs années et ne connaissait donc rien des récents évènements afin qu'il soit le plus neutre possible. Car s'il était persuadé d'avoir enlevé sa propre fille, M. Lacroix connaissait toute la médiatisation qui avait entouré cet évènement.

Le père éploré avait engagé le docteur St-Onge avant d'avoir pris le temps d'en discuter avec le jeune homme qui l'avait guidé vers elle. Pour ne pas le mettre devant le fait accompli, M. Lacroix avait feint de suggérer l'idée, le jour précédent. Devant la colère du jeune homme, il n'avait eu d'autre choix que de renoncer à cette initiative. Il soupira et l'annonça à celle qu'il croyait être sa fille.

— Tu n'auras plus à supporter les visites du psychologue. Je l'ai contacté hier soir. J'ai cancellé ses thérapies. Il ne reviendra plus.

******

L'homme gara sa voiture près de la porte d'entrée. Il s'en extirpa, rabattit les pans de son imperméable et courut sous la pluie qui ne finissait plus de tomber depuis quelques jours. Il pénétra à l'intérieur du poste de police et se replaça les cheveux. S'adressant à l'agent assis derrière le comptoir de la réception, il demanda à s'entretenir avec le responsable de l'affaire Samantha Cartier.

Disant l'inspecteur Toupin très occupé, l'agent Pronovost, lut l'homme sur sa barrette d'identification, prit une ligne téléphonique pour tout de même vérifier avec lui sa disponibilité. Comme les affaires de disparition étaient toujours traitées avec une haute importance, il devinait bien que, malgré un ralentissement manifeste de l'enquête, le supérieur de Pronovost serait disposé à le recevoir. Aussi le suivit-il avec empressement lorsque l'agent Pronovost l'invita à l'accompagner.

Ils franchirent une porte coupe-feu grise et empruntèrent un corridor sur lequel débouchaient plusieurs petites pièces fermées. Seulement une était ouverte. À l'intérieur, deux agents discutaient parmi des classeurs, nota l'homme au passage.

Ils aboutirent dans une grande salle comprenant plusieurs cubicules, dont quelques-uns, au fond, étaient vitrés et dans lesquelles des policiers s'affairaient derrière leur bureau. Quelques agents parlaient entre eux ou au téléphone. Des sonneries se faisaient entendre, quelqu'un cria un prénom.

Une cafetière ainsi que tout le nécessaire pour se faire un café se trouvaient sur une petite table contre un mur. Une policière aux cheveux bruns, attachés en queue de cheval passa près d'eux pour se verser un café. Elle les salua gentiment.

Ils pénétrèrent enfin dans un des cubicules vitrés du fond de la pièce. L'inspecteur, assis derrière son bureau parlait au téléphone. Il remercia l'agent Pronovost d'un signe de la main puis montra un siège au nouvel arrivant. L'homme s'installa et attendit patiemment que l'autre termine son appel.

Pendant son attente, David St-Onge fit un rapide examen de l'homme devant lui. Les cheveux poivre et sel du policier, dont l'âge devait se situer entre quarante-cinq et cinquante ans, commençaient à se raréfier sur le devant exposant ainsi son front large. Les yeux gris exprimaient la désolation de devoir le faire patienter. Sans être gros, l'homme en chemise bleue et cravate assortie paraissait imposant.

Sa large main jouait machinalement avec un stylo pendant qu'il discutait. Sur son bureau jonché de dossiers, se trouvait également une plaquette de bois sur laquelle on pouvait lire S. Toupin Sgt détective en lettres dorées.

— Alors vous apportez quelque chose de nouveau? vint rapidement au fait l'inspecteur Toupin après avoir raccroché en lissant sa moustache du pouce.

— J'ai une bonne raison de croire que vous verrez bientôt Samantha répondit l'homme qui avait remarqué que l'individu devant lui ne s'était pas excusé de l'avoir fait patienter.

******

Tout l'univers de Samantha venait de s'écrouler à nouveau. Elle avait envie de pleurer, de crier si fort, de mettre sa chambre sans dessus dessous. Mais rien ne se passait. Elle gisait sur son lit, hébétée, sidérée, effondrée depuis un bon bout de temps. La journée, qui s'annonçait pourtant si bien, devenait finalement aussi horrible que les autres.

Elle ne pourrait pas prêter ses bijoux au Dr St-Onge pour qu'il les fournisse en preuve. Elle ne pourrait plus le voir, lui parler, savoir où en étaient ses démarches.

— Démarches, quelles démarches? se demanda-t-elle tout haut. Il se verra dans l'impossibilité d'entreprendre quoi que ce soit s'il n'a aucune preuve à présenter.

L'arrêt de ces thérapies signifiait un retour en enfer pour elle. Monsieur Lacroix était sorti sans expliquer pourquoi il mettait un terme à ces séances. Peut-être avait-il vu ou su qu'elles lui pesaient puisqu'il avait expliqué qu'elle n'aurait plus à supporter les visites. Mais c'était avant que le psychologue la croie, lui fasse voir une lumière au bout du tunnel. Édouard Lacroix pourrait probablement les réintégrer si elle lui demandait.

— Et s'il refusait catégoriquement? Elle ne devait pas se laisser abattre et songer à une solution de rechange. Réfléchir très sérieusement encore une fois.

Un violent coup de pied la ramena à d'autres pensées. Grimaçante, elle porta la main à son ventre et le flatta. Puis elle parla doucement pour calmer le petit qui grandissait en elle.

— Aie! tu me fais mal mon petit amour. Il faut te calmer.

Puis un second coup, à peine moins fort que le précédent, frappa ses entrailles.

— Aie!, mais qu'y a-t-il? Tu veux sortir de là? Tu te sens en prison, toi aussi?

À ces mots, une idée fit son chemin dans la tête de Samantha.

******

Le D^{r} St-Onge se présenta et expliqua qu'il revenait d'un long séjour de quatre ans au Maroc, où il travaillait à l'Ambassade du Canada comme psychologue pour les travailleurs canadiens, lorsqu'un homme l'avait contacté le mois dernier. Cet homme lui avait donné comme mandat de réhabiliter sa fille amnésique suite à un traumatisme subi lors d'un accident d'avion quelques années auparavant.

Il l'avait retrouvée quelques mois plus tôt après des années de recherches, d'espoir et de désespoir. Ayant miraculeusement survécu, une famille l'avait recueillie semblait-il et elle avait tout oublié de sa vie antérieure.

L'homme devant lui croisa les jambes, intéressé par son allocution, tout en ne voyant pas avec certitude où il voulait en venir.

— La première fois que j'ai travaillé avec elle c'était il y a environ deux semaines. J'ai étalé des photos de son enfance devant elle pour stimuler sa mémoire, mais elle refusait de les commenter m'assurant qu'elle s'en trouvait incapable et qu'elle n'était et n'avait jamais été celle que je croyais qu'elle était. Elle m'a avoué s'appeler Samantha Cartier et que cet homme fou la gardait prisonnière en la prenant pour sa fille Jennifer Lacroix.

Le policier s'avança sur son siège de plus en plus intéressé. Se pourrait-il que l'histoire de l'homme en face de lui soit vraie? Ce psychologue tiendrait-il la clé du mystère entourant Samantha Cartier? L'inspecteur Toupin lui demanda de faire une pause et de l'excuser une minute. Il se leva et sortit du bureau.

— Au début je ne la croyais pas continua le Dr St-Onge sur un signe d'encouragement à poursuivre de la part du policier après qu'il fut revenu en compagnie de trois autres policiers dont la policière au café. Celle-ci ferma la porte, s'appuya contre le mur vitré et croisa les bras, à l'écoute comme les autres.

David St-Onge paraissait calme, mais à l'intérieur de lui, une certaine nervosité, une fébrilité plutôt le gagnait. L'ambiance, les policiers autour de lui, l'enregistreuse placée sur le bureau devant lui y contribuaient pour beaucoup. Mais il était décidé à aller jusqu'au bout. Il savait qu'il avait choisi la bonne option. À l'évidence, l'histoire de Samantha Cartier les intéressait: donc la jeune femme ne mentait sûrement pas. Il les regarda l'un après l'autre. Ils l'écoutaient discourir sans l'interrompre attendant probablement avec difficulté le moment où ils pourraient lui poser des questions.

— Comme j'étais à l'extérieur du pays au moment de sa disparition et ce, jusqu'à tout récemment, j'ignorais tout de cette affaire et je n'avais aucune raison de croire sa version des faits à elle, s'excusa-t-il pour expliquer sa visite tardive aux policiers. Comme elle s'entêtait à répéter la même histoire au fil des rencontres avec plusieurs détails sans jamais se tromper, j'ai commencé à avoir des doutes. J'ai effectué quelques recherches dans les archives de certains journaux relatant l'écrasement d'avion puis la disparition de Samantha. Sa photo faisait la une des journaux: je ne pouvais plus ne pas la croire. J'ai pu aussi parler avec deux journalistes qui avaient titré ces articles et ceux-ci m'ont confirmé certains détails.

David prit une gorgée d'eau, qu'on venait gentiment de verser dans le verre à sa disposition. Il leur révéla ensuite qu'il avait affirmé à Samantha qu'il la croyait et désirait l'aider. Il lui avait demandé de lui donner un objet qui la reliait à sa vie d'avant sa disparition.

Il pourrait le fournir aux agents de police pour prouver qu'elle se trouvait là et bien vivante.

— Elle m'a avoué qu'elle n'avait absolument plus rien la reliant à sa vie d'avant. On lui avait tout confisqué et on lui avait acheté des vêtements neufs sauf pour quelques morceaux ayant appartenu à Jennifer Lacroix. On l'avait entouré d'objets rappelant Jennifer afin de stimuler sa mémoire expliqua encore David St-Onge devant les agents interloqués. Elle m'a dit qu'elle réfléchirait et trouverait bien quelque chose à me donner à notre prochain rendez-vous. Mais monsieur Lacroix m'a téléphoné hier soir pour m'informer qu'il annulait tous les prochains rendez-vous. Plus de thérapie, c'est fini et il n'a pas donné d'explication. J'ignore ce qui s'est passé. J'espère qu'il n'est rien arrivé à Samantha. Mais je m'apprêtais tout de même à venir vous voir, car j'ai pu obtenir ceci s'exclama-t-il, après avoir fouillé dans une poche de son imperméable pour en exhiber un sac à sandwich qui leur parut vide.

L'agent Toupin prit le sac et le regarda de près. Il s'aperçut qu'il contenait quelque chose: deux longs cheveux ondulés, d'un blond doré.

******

Pierre-Antoine, revenu de sa surprise, avait couru derrière son cousin.

— Minute Papillon! s'exclama-t-il selon une bonne expression. Ne te sauve pas comme ça.

— C'est important, je dois me dépêcher répondit l'autre s'apprêtant à repartir.

— J'ai moi aussi des choses importantes à régler et tu dois m'aider. Peut-être pourrais-tu faire les tiennes par téléphone? Tu sais, je ne veux pas te décourager, enchaîna-t-il d'une voix douce et compréhensive, mais ton histoire de téléphone n'aidera probablement pas. Si Samantha a effectivement utilisé son cellulaire après la date de sa disparition et que des experts peuvent en retracer les appels, il peut déjà être…

Le jeune homme, la mort dans l'âme, n'osait pas terminer sa phrase, mais Marc-Alec la continua pour lui, un sanglot dans la gorge.

— Trop tard ? Probablement, mais je dois quand même essayer. Mais tu as probablement raison. Je peux assurément le faire d'ici, par téléphone. Ensuite nous nous attaquerons à notre problème, concéda-t-il en marchant dans le sens inverse de celui où il allait précédemment.

Pierre-Antoine lui emboîta le pas et entoura ses épaules de son bras, compatissant à la terrible épreuve que vivait son cousin depuis plusieurs mois. Même si Karine était entrée dans sa vie, il savait qu'elle ne prenait pas toute la place que Samantha occupait.

Sentant le bras de Marc-Alec se mettre sur ses propres épaules, et se souvenant des propos de ce dernier, il tenta de détendre un peu l'atmosphère en changeant de sujet.

— De plus j'aimerais bien comprendre ce que vient faire Karine là-dedans.

Il allait répondre lorsque leur secrétaire, petite brune fort jolie à lunettes, les voyant arriver, les rejoignit.

— Il y a un revirement dans l'affaire du client mécontent. Une réunion d'urgence est organisée dans la salle de conférence. Ils n'attendent que vous.

Chapitre 24

Chacun son scénario

Le téléphone sonnait lorsqu'elle ouvrit la porte d'entrée. Elle claqua la porte et se précipita vers la sonnerie.

— Puis-je parler à monsieur Marc-Alec Fortin s'il vous plaît, demanda une voix à l'autre bout du fil, qui ne laissa rien paraître de la surprise que lui causait cette voix féminine.

— Il n'est pas ici présentement. C'est de la part de qui ? Puis-je prendre un message ?

— C'est l'agent Toupin à l'appareil. Nous avons de bonnes raisons de croire à une piste sérieuse pour retrouver Mme Samantha Cartier, disparue depuis quelques mois et conjointe de monsieur Fortin. Alors j'ai réactivé le dossier et nous aurions besoin de la collaboration de M. Fortin. Je n'ai pas pu le joindre sur son cellulaire et je suis tombée sur la boîte vocale à son bureau.

En écoutant le policier parler, Karine s'était sentie raidir. D'abord elle détestait le mot « conjointe » qu'avait utilisé l'agent, car Samantha ne l'était plus. Ensuite les mots «*piste sérieuse* » résonnaient encore à ses oreilles. Son cœur palpitait et elle souhaitait n'avoir jamais décroché le combiné. N'obtenant aucune réponse, l'agent Toupin la rappela à l'ordre. Karine se ressaisit rapidement, se retenant d'exprimer les commentaires qui ne demandaient qu'à sortir de sa bouche et s'excusa plutôt.

— Pardonnez-moi monsieur l'agent, mais j'ai bien peur que monsieur Fortin ne puisse vous aider. Il a dû quitter la ville pour quelques semaines et je suis une amie qui vient faire un peu de ménage de temps à autre. Si je peux vous être utile…

— Vous êtes une amie de longue date ?

— Non pas tellement. Pourquoi ?

— Avez-vous connu mademoiselle Cartier ?

— Non malheureusement. Marc-Alec m'a parlé quelquefois d'elle. Il y tenait beaucoup.

— En effet. Savez-vous quand il rentrera ? demanda-t-il, déçu que cette femme ne puisse l'aider.

— Pas exactement. Quelques semaines peut-être... Vous savez, les hommes d'affaires à la recherche de contrat ailleurs dans le monde...

— Oui je comprends. Désolé de vous avoir fait perdre votre temps, mais s'il entrait en contact avec vous, pouvez-vous lui faire part de notre entretien.

— Je n'y manquerai pas monsieur. Au revoir monsieur.

Karine raccrocha précipitamment comme si elle avait peur qu'il la retienne au téléphone jusqu'à la faire avouer que Marc-Alec se trouvait bien en ville. Elle regarda sa montre. Il était l'heure de dîner et la secrétaire avait dû quitter le bureau. C'était sûrement la raison pour laquelle le policier était tombé sur la boîte vocale et n'avait donc pu parler à son copain.

Pourtant Marc-Alec devait se trouver à son bureau et encore en ce moment. Elle devait agir et vite. Elle décrocha le téléphone et composa un numéro.

******

Le cri de Samantha l'avait tellement surprise que Nanny s'était empressée d'accourir à sa chambre. Elle déverrouilla la porte en vitesse en tentant de rassurer la jeune femme de l'autre côté.

— Que se passe-t-il? demanda la gouvernante, une fois dans la chambre et trouvant une Samantha habillée et assise sur son lit.

— Le bébé m'a donné un vilain coup de pied puis tout de suite après, une douleur fulgurante m'a traversé le ventre. J'ai attendu et ça s'est répété à deux reprises entre quinze et vingt minutes d'intervalle environ.

— Ça ne peut pas être le travail qui commence. Il est trop tôt. Allonge-toi et repose-toi tenta de la calmer Nanny en l'aidant à s'étendre. C'est sûrement un faux travail qui va bientôt passer.

— J'espère bien que ce n'est pas le vrai travail, mon bébé est trop petit, trop immature pour naître. Mais si c'est le cas qu'allons-nous faire? Je ne peux pas accoucher ici! Nous n'avons pas l'équipement médical nécessaire pour un accouchement prématuré s'inquiéta la jeune mère en devenir.

— Détends-toi. Je vais te soulever les jambes à l'aide d'un oreiller et ça va finir par cesser, tu verras.

À ces mots Samantha fit la grimace alléguant qu'une contraction venait. Elle posa ses mains sur son ventre et respira rapidement et superficiellement.

— Je vais rester avec toi jusqu'à ce que tes contractions s'arrêtent. Sinon je t'aiderai à prendre un bain ce qui fait souvent des miracles, ajouta-t-elle devant la mine peu convaincue de Samantha.

Près de deux heures plus tard après qu'un bain ainsi qu'une petite promenade jusque dans le studio, seule autre pièce qu'elle connaissait à part la salle à manger, se furent révélés inefficaces et que les contractions se furent plus rapprochées, la gouvernante dut se rendre à l'évidence: le travail était malheureusement commencé. Elle laissa Samantha pour aller téléphoner à M. Lacroix. Celui-ci se chargerait de lui dénicher un médecin. Elle prendrait également le temps de leur préparer un léger goûter et lui promit de revenir au plus vite.

Pendant son absence, Samantha en profita pour aller s'asperger le visage dans sa salle de bain et se lissa les cheveux vers l'arrière après les avoir mouillés légèrement sur le dessus et derrière les oreilles. Elle arrosa également le haut de sa chemise pour faire plus vrai, comme si elle avait réellement sué pendant le travail. Elle revint ensuite dans son lit même si elle en avait assez d'y rester, quasi immobile.

Samantha fut soulagée que son accompagnatrice l'ait quittée un bon moment. Bien qu'elle n'ait pas été avec elle constamment depuis le début, cette absence s'avérait la plus longue d'entre toutes. En fait, il lui semblait que la gouvernante tardait même. Mais cela lui permettait enfin de mieux relaxer, de respirer normalement et de cesser de grimacer pendant quelque temps.

Elle se trouvait bonne comédienne de penser à grimacer de douleur et de respirer comme un petit chien toutes les vingt minutes. C'était un bon exercice pour le vrai travail, mais elle avait bien hâte d'arrêter cette comédie et souhaitait ardemment que le but visé soit atteint. Bien qu'elle ne forçat pas ses contractions, il arrivait que son ventre se durcisse lors de ses douleurs simulées et elle craignait de causer du tort à son bébé à la longue.

Elle espérait fortement que le médecin qu'enverrait M. Lacroix la croit et l'emmène avec lui hors d'ici. Il fallait qu'il la crut, car simuler ce travail afin de faire entrer en scène une autre personne qui pourrait l'aider, c'était sa seule porte de sortie à présent, la seule solution à laquelle Samantha avait songé. Elle lui expliquerait sa situation en chemin, mais au moins, elle aurait quitté cette prison.

Lorsque Nanny revint enfin, s'excusant d'avoir éprouvé de la difficulté à rejoindre M. Lacroix, avec un plateau de sandwiches, de crudités et deux verres de lait, Samantha respira de soulagement comme si elle venait de subir une autre contraction.

— Monsieur Lacroix ne peut venir tout de suite, annonça la gouvernante en déposant le plateau sur la table de chevet. Cependant, il connaît quelqu'un qui lui a déjà parlé d'un médecin très disponible des environs qui effectuait des visites à domicile.

Bruno nous tiendra au courant de l'heure probable de son arrivée. Ton père est un peu affolé et inquiet, mais il viendra dès qu'il le pourra. Il t'embrasse. Ah! Mon Dieu! Pauvre Jennifer, tu es en nage, remarqua-t-elle enfin au moment où Samantha simulait une contraction.

Compatissante, Nanny l'assistait du mieux qu'elle pouvait.

— Je n'en peux plus. Quelle heure est-il? Arrivera-t-il bientôt? demanda Samantha un peu plus tard en mordant sans réel appétit dans la deuxième moitié de son sandwich au jambon, qu'elle avait d'abord refusé de manger.

Comprenant qu'elle faisait référence au médecin qu'elles attendaient, Nanny lui répondit qu'il ne devrait pas tarder puisque selon Bruno venu quelques contractions auparavant, il avait dit qu'il se présenterait en fin d'après-midi et sa montre indiquait plus de quatre heures de l'après-midi.

De l'autre côté de la porte, leur parvinrent un bruit soudain. On déplaçait des meubles, des chaises possiblement, et des voix s'élevaient. Devant les yeux interrogateurs de la jeune femme, Nanny tenta de la rassurer. Elle lui fit un clin d'œil et lui caressa doucement la main en lui disant qu'elle allait voir.

La gouvernante ouvrit la porte sur un homme aux cheveux blonds et bouclés. Le visage familier fit s'écrier Samantha de surprise.

— Robert!!!

******

David les avait regardés tour à tour ne sachant à qui répondre en premier. Ayant tous été impliqués dans l'enquête quelques mois plus tôt, ils étaient surexcités quand à l'issue prochaine de cette affaire et chacun leur tour, demandait à en savoir davantage. Après avoir exécuté quelques appels, l'inspecteur Toupin avait toussoté puis tous, s'excusant, l'avaient laissé mener les opérations à sa guise.

— Veillette, va me porter ça au labo, s'adressa-t-il au grand rouquin âgé d'une quarantaine d'années, en lui tendant le sac contenant les cheveux de Samantha. Ils sont déjà avisés, mais rappelle leur que c'est une urgence. Reviens ici ensuite.

— Bien Sergent, accepta l'homme en gratifiant son supérieur d'un salut militaire.

— À présent, dites-moi où elle se trouve demanda le sergent Toupin en regardant David St-Onge.

— C'est un problème avoua l'interpelé. Je ne sais pas où.

Tous les yeux, déjà tournés vers lui s'agrandirent d'étonnement.

— Laissez-moi vous expliquer, commença-t-il avant qu'ils aient eu le temps de placer un mot. À chacune de nos rencontres, un homme, qui disait s'appeler Bruno, venait me chercher à un point de rencontre au centre-ville. Je grimpais à bord d'un Econoline, sans fenêtre, évidemment, et le siège du chauffeur était séparé de ceux en arrière par un épais rideau, toujours fermé. Je ne voyais jamais par où nous passions. Même si ça me paraissait étrange au début, j'ai rapidement accepté ce fait. Lorsque j'ai commencé à avoir des doutes, j'ai voulu compter les secondes entre chaque fois que nous changions de direction, mais comme s'il le savait et désirait m'en empêcher, à l'occasion, Bruno me parlait et me posait des questions sur différents thèmes de l'actualité. Je répondais et perdais ainsi le fil de mon décompte.

— Il faut que vous pensiez à certains détails qui pourraient nous aider, dit l'inspecteur en se levant pour exécuter quelques pas dans son bureau. Le fait que cet homme vous ait viré n'est pas bon signe à mon avis. Il s'est passé ou il a flairé quelque chose et il commence à réagir. Nous devons la retrouver au plus vite avant qu'il ne soit trop tard. Réfléchissez David.

— Le temps total que ça prend pour se rendre, entre autre suggéra la policière.

— Effectivement et quelques photos sur mon téléphone cellulaire, répondit le Dr St-Onge devant les agents ravis.

— Félicitations, vous avez bien travaillé, vous avez l'âme d'un policier on dirait. Montrez-moi ça rapidement demanda le sergent détective en s'asseyant de nouveau.

Cherchant son téléphone dans la poche intérieure de son veston, il leur mentionna qu'ils mettaient probablement environ trente minutes à se rendre au manoir de M. Lacroix. Puis le psychologue leur montra une photo un peu floue de la plaque d'immatriculation en s'excusant de la qualité de l'image, car il avait dû faire vite. En prétextant avoir échappé un livret, il était allé vers l'arrière du véhicule puis avait rapidement pris un cliché.

— Rassurez-vous, ce n'est pas grave. Une fois la photo agrandie, même floue, nous pourrons voir avec facilité et certitude chaque élément de la plaque. D'autres photos?

Ils virent défiler sur le cellulaire deux images d'une partie du manoir, qu'il avait réussi à prendre discrètement, une du studio dans lequel lui et Samantha se rencontraient et, comble de bonheur, une image de Samantha prise à son insu. Il y avait pensé juste avant de sortir de la pièce lors de leur dernière rencontre. Elle avait la tête un peu penchée, mais on la voyait clairement.

Avec l'accord empressé de David, l'agent Toupin tendit son téléphone à la policière, en l'appelant par son prénom, Hélène, et lui demanda de faire agrandir les photos dont ils avaient besoin. Spécialiste dans le domaine du téléchargement de photos, elle accepta avec une bonne humeur évidente.

Il chargea ensuite l'agent Michel Jean-Pascal, également pilote, dont le père retraité et d'origine Haïtienne avait aussi travaillé comme détective dans leur service, de s'occuper de faire décoller leur hélicoptère pour explorer la région sur un périmètre de cinquante kilomètres pout trouver ce fameux manoir. Il apportera les agrandissements du manoir avec lui dès qu'ils seront prêts.

Avec l'agent Maxime Mercier, jeune homme châtain à barbiche, et David St-Onge, l'inspecteur élabora un plan pour entrer dans le manoir et sauver la jeune femme. Tous semblaient ravis et impatients de collaborer. David comprit donc que la situation de Samantha Cartier en avait inquiété et impliqué plusieurs.

Il écouta attentivement le plan du chef, auquel le jeune Mercier apportait parfois quelques détails, pour la satisfaction de l'inspecteur Toupin. Au cours de leur discussion, le téléphone sonna. Le sergent Toupin prit le récepteur et écouta.

— Parfait, merci Louis, dit-il simplement avant de raccrocher.

Regardant le D^r^ St-Onge droit dans les yeux, il leur apprit la nouvelle. C'était le labo.

— Les cheveux que vous avez rapportés sont effectivement ceux de Samantha Cartier, la femme que nous recherchions, disparue il y a sept mois. L'ADN prélevé est identique à celui que nous avions prélevé sur les mèches que son copain nous avait fourni de sa brosse.

Entretemps, l'agent Gagné revint avec les agrandissements. Satisfait que tout se déroule avec vitesse et efficacité, l'agent Toupin remit les clichés du manoir à l'agent Jean-Pascal qui les quitta aussitôt, accompagné de l'agent Mercier.

L'inspecteur examina ensuite les autres photos attentivement en les comparant à celles du dossier de Samantha qu'il venait de sortir d'un classeur.

— Je vois bien que c'est Samantha, mais elle me paraît changée. Il me semble que son visage est plus œdèmacié, finit-il par dire.

— C'est bien possible qu'elle ait enflé; Samantha est enceinte.

— Pardon?

******

— Qu'est-ce que tu fais ici?

— Je pourrais te retourner la question répondit plutôt Robert.

Samantha fut soudain prise de vertiges, la tête lui tournait. Elle venait de comprendre bien des choses et forçait son cerveau à fonctionner à pleine capacité. Elle devait trouver une solution, car son sort semblait loin de s'améliorer. Pour étirer le temps, elle inventa une autre contraction.

Bien sûr, il devait être le médecin envoyé par Édouard Lacroix pour l'examiner et suivre son travail. Mais surtout il était la cause de ce par quoi elle passait, ce qu'elle endurait depuis le début, Samantha en était certaine.

La voix qui l'avait intriguée quelques jours plus tôt, comment avait-elle put ne pas les relier? Son subconscient ne le désirait assurément pas, mais le fait était là pourtant. Et c'était lui, Robert Doyon, qui avait rendu visite à M. Lacroix et se révélait le cerveau de l'affaire. C'est sûrement lui qui avait orchestré son enlèvement et tout ce qui avait suivi.

Son vœu de quitter cette maison en compagnie d'un médecin et lui avouer par la suite son mensonge tombait à l'eau. Ce prétexte vers sa liberté s'avérait utopique à présent. Il ne l'emmènerait nulle part où elle lui réclamerait d'aller, peu importe la vérité à propos de ses contractions.

La jeune femme se devait de demeurer prudente, car elle savait deux choses importantes cependant. Premièrement, elle ne pourrait pas jouer cette comédie indéfiniment et deuxièmement, il ne fallait surtout pas se le mettre à dos ni lui avouer qu'elle avait compris. Alors que faire? Samantha en était là après avoir simulé sa contraction. Elle choisit d'ignorer sa demande et de le laisser parler. Et elle saisirait la possibilité de le convaincre si elle se présentait.

Il s'était élancé vers elle en la voyant se replier sous la douleur disant à la gouvernante qu'elle pouvait les laisser. Il saurait bien s'en occuper. Hésitante, Nanny les quitta sur un signe approbatif de Samantha.

— Ça va mieux, dit-elle en tendant le bras comme pour le repousser instinctivement. Cette douleur m'a paru moins longue et moins intense que les précédentes pourtant.

— Samantha, dis-moi ce qui se passe. Pourquoi te trouves-tu dans cette maison? On t'a tellement cherchée.

— Apparemment un homme m'a prise pour quelqu'un d'autre, sa fille en l'occurrence, et me garde prisonnière ici en attendant que je lui dise que je suis celle qu'il croit, dit-elle en s'efforçant d'utiliser un ton de victime plutôt qu'un ton ironique puisqu'elle était persuadée qu'il mentait et connaissait la raison de sa présence en ces lieux. Mais la jeune femme ne désirait pas qu'il se doute qu'elle le soupçonnait.

Il lui jeta un regard interrogateur comme s'il cherchait à comprendre ce qu'elle disait, comme si cette histoire pouvait être totalement impossible, comme s'il était complètement étranger à toute cette histoire. Mais Samantha n'était pas dupe. Elle savait qu'il jouait la comédie, mais pour sa sauvegarde, la jeune femme devait embarquer dans son jeu, agir comme si elle n'avait rien deviné.

— Mais toi, tu me connais. Dis leur qu'ils se trompent, confirme leur que je suis Samantha Cartier l'implora-t-elle.

— J'aimerais bien t'aider, mais je voudrais aussi comprendre. Je ne m'attendais pas à te voir ici alors que tu es désespérément recherchée depuis des mois dans tout le pays. Je te trouve dans cette chambre, vivante, en santé et de plus, enceinte.

— Je veux bien t'expliquer, mais emmène-moi loin d'ici d'abord. Je ne veux pas prendre le risque d'accoucher ici. Mon enfant sera prématuré et il n'y a pas les appareils médicaux dont il aura besoin pour survivre. Nous devons nous rendre dans un hôpital, débita-t-elle rapidement.

— Je suis médecin, laisse-moi t'examiner.

— Tu es pédiatre Robert pas obstétricien! s'exclama-t-elle en resserrant inconsciemment ses jambes.

Le calme dont il faisait preuve commençait à l'angoisser. Il n'avait absolument pas fait semblant d'être heureux de la revoir, de montrer un grand soulagement de la voir vivante. Il ne jouait pas parfaitement sa comédie et Samantha ne pouvait pas deviner ses pensées ni prévoir les gestes qu'il poserait. Elle ignorait donc totalement à quoi s'attendre. Tout ce dont elle se doutait était qu'il semblait vouloir étirer le temps.

— Sors-moi de là Robert. Je t'en prie, la survie de mon enfant en dépend!

— Je connais quelques rudiments en obstétrique et c'est possiblement un faux travail. Je dois t'examiner.

— Mais quelqu'un de plus... expérimenté dans le domaine s'exécutera selon les normes à l'hôpital. De plus, je n'ai encore subi ni examen physique ni échographie pendant toute ma grossesse argumenta-t-elle encore. Ce n'est pas compliqué, je veux sortir d'ici. Pourquoi ne veux-tu pas m'aider? s'impatienta-t-elle au bord de la crise de larmes.

Elle grimaça. Le bébé venait de lui asséner un coup de pied comme pour la ramener à l'ordre. Elle voulait tellement qu'il l'aide à s'enfuir, qu'elle en oubliait d'inventer des contractions.

— Laisse-moi au préalable vérifier si ton col est dilaté. S'il est trop ouvert, il serait risqué de te transporter. S'il ne l'est qu'un peu, nous partirons.

Ce qu'il disait lui parut sensé, mais elle pressentait qu'il désirait plutôt étirer le temps. Il attendait le retour de M. Lacroix songeait Samantha. Elle devrait se plier à sa demande au plus vite sinon il se douterait qu'elle ne contractait pas réellement. Mais en même temps, elle n'en avait pas envie. Il découvrirait que son «*faux travail*» ne laissait absolument rien paraître d'un accouchement imminent. Puis elle songea à quelque chose qui pourrait lui permettre une tangente vers la solution qu'elle espérait.

— Tu as des gants?

— Pas avec moi, mais je vais me laver les mains.

— Ce n'est pas suffisant Robert. Je refuse que tu m'examines si tu ne portes pas de gants.

— Voyons Samantha! la pria-t-il surpris. Tu me connais, nous avons déjà été... intimes et...

— C'est la procédure, l'interrompit-elle en croisant les bras sur son ventre rond. Tu en as dans ta voiture?

Il acquiesça et finit par se laisser convaincre d'aller les chercher. Si Robert avait espéré encore étirer le temps, il aurait dû refuser. Pas de gants, pas d'examens, pas de départs et M. Lacroix aurait l'occasion de revenir. Samantha était déroutée qu'il ait accepté, mais s'en trouvait très heureuse.

Il traversa le couloir qui le menait vers la cour arrière ou il avait garé son véhicule, sa Porsche qu'il n'avait pas eu le loisir de montrer à Samantha. S'il l'emmenait maintenant avec lui, elle la verrait enfin. Elle goûterait à l'ivresse qu'on ressentait à bord. Toute à ce plaisir, elle s'abandonnerait peut-être finalement à lui. Mais pas tout de suite. Il fallait patienter encore un peu. Il n'en était pas arrivé à la fin de son scénario.

Il marchait dehors dans le stationnement en direction de son auto sport. Il avait cessé de pleuvoir et le soleil timide d'avril achevait malgré tout de faire fondre la neige. Les oiseaux revenus du sud chantaient dans les branches où pointaient quelques bourgeons. Il respira à fond. Il appréciait le printemps: le temps du renouveau. Et il le vivrait sous peu ce renouveau. Il avait été très, très patient se disait-il, fier de lui.

Il prit sa trousse de médecin à l'intérieur de la voiture et vérifia s'il elle contenait des gants stériles. Une boîte neuve s'y trouvait. Il sourit à la pensée de contenter Samantha. Il lui fallait l'amadouer un peu, la mettre en confiance. C'était la raison pour laquelle Robert avait consenti à se procurer les gants. Il referma sa trousse, la porte de sa voiture et se dirigea vers la maison. Un bruit attira son regard vers le haut. Un hélicoptère passait au-dessus du manoir. Il aimait bien les hélicoptères, qui au printemps, tout comme les oiseaux, se faisaient plus fréquents dans le ciel. Il reprit sa marche en sifflant.

Chapitre 25

Est bien pris qui croyait prendre

— Pardon? répéta-t-il. Vous voulez dire qu'elle aura un enfant bientôt?

— C'est ce à quoi s'attendent toutes les femmes enceintes! fit le sergent Veillette à côté de lui.

— Je sais répliqua sèchement le détective ignorant le ton de plaisanterie utilisé par son coéquipier. Ce qui me tracasse, c'est d'abord et avant tout qu'elle a sûrement été violée et cela modifie le cours de l'enquête.

— Pas du tout.

— Comment «*pas du tout*»? questionna l'agent Toupin en regardant le Dr St-Onge. Il se demandait à quelle partie de sa dernière affirmation, le psychologue se référait.

— Elle n'a pas été violée. Samantha se montre définitive sur ce point. L'enfant est de son amoureux, Marc-Alec, je crois. Elle affirme que c'est ce qui l'aide à ne pas trop désespérer, à ne pas lâcher.

— Il se prénomme Marc-Alec, en effet remarqua le policier. Si c'est bien le cas, au moins un problème est évité. Cependant, elle n'a probablement pas pu profiter d'examens périodiques durant sa grossesse, ce qui peut compliquer l'accouchement, étant donné qu'on ne connaît pas l'état de l'enfant à venir et bien évidemment sa sortie de ce manoir. Arracher des griffes de ravisseurs une femme enceinte ne s'effectue pas dans la facilité, surtout lorsqu'elle approche du terme de sa grossesse. Au fait, à combien de mois est-elle rendue?

— Elle vient de passer le septième mois, je pense.

— C'est ce que je craignais. S'il survient quelque chose, c'est beaucoup trop tôt pour accoucher. Mais nous aviserons en temps et lieu. Je suis tout de même content d'être au courant de cette situation. Il faudra renseigner les agents impliqués. En attendant y a-t-il autre chose?

Pour toute réponse, son cellulaire vibra dans sa poche.

— Sergent détective Toupin, répondit-il.

Quelques secondes suffirent pour qu'un immense sourire illumine son visage. Apparemment son interlocuteur lui annonçait de bonnes nouvelles. Il prit rapidement des notes dans son calepin.

— Beau travail! À tout de suite, fit-il avant de refermer le téléphone et de le faire disparaître dans sa poche à nouveau.

Il sortit de son bureau et avec assurance rassembla et mobilisa le plus de policiers possibles en leur donnant des instructions précises. Tous l'écoutèrent attentivement puis des murmures s'élevèrent dans la salle. Toupin revint sur le pas de la porte de son bureau et s'adressa à David St-Onge.

— Venez avec moi, vous êtes un témoin important et quand même médecin ordonna le détective prêt à repartir. Le pilote de l'hélicoptère a trouvé la résidence, annonça-t-il à David qui lui avait emboîté rapidement le pas, l'œil interrogateur.

******

Il y avait de l'effervescence dans l'air. Tous les agents s'agitaient, excités par l'approche d'une heureuse conclusion, fort rare dans les histoires de disparition. Ils exécutaient les ordres du sergent avec efficacité. Une vie, plutôt deux, se trouvant en danger, ils devaient agir avec rapidité.

Arrivés en courant au garage dans le sous-sol de l'immeuble, les policiers, déjà groupés par deux, s'engouffrèrent dans les véhicules représentant la loi. Les automobiles quittèrent le stationnement, une à la suite de l'autre, sans perdre de temps. La file de voitures s'empara du boulevard, sirènes en fonction, avec à sa tête l'auto-fantôme dans laquelle prenaient place le sergent Toupin, l'agent Gagné, qui conduisait, ainsi que le D^{r} St-Onge.

En chemin, l'inspecteur posait des questions à David, entre autres sur l'emplacement des pièces de la maison. Il prenait des notes, élaborait et améliorait son plan d'action en gardant le contact avec le policier-pilote de l'hélicoptère. Ce dernier l'avisa qu'il venait d'apercevoir un homme sortir à l'arrière du manoir puis retourner à l'intérieur après avoir pris possession d'une valise dans sa voiture. Ensemble, ils spéculaient sur ce qu'elle pouvait contenir.

De son côté, David, tout en aidant du mieux qu'il pouvait, vivait un moment intense. Il trouvait spécial que tous les véhicules se compriment sur le bord de la route pour laisser passer la suite des six voitures policières qu'ils formaient. Et toute cette procession existait grâce à lui. C'était une expérience qu'il ne revivrait probablement jamais plus, mais il n'en tirait pas vraiment de fierté; il avait fait ce qu'il devait.

Les voitures avançaient à toute vitesse, guidées du haut des airs par le pilote. Peu avant leur arrivée, les gyrophares se turent pour ne pas alerter les coupables. Après avoir suivi la longue allée, les trois premières voitures sur les lieux se garèrent à l'avant de la résidence, dont la grille était heureusement demeurée ouverte, pendant que les autres tentaient de la contourner par des sentiers tracés à travers les jardins et ainsi se permettre de cerner l'arrière.

L'inspecteur Toupin et quelques autres policiers parés et bien armés prirent d'assaut le hall d'entrée. La porte n'était pas verrouillée, mais la chaînette, pourtant solidement ancrée dans sa rainure, céda facilement. Ils pénétrèrent dans une vaste entrée aux murs beiges. Leurs pieds foulaient un tapis brun et ils ne prirent pas le temps de se regarder dans le miroir au cadre de bois peint en doré installé sur le mur à leur droite.

Affolée, terrorisée, Nanny arriva en demandant pourquoi des policiers attaquaient sa maison. Deux policiers l'amenèrent à l'écart pour lui expliquer les faits et l'interroger pendant que les autres fouillaient la maison à la recherche de Samantha.

David précéda le sergent afin de lui montrer les pièces auxquelles Samantha avait accès. Il commença par le grand salon bourgogne, attenant au hall d'entrée, qui lui restait familier. Il ne vit personne. Sans perdre de temps, il réintégra le hall et les guida dans un étroit couloir qui menait vraisemblablement vers la chambre qu'on avait assigné à la jeune femme. C'est du moins par cette direction qu'elle venait à leurs séances, expliqua-t-il.

À leur droite, une porte ouverte débouchait sur une chambre féminine. Ils trouvèrent un imposant lit, défait, mais vide, une chaise berçante inoccupée. Aucune trace de Samantha dans la pièce qui demeurait désespérément vide. Tous criaient le nom de la jeune femme, mais personne ne répondait. Le cœur du Dr St-Onge se mit à battre plus fort. La crainte et l'inquiétude s'emparèrent de lui et il s'affola.

Non, se raisonna David ça ne pouvait arriver. Il se tourna vers le détective et lut une inquiétude identique dans ses yeux. Cet individu sans scrupule, ce Lacroix, ne pouvait l'avoir enlevée à nouveau alors qu'ils arrivaient si près du but !

******

Le ciel se colorait de plusieurs tons de roses et de mauves. La noirceur allait tomber et c'était tant mieux. Installé au volant de sa rutilante voiture sport, il quitta l'allée située derrière la vaste maison et s'engagea dans la ruelle avant de jeter un coup d'œil à la femme assise enfin à côté de lui. Adossée sur son siège, les yeux fermés, elle semblait se détendre. Comme il la trouvait belle, même enceinte ou surtout enceinte. Il avait toujours envie d'elle, il s'imaginait l'embrassant, mais il devait s'abstenir. Jouer le jeu de l'indépendant, se laisser désirer.

Ses pensées volèrent un instant vers Anne-Marie. Il l'avait remerciée définitivement la semaine dernière, peu après qu'elle ait apporté des preuves des amours de Marc Machin-chose. Il l'avait fait suivre à intervalles réguliers, certain qu'il finirait dans les bras d'une autre femme. Et à son grand bonheur son vœu avait été exaucé. Si Samantha pensait toujours à lui, elle l'oublierait vite en constatant qu'il ne s'était pas retenu de tomber sous le charme de quelqu'un d'autre.

L'affaire entre Anne-Marie et lui avait duré plus d'un an, mais il en avait plus qu'assez de leurs histoires de sexe. Robert n'éprouvait pas d'amour pour elle. Il avait eu besoin d'elle et l'avait utilisée jusqu'au bout. Anne-Marie avait démontré un peu de chagrin, mais elle s'en remettrait. Malgré le fait qu'elle lui dise qu'elle l'aimait beaucoup, il savait qu'il n'était pas le seul amant qu'elle recevait dans son lit.

Il regarda de nouveau sa compagne et lui demanda si ça allait mieux. Elle répondit par l'affirmative sans ouvrir les yeux. Il voulait la toucher, mais se retint.

S'efforçant de se concentrer sur sa conduite, l'homme se dit que c'était pour bientôt. Il lui déclarerait que Marc Machin-chose ne l'aimait plus, qu'il l'avait oubliée et lui montrerait les photos. Elle aurait probablement un peu de peine, mais il la consolerait. Il prendrait soin d'elle et lui promettrait d'aimer l'enfant comme si c'était le sien. Ça ne serait pas difficile s'il ressemblait à Samantha. Puis elle finirait par avouer qu'elle l'aimait encore, lui, Robert Doyon.

Il n'avait pas prévu de partir avec elle maintenant ni de cette façon, mais il n'avait pas eu le choix. Il visait plutôt qu'elle parte avec lui de son plein gré, qu'elle le voie comme son sauveur de la sortir de là et que de son côté, ce Marc Machin-chose devienne le méchant pour l'avoir oubliée, pour se satisfaire dans les bras d'une autre. Mais il n'avait pas les photos incriminantes avec lui. Ce n'était pas grave cependant si son scénario bifurquait légèrement, car il arriverait à la même conclusion au bout du compte.

Au tout début, bien avant de savoir qu'elle était enceinte, ses plans différaient et il prévoyait l'aboutissement moins long. Mais comment lui faire oublier rapidement un homme dont elle portait l'enfant? Quand il avait appris sa grossesse, il était trop tard et il ne pouvait courir le risque de l'emmener dans une clinique d'avortement. Il s'était dit qu'il avait quelques mois devant lui pour modifier ses plans. Sans le savoir, M. Lacroix coopérait efficacement à son projet en tentant par différents moyens de la convaincre qu'elle avait grandi avec lui.

Juste avant de réintégrer le domicile, Robert avait cru entendre des sirènes de police au loin. Il n'y avait aucun risque qu'elles viennent vers lui, s'il s'agissait vraiment de cela:, car personne n'était au courant de la présence de Samantha en ces lieux s'était-il dit à lui-même. Il s'en voulait de ne pas avoir remarqué davantage l'aspect de l'hélicoptère aperçu plus tôt, mais entrevoyant tout de même un lien possible, il ne devait prendre aucune chance, avait-il décidé. Il avait laissé tomber sa mallette dans le large corridor central et s'était précipité dans la chambre de Samantha.

Il avait prétexté ne plus trouver ses gants et qu'elle avait raison. Il valait mieux se rendre dans une clinique, surtout qu'elle n'avait pas bénéficié d'un suivi de grossesse. Enfin comblée, Samantha l'avait suivi sans argumenter. S'il semblait être la cause de son emprisonnement dans ce manoir, la jeune femme avait tout de même confiance en ses bonnes intentions envers elle, puisqu'il disait l'aimer, et elle espérait fortement qu'il la conduise effectivement dans une clinique.

******

L'inspecteur Toupin éteignit son cellulaire après s'être assuré que son interlocuteur communiquerait avec lui dans les plus brefs délais. Déçu d'avoir manqué Samantha et son ravisseur, probablement de peu, il soupira, se passa une main dans la figure puis rejoignit les autres dans la salle à manger. Trois policiers ainsi que le Dr St-Onge étaient attablés autour de la gouvernante et de l'homme à tout faire qui disait s'appeler Benjamin Bruneau, mais tout le monde le surnommait Bruno. Veillette, le grand rouquin, semblait mener l'interrogatoire.

— Alors que se passe-t-il ici ?

L'agent Veillette leva les yeux sur l'inspecteur. Ce dernier l'invita à le suivre dans une autre pièce. Il expliqua que les interrogés ignoraient tout de Samantha Cartier. Au service de M. Lacroix depuis de nombreuses années, ils avaient vécu le terrible drame de l'accident de sa fille et l'avait raconté aux policiers selon les détails qu'ils connaissaient. Comme on n'avait jamais identifié son corps, avec leur patron, ils n'avaient jamais vraiment cessé d'espérer. C'était avec un bonheur immense qu'ils avaient accueilli la jeune femme retrouvée des mois plus tôt.

Les deux employés affirmaient avoir cru leur employeur et s'étaient promis d'aider la jeune femme à retrouver la mémoire, que le grave traumatisme lui avait fait perdre. Ils leur avaient montré des photos de Jennifer et semblaient sincères dans leur explication.

Le sergent-détective le remercia pour son bon travail et lui demanda d'attendre avec un autre agent, le retour du propriétaire du manoir qui devait revenir sous peu pour l'emmener au poste de police. Il lui demanda d'investiguer la chambre où Samantha dormait et l'informa qu'il partirait avec les deux employés pour un interrogatoire plus poussé. Il ajouta qu'il lui laisserait le véhicule-fantôme pour que M. Lacroix ne se doute de rien en voyant la voiture à son retour chez lui.

Les deux hommes allaient réintégrer la salle à manger lorsque le téléphone cellulaire de l'inspecteur Toupin sonna.

— Sergent-détective Toupin, répondit-il.

— J'ai trouvé ce que vous m'avez demandé sergent, fit la voix dans son oreille.

******

Elle souleva l'appareil à la deuxième sonnerie. Ses yeux s'attardèrent sur l'horloge de la cheminée qui lui faisait face. Il était dix-neuf heures et près d'une heure s'était écoulée depuis sa dernière conversation téléphonique.

— Bonsoir ma puce. Je sais, je rentre tard, mais je devais absolument travailler sur un important problème.

— Tu travailles trop mon chéri. Tu devrais t'arrêter un peu, prendre des vacances.

— Ça ne serait pas de refus, crois-moi.

— Alors laisse-moi tout arranger.

— Une minute, je ne peux pas tout de suite.

— Mais tu viens de dire…

— Je sais l'interrompit-il. J'aimerais bien, mais je n'ai pas le temps. C'était une manière de parler.

— J'aimerais tellement aller en voyage avec toi et il y a un bout de temps qu'on en parle. C'est le moment, pendant que je n'ai pas de cours. Et si on remet ça sans cesse jamais on n'ira. Et pour dire vrai, j'ai déjà commencé à m'en occuper. J'ai rejoint une copine qui travaille dans une agence de voyage. Je n'ai qu'à mentionner la date où nous désirons partir et le tour est joué. Marco tu es tellement fatigué. Et avec les derniers mois que tu as vécus…

Il y eut une longue pause pendant laquelle Marc-Alec songea aux douloureux évènements qui s'étaient produits. Il était vrai qu'il ressentait beaucoup de stress et avait besoin de penser à autre chose, à se laisser aller aux petits bonheurs de la vie qu'il avait délaissés depuis trop longtemps. Il avait lui-même choisi de revoir Karine après tout et ils se fréquentaient depuis.

Il n'était pas amoureux d'elle comme il l'avait été de Samantha. En fait certains détails l'agaçaient, comme cette manie de le surnommer Marco, de trop s'immiscer dans ses affaires ou de le manipuler parfois. Mais il ne lui avait pas expliqué directement encore. Il verrait où leur relation les mènerait et il ne voulait pas la blesser, car au fond, il l'aimait bien. Ils avaient du plaisir à être ensemble. Il ne devait pas l'entraîner dans son marasme et freiner son goût de vivre. Il ne devait pas la laisser tomber. Face à ce silence, Karine crut qu'elle allait gagner.

— Tu n'as pas pris de vacances depuis longtemps, je pense. Tu es ton propre patron après tout, insista-t-elle encore.

— Écoute, la situation problématique au bureau peut prendre quelques jours encore...

— Parfait. Nous pourrions prendre l'avion samedi ou dimanche.

— Karine, en admettant que nous partions et en travaillant tard demain et toute la fin de semaine, je pourrai terminer le programme pour qu'on puisse le soumettre au client lundi ou mardi et...

— D'accord alors je m'arrangerai pour que le départ se fasse lundi après-midi, le coupa-t-elle. Je ferai même tes bagages.

Le jeune homme sourit. Il savait qu'elle n'abandonnerait pas. Il lui dit qu'il arrivait bientôt et ils en discuteraient puis ferma son téléphone cellulaire. Il se demanda pourquoi ce voyage pressait soudainement. Il avait oublié de lui poser la question, accusant son enthousiasme et son goût d'aventure. Il l'admirait pour sa facilité à s'abandonner à de tels projets quand son corps et son esprit le demandaient.

Il songea qu'il avait assurément besoin de vacances. Il y avait beaucoup de temps, lui semblait-il... À quand datait le dernier?

Soudain il réalisa, que le dernier voyage de plaisir qu'il avait effectué était celui où il avait rencontré Samantha. Oh ! Il avait bien failli en réaliser un autre. Le jour de sa disparition, elle devait le rejoindre à son bureau. Il avait gardé des places dans un chic restaurant, où il connaissait bien le personnel, pour lui annoncer leur départ prochain pour l'Italie afin de célébrer leur premier anniversaire de fréquentation, un peu en retard puisque le mois de mai était passé depuis longtemps, mais tout de même. Mais suite aux malheureux évènements, il avait dû tout annuler, la mort dans l'âme.

Ce voyage en Californie constituait son plus beau souvenir. Il le chérirait très longtemps peu importe la vie qu'il mènerait et peu importe la femme avec qui il serait. Pourquoi disait-il « *la femme* » comme s'il n'y avait personne avec lui en ce moment alors que Karine était réellement présente dans sa vie ? Il lui semblait parfois que son subconscient refusait d'admettre qu'il pouvait aimer une autre personne que Samantha.

— Je dois me faire à l'idée, se sermonna-t-il à voix haute. Je ne pourrai plus jamais la serrer dans mes bras. Après tout ce temps, personne ne retrouvera Sam et si jamais quelqu'un l'aperçoit, ce sera en morceaux. Il frissonna d'horreur et une profonde tristesse l'envahit. Je ne peux pas aimer Karine à temps partiel. Si je suis avec elle, je lui dois de l'aimer avec sincérité à chaque instant. Ce voyage tombe peut-être à point finalement. Je pourrai faire du ménage dans mes sentiments et je réaliserai peut-être que je suis bien avec elle. Karine m'aime sincèrement, ça se voit. Je ne dois pas briser ce qu'elle tente de construire avec moi. Je dois essayer d'être heureux avec elle. Nous ferons ce voyage et ensuite je déciderai du sort de notre couple.

Ce disant, il gara sa voiture dans l'allée et vit Karine, vêtue de son manteau, ouvrir la porte de sa maison pour l'accueillir. Depuis environ deux semaines, elle demeurait chez lui.

Les premiers jours, il s'était senti coupable vis-à-vis de Samantha, qu'il avait tellement aimée sans jamais pouvoir vivre avec elle, que leur cohabitation à lui et Karine, se soit fait aussi rapidement, mais il devait admettre que c'était plus pratique pour se rendre à ses cours. Karine était rapidement débarquée chez lui et il n'avait pu que consentir devant ses arguments. L'université se trouvait près de son bureau et chaque fois qu'il pouvait, il l'amenait ou allait la chercher.

Il sortit de son véhicule, alla à sa rencontre et la serra contre lui comme s'il se sentait coupable vis-à-vis d'elle. Mais il n'était pas sûr, comme ça lui arrivait parfois, d'avoir réellement envie de la serrer contre lui.

— J'ai pensé à quelque chose, annonça-t-elle après leur étreinte. On pourrait aller passer la fin de semaine à mon appartement où tu ne seras pas dérangé par les visites ou coups de fil que tu pourrais recevoir. Tu fermeras ton cellulaire et tu pourras travailler en paix.

— Tu as songé à tout, à ce que je vois, mais tu as enfilé ton manteau pour m'annoncer ça?

— Non, bien sûr que non, dit Karine en riant. Je n'ai pas mangé, j'ai pensé qu'on pourrait aller au resto.

— Ah! tu as pensé à ça aussi?

Elle ferma les yeux brièvement en signe d'assentiment. Il entoura ses épaules et l'entraîna vers l'automobile.

— Allez viens, j'ai un goût de pâtes.

Karine le suivit, satisfaite de son plan. Plus il serait difficile à rejoindre, mieux ça serait. Elle l'aimait tellement. Elle ne souhaitait pas qu'il se heurte à de faux espoirs, ce que c'était sans doute, et puis, elle le voulait pour elle, pour elle seule…

*****

Samantha ouvrit les yeux dès qu'ils eurent franchi la grille. Samantha s'extasiait devant ce qu'elle voyait. Elle n'avait jamais été au-delà de l'immense cour clôturée du manoir, bordée de conifères géants et avait l'impression de redécouvrir la nature. C'était comme si elle réalisait soudain qu'il existait autre chose derrière les murs de sa prison, que la vie s'épanouissait toujours de l'autre côté.

Tout lui semblait tellement beau. Les arbres nus, dont les bourgeons commençaient à se développer, les maisons qu'elle distinguait au loin, elle les aurait pourtant trouvées bien ordinaires il n'y a pas si longtemps. Elle remarqua un chien, tête baissée reniflant l'herbe dans le boisé derrière le manoir pour trouver de quoi se mettre sous la dent à moins que ce ne soit pour délimiter son territoire et sourit faiblement. Elle vit une envolée d'oiseaux et eut l'impression de vivre un moment magique. Même le camion de vidanges qui passait dans une rue transversale l'émerveillait. Et que dire du magnifique coucher de soleil !

Elle flatta son ventre. Elle avait tellement appréhendé que son enfant naisse entre les quatre murs de cette maison devenue pour elle une prison. Et maintenant elle allait dans une clinique où le personnel médical s'assurerait que son enfant grandissait normalement. Il n'avait peut-être pas l'intention de l'y amener, mais elle saurait le convaincre. Tout d'abord elle devait se comporter comme il s'attendait qu'elle le fasse. Elle sourit à Robert pour lui faire comprendre sa joie.

Elle ne lui avait pas encore avoué qu'elle faisait semblant d'avoir des contractions pour pouvoir s'évader de cette prison dorée. Ça ne jouerait pas en sa faveur. Aussi Samantha en mimait-elle encore plus ou moins régulièrement et choisit ce moment pour grimacer de douleur puis le rassura devant le regard inquiet qu'il affichait. Cette dernière ignorait encore ce qu'il attendait, mais n'avait d'autre choix que de jouer son jeu tout en espérant très fort que la chance lui sourirait sous peu.

Ils étaient partis depuis à peine une minute et venaient de dépasser le petit boisé lorsque Samantha s'était plainte de douleurs. Se laissant distraire de la route, Robert ralentit et regarda la jeune femme, inquiet. Il ne souhaitait pas qu'elle accouche dans sa voiture. Il l'aimait tellement et ne voulait pas qu'elle souffre ou que l'accouchement ne se déroule pas bien. Comme elle l'assurait que sa condition demeurait stable, il s'obligea enfin à se concentrer sur la route. Quand ses yeux revinrent vers l'avant, ils virent qu'ils étaient cernés.

******

L'inspecteur, visiblement satisfait, écoutait attentivement le policier lui expliquer le résultat de ses recherches en lissant sa moustache du pouce et de l'index.

— Vous aviez raison. L'ex petit ami de Samantha que vous aviez interrogé répondait au nom de Robert. Robert Doyon, pédiatre et excessivement amoureux de Samantha. Selon mes sources et mes recherches, j'ai su que ses parents lui avaient organisé une fête pour célébrer la fin de ses études et l'obtention de son diplôme. Il avait invité Samantha, sans succès. Édouard Lacroix se trouvait cependant parmi les invités.

Cette révélation ne prouvait rien encore, mais elle permettait d'effectuer des liens compromettants entre les personnes suspectées.

— Bingo! s'exclama l'inspecteur Toupin qui se permit d'élaborer sa thèse. Robert possédait un alibi solide puisqu'il se trouvait à Montréal au moment du drame, mais il a orchestré l'enlèvement à distance avec l'aide de M. Lacroix qui ne voulait que croire au retour de Jennifer. Robert Doyon, follement amoureux de Samantha et ne pouvant accepter qu'elle l'ait laissé pour un autre homme, s'est servi de cette coïncidence incroyable, de la très grande ressemblance des jeunes femmes et du désespoir d'un père éploré pour manigancer cette mise en scène et satisfaire son besoin égoïste d'avoir Samantha avec lui.

— Il pensait sans doute qu'elle finirait par oublier son nouvel amoureux, en l'occurrence Marc-Alec Fortin, en lui faisant croire que sa véritable identité était Jennifer Lacroix, par l'entremise d'un M. Lacroix trop heureux de tout faire pour retrouver sa fille chérie et de ses employés enchaîna l'agent au téléphone. Il serait venu un jour selon une situation prévue pour lui, mais «*par hasard*» pour elle et l'aurait sortie de là, s'assurant ainsi d'une chance de la rendre à nouveau amoureuse de lui.

— Le fait qu'elle soit enceinte de M. Fortin n'a sûrement pas aidé leur cause et le jeune Doyon ne devait plus savoir quoi faire. C'est possiblement la raison pourquoi tant de mois se sont écoulés depuis l'enlèvement. Je crois que nous détenons là une thèse solide, mais il nous faut davantage de preuves. Je suis heureux que la gouvernante ait entendu Samantha mentionner le nom de ce médecin lorsqu'il est arrivé. Elle nous a mis sur une piste sérieuse. Quelqu'un d'autre essaie de me joindre, enchaîna-t-il subitement; je dois raccrocher. Merci beaucoup Pronovost. On se revoit bientôt.

Le sergent détective regarda sur l'écran de son cellulaire le numéro de téléphone du dernier demandeur qu'il avait manqué. Il appuya sur une touche qui effectua l'appel inversé.

— Vous tentiez de me rejoindre sergent Gagné?

— Nous les avons monsieur. Nous avons intercepté le suspect.

Chapitre 26

Les trèfles de diamant

Samantha remercia l'infirmière qui venait de la border et se cala dans son lit cherchant le policier du regard. Dès son arrivée à l'hôpital, elle avait été prise en charge sous les ordres de l'inspecteur Toupin. Toujours à sa demande, on l'avait installée dans une chambre privée et personne ne devait savoir que Samantha Cartier se trouvait là. Ils avaient trop de choses à discuter et le policier n'avait pas besoin d'une horde de journalistes pour lui nuire.

Il avait posté un agent à l'entrée de sa chambre et les personnes autorisées à y pénétrer étaient restreintes. Une infirmière, qui lui avait prélevé du sang, dont on donnerait un des échantillons pour le laboratoire policier, qui lui avait pris ses signes vitaux ainsi qu'un prélèvement d'urine, un médecin qui avait procédé à un examen général et obstétrique et une radiologiste qui avait effectué une échographie à la chambre.

Tous les spécialistes s'étaient montrés rassurants. Sa grossesse semblait bien se dérouler et le fœtus évoluait convenablement. Samantha avait poussé plusieurs soupirs de soulagement parmi ses pleurs. Elle avait peine à retenir ses larmes et ne cessait de demander à l'inspecteur si elle rêvait.

Souriant le sergent-détective la rassurait patiemment pendant les procédures. Il voulait s'assurer que la jeune femme et son enfant à venir allaient bien et qu'elle disposerait du repos dont elle avait besoin après le drame qu'elle avait vécu. Les questions et le témoignage iraient au lendemain.

L'homme s'avança vers Samantha et mit sa grosse main sur celle de la jeune femme après que l'infirmière se fut retirée.

— Je suis heureux que ton cauchemar soit enfin terminé, Samantha. Nous t'avons beaucoup cherché et n'avons jamais cessé d'espérer, tu sais.

Elle voulait tant qu'il lui parle de Marc-Alec. La jeune rescapée n'avait pu profiter de beaucoup de temps avec le policier pour lui demander toutes les questions qui se bousculaient dans sa tête. Le peu de temps dont elle avait pu profiter, elle l'avait utilisé à adresser des messages de remerciements à tous ceux qui avaient contribué à la retrouver, spécialement au docteur St-Onge, après que l'inspecteur lui eut expliqué comment ils l'avaient retracée. Elle ouvrit la bouche espérant des réponses, mais le sergent-détective, jetant un œil à sa montre, la devança.

— Assez discuté pour ce soir. Il se fait tard et tu dois te reposer. Il te faut être en forme demain, car l'interrogatoire sera long. Je viendrai te chercher tôt.

— D'accord, mais Marc-Alec ?

Il sourit, devinant sa hâte de le revoir, mais hésitait à répondre.

— Il va bien, t'inquiète pas. Il demandait régulièrement des nouvelles de l'enquête. Je crois qu'il sera très… surpris et sûrement très heureux. Mais tu ne pourras pas le revoir maintenant. Il est en voyage d'affaires à l'extérieur du pays.

******

Marc-Alec remit sèchement le combiné du téléphone à sa place. C'était la deuxième fois depuis le début de l'avant-midi que Karine lui téléphonait pour le presser et lui demander l'heure de son retour à la maison, car elle avait hâte de se rendre à son appartement. Elle désirait prendre du temps avec lui pour le reste de la journée avant qu'il se mette au travail pour l'entière fin de semaine.

Il regarda machinalement sa montre. Marc-Alec se trouvait au bureau depuis très tôt ce matin-là, avant même sa secrétaire, pourtant très matinale, qui arrivait bien avant l'ouverture du bureau à 8 h 30. Il l'avait fait pour elle afin d'être de retour plus vite, mais si elle continuait d'appeler, il tarderait davantage à régler ses affaires.

Karine avait de la difficulté à comprendre que c'était son entreprise à lui, donc sa responsabilité et qu'il avait plusieurs choses à voir avant de quitter pour leurs vacances. Il avait décidé d'accepter après une très longue hésitation. Et cette réunion de dernière minute qui venait de s'annoncer et qu'il ne pouvait absolument pas contourner.

Sa montre affichait près de treize heures. La réunion ne devrait pas être très longue. Ensuite après avoir finalisé quelques dossiers, il pourrait quitter l'immeuble et rejoindre Karine.

Soudainement le remord le reprit et il n'était plus très sûr de vouloir aller en voyage, de travailler comme un fou pendant la fin de semaine pour se permettre un des caprices de Karine. Il essaya de se raisonner. Une fois dans l'avion, il ne tiendrait plus en place. Il sourit à cette idée.

L'expression de son visage se figea soudain. Il songerait sûrement à son voyage en Californie avec Sam. Ce serait immanquable, songea-t-il. Pourtant il lui faudra le faire, il devait prendre à nouveau l'avion s'il voulait se sortir de ce vide immense qui le poursuivait chaque fois qu'un souvenir spécifique de Sam venait le hanter.

Marc-Alec ajusta sa cravate et se dirigea vers le bureau de Nathalie. Sa secrétaire se leva. La brunette n'était pas bien grande, mais très efficace. Le jeune homme appréciait son travail rapide et bien fait, sa politesse avec tout le monde et surtout sa belle humeur constante. Elle venait de se marier et le patron qu'il était redoutait déjà le jour où elle lui annoncerait une grossesse et partirait en congé de maternité. Il lui serait difficile de trouver une remplaçante aussi efficace. Il lui en faisait part quelquefois en riant. Nathalie, toujours souriante répliquait qu'il aurait tôt fait de l'oublier.

Ce jour-là, il n'avait pas la tête à blaguer et c'est fermement qu'il lui annonça qu'il ne voulait être dérangé sous aucun prétexte.

— Tant que je ne sortirai pas de la salle de conférence pour annoncer moi-même que la réunion a pris fin, je ne veux pas être dérangé ajouta-t-il en songeant à un possible rappel de la part de Karine.

— Vous pouvez compter sur moi, monsieur.

Marc-Alec lui sourit. Cette façon qu'elle avait de le vouvoyer pendant les heures de bureau. Une vraie professionnelle et il lui en était gré. Il se dirigea vers la salle de conférence et referma la porte après avoir demandé si tout le monde y était.

******

Samantha avait du mal à se retenir de pleurer. Dans ses larmes coulaient la joie, la tristesse, le soulagement, le stress et l'épuisement. En effet, la jeune femme n'avait pas réussi à dormir beaucoup la nuit dernière. Elle s'impatientait de revoir Marc-Alec et craignait en même temps de devoir subir une déception. Trop de temps s'était écoulé depuis qu'ils s'étaient vus. Peut-être avait-il cessé de l'espérer? Maintenant qu'elle était à deux doigts de le voir, de savoir s'il l'aimait toujours, l'inspecteur lui avait annoncé qu'il avait quitté le pays pour affaires!

Cette pensée lui était revenue constamment pendant la nuit. Puis était arrivée la conclusion que ça n'avait aucun sens. C'était absolument impossible. Elle savait que Marc-Alec n'avait pas quitté le pays. Puis alors qu'elle allait sombrer dans le sommeil, le bébé s'était manifesté. Non content du stress qu'elle lui avait imposé ces derniers temps, il avait bougé énormément. Mais dans un sens ce fait l'avait rassurée sur l'état de son enfant.

Elle s'était finalement endormie vers le milieu de la nuit et l'infirmière l'avait réveillée tôt, car un agent l'attendait pour l'amener au poste de police. À présent, assise dans le bureau de l'inspecteur Toupin, elle racontait tout depuis le début avec émotions. Elle parla de ses fréquentations avec Robert. Elle expliqua ensuite avec détails les problèmes qu'ils avaient eus et enfin la rupture qui avait suivi.

La jeune femme s'arrêta et prit le mouchoir que l'agent Gagné lui offrait. Samantha s'épongea les yeux, s'essuya le nez et regarda les agents Gagné et Jean-Pascal qui assistaient à ses déclarations puis le sergent-détective qui les enregistrait. Ce dernier lui toucha la main pour la rassurer et l'encouragea à poursuivre dès qu'elle se sentirait prête.

Elle prit une profonde inspiration et parla de sa rencontre avec Marc-Alec Fortin, du bonheur qu'ils vivaient et des visites inattendues et… intimidantes de Robert. Elle termina avec l'enlèvement, la manière qu'on l'avait fait, les explications que lui avait données M. Lacroix ajoutant que malgré le fait qu'elle avait été bien traitée, elle avait vécu un enfer dans ce manoir, cette prison dorée où on l'isolait et la forçait à devenir Jennifer Lacroix.

L'inspecteur Toupin la questionnait parfois ou lui demandait de préciser, ce qui allongeait, à son grand désarroi, le temps que prenait son témoignage. Ils avaient passé près de trois heures dans ce bureau et elle était pressée de se lever et d'aller voir Marc-Alec.

Samantha fut donc soulagée lorsqu'il lui signifia enfin que c'était terminé. Il la laissa se dégourdir et lui permit d'appeler ses parents, ce qu'elle fit avec empressement. Mais pour la discussion qu'elle voulait avoir au sujet de Marc-Alec, il lui dit d'attendre encore. Il sortit de son bureau accompagné de ses confrères.

Dans une pièce fermée, les agents Mercier et Veillette interrogeaient Robert Doyon. Édouard Lacroix et ses employés l'avaient été la veille. Le sergent Toupin alla s'informer auprès d'eux du déroulement de l'interrogatoire puis rejoignit la jeune impatiente en lui mentionnant qu'elle serait informée de l'évolution de cette enquête.

Samantha lui avait dit être persuadée que Marc-Alec ne pouvait être à l'étranger dès qu'elle s'était installée devant l'inspecteur. Il lui avait gentiment rappelé qu'ils devaient procéder à son témoignage d'abord et qu'il se ferait un plaisir de l'écouter ensuite. Ils en étaient là à présent et Samantha se sentait nerveuse et fébrile, si près du but, si près de son amoureux.

— Je sais que vous m'avez dit que selon une amie qui passait chez lui faire du ménage, Marc-Alec se trouvait à l'extérieur du pays, mais c'est impossible. Ce sont, je pense, les propos d'une femme très amoureuse, qui ne veut rien savoir de moi, cependant je connais assez bien celui que j'aime pour croire que ce n'est pas vrai.

Le policier l'écoutait, intrigué qu'elle soit si certaine de ce qu'elle avançait tout en se demandant jusqu'à quel point tout ceci lui ferait de la peine.

— S'il est vrai qu'elle l'aime, je la comprends, mais je dois m'assurer de ce qu'il en est pour lui et je sais qu'il se trouve à son travail pour la simple et unique raison que son père est décédé en avril, à quelques jours de la date d'aujourd'hui et il m'a toujours affirmé qu'il ne partirait jamais dans les dates entourant ce terrible anniversaire. Il souhaite demeurer avec sa famille et ça, cette fille semble l'ignorer.

******

La voiture de police s'arrêta devant l'immeuble d'une douzaine d'étages. Samantha regarda l'édifice et poussa un soupir. Elle mit le téléphone que l'inspecteur lui tendait sur son oreille. Plusieurs hypothèses trottaient dans sa tête. En chemin, ils avaient discuté de Marc-Alec et l'agent Toupin lui avait détaillé l'appel qu'il avait effectué chez lui lors de la visite du docteur St-Onge à son bureau, dans l'après-midi, la veille.

Peut-être cette femme était-elle véritablement une amie seulement. Il y avait aussi une possibilité pour qu'elle fasse partie de sa vie dans le sens ou Samantha l'entendait, mais que quelque part au fond de lui il aimait encore sa chère Sam malgré tout. Ou pire, qu'elle ait su lui faire oublier Samantha Cartier. Mais elle espérait de tout cœur qu'il accepterait au moins de lui parler. Le téléphone sonnait dans ses oreilles, mais elle entendait son cœur battre plus fort encore. Elle croisa les doigts. Il fallait qu'il l'aime toujours, conclut-elle pour elle-même alors qu'on répondait enfin après la quatrième sonnerie.

Elle reconnut la voix mélodieuse de la boîte vocale qui, d'un même refrain, annonçait les options à choisir. Lorsque ses doigts l'eurent guidée à la secrétaire de Marc-Alec, elle hésita une ou deux secondes avant de se lancer, la nervosité dans la voix.

— Je voudrais parler à Marc-Alec Fortin je vous prie.

— Je regrette, il est en réunion répondit aussitôt la voix.

— Je dois ab-so-lu-ment parler à monsieur Fortin s'il vous plait. Elle avait étiré le mot pour démontrer l'importance de lui parler.

— Je regrette, mais…

— Dites lui que madame Samantha Cartier est à l'appareil, il viendra.

— Il m'a lui-même demandé de ne pas le déranger sous aucun prétexte madame…

— Est-ce que je parle à Nathalie? risqua Samantha en l'interrompant une fois de plus, elle qui s'efforçait depuis le début de la conversation de se souvenir de son prénom, mentionné par Marc-Alec à quelques occasions au hasard de leurs conversations.

La secrétaire fut impressionnée de constater qu'elle savait son nom et lui demanda de répéter à qui elle parlait.

Samantha se présenta à nouveau et lui parla de sa disparition qui datait de quelques mois et sans toutefois entrer dans les détails, elle lui expliqua que la police l'avait finalement retrouvée.

Nathalie l'écoutait attentivement. Elle avait, bien sûr, entendu l'affaire à la télévision et son patron en avait quelque peu fait mention.

Mais elle ne pouvait pas croire à ce que cette femme racontait. Elle avait entendu tant d'histoires que des gens inventaient pour parvenir à parler à son patron. Ça pouvait être n'importe qui se servant de cette affaire pour parvenir à ses fins.

Même sa description de Marc-Alec, ses goûts, la voiture qu'il possédait au moment de sa disparition ne fonctionnaient pas. Nathalie s'apprêtait à couper la communication, car beaucoup de travail l'attendait et voulut le lui dire.

La pressentant méfiante, incrédule donc sur le point de raccrocher, Samantha, préoccupée chercha un moyen de la retenir et porta inconsciemment sa main à son oreille et fit faire des rotations au diamant qu'elle portait.

— Ma boucle d'oreille, s'écria soudain Samantha.

— Pardon! fit Nathalie surprise, avant qu'elle n'ait pu manifester son souhait de terminer la conversation.

— Écoutez. Annoncez-lui que Sam veut lui parler. S'il ne veut pas vous croire, dites-lui que je porte toujours les boucles d'oreilles, les diamants en trèfle qu'ils m'avaient offerts pour la soirée sur le bateau de Mike à San Francisco. Dites-lui que je regrette le collier assorti à ces boucles qui a été perdu dans l'eau. Essayez, je vous en supplie. S'il ne veut rien savoir, je ne vous importunerai plus.

Devant ce détail si précis et la volonté de la jeune femme, Nathalie fléchit et se plia à sa volonté. Elle promit d'essayer de lui parler au risque de le déranger, mais ne pouvait rien lui garantir.

Après l'avoir mise en attente, Nathalie se rendit à la salle de conférence d'un pas mal assuré et frappa faiblement à la porte. Lorsqu'exaspéré Marc-Alec ouvrit, elle commença à dire d'un seul trait ce qu'elle s'était préparé en chemin.

— Je suis consciente que vous m'avez demandé de ne pas vous déranger, mais j'ai reçu pour vous un téléphone pour le moins bizarre. Elle insiste et…

— Prenez le message et dites …

Son patron lui avait coupé la parole, mais elle fit de même à son tour et lui récita rapidement ce que la jeune femme lui avait révélé.

— Elle dit être Sam et qu'elle porte toujours les diamants en trèfles que vous lui avez offerts à San Francisco pour une soirée sur le bateau de Mike et qu'elle regrette le collier.

Le jeune homme demeura silencieux, interdit. Personne d'autre que Samantha ne savait pour ces bijoux. Il avait refermé la porte sur eux. Il entrouvrit pour s'excuser et annoncer auprès de ses confrères et clients qu'il devait absolument prendre quelques minutes. Il suivit Nathalie et lui demanda de passer l'appel dans son bureau. Il n'arrivait pas à y croire, mais ne devait négliger cette information. Se pouvait-il que ce soit vraiment elle? Il se sentait nerveux. Son cœur palpitait, sa main tremblait lorsqu'il saisit l'appareil.

— Marc-Alec Fortin à l'appareil, énonça-t-il d'une voix qu'il aurait voulu plus posée. Pressé de prendre l'appel, il n'avait pas pris la peine de s'asseoir.

À l'autre bout du fil, Samantha pleurait d'émotion. Elle s'éclaircit la gorge et parla enfin.

— Je ne peux pas croire que je te parle enfin, que j'entends ta voix pour vrai.

— Sam, c'est vraiment toi! Ce n'était pas une question, mais une constatation. Il l'avait reconnue. Il l'aurait fait n'importe où, n'importe quand. Il se laissa lourdement tomber sur son fauteuil en proie à une émotion intense et des larmes lui piquaient les yeux. Sam, mon amour, ma vie, comment vas-tu? Où es-tu? Où étais-tu?

— Je vais bien. Je t'aime, tu m'as tellement manqué.

Elle regarda le policier qui se tenait prêt à intervenir si ça n'avait pas fonctionné et lui leva le pouce. Des larmes de bonheur coulaient sur ses joues. Marc-Alec l'aimait encore. Il l'avait appelée son amour, sa vie.

— Sam que t'es-t-il arrivé? Je veux te voir, te serrer dans mes bras. Dis-moi où tu es, tu vas me rendre fou.

— J'ai craint qu'après tout ce temps tu m'aies oubliée, que tu sois avec quelqu'un d'autre, avança-t-elle pour le faire parler de cette fille.

Il soupira en songeant à Karine. Ça lui ferait de la peine, mais elle savait que Samantha était plus forte qu'elle. Il décida qu'il devait miser sur la franchise et expliqua brièvement la situation à son interlocutrice. Il lui apprit qu'elle était entrée doucement dans sa vie, sans passion. Il l'aimait bien, mais savait que cette relation ne l'aurait mené nulle part. Il jura à Samantha qu'il pensait constamment à elle, qu'il n'aimait qu'elle et l'implora de le croire.

— Promets-moi que tu me crois. Je t'aime Sam. Dis-moi où tu te trouves, que j'aille te rejoindre au plus vite, lui demanda-t-il en reniflant.

— Je vais te dire où je me trouve, mais sois patient encore un peu. Je dois te dire quelque chose avant.

— Tu me fais peur. Tu es toujours retenue en otage et ils te menacent ces salauds ? Que s'est-il passé ?

— Je vais bien, t'en fais pas, je suis libre maintenant. Samantha ne prenait plus la peine d'essuyer ses larmes qui coulaient sans cesse. C'est une longue histoire que je te raconterai sûrement bientôt, mais pour l'instant…

— Mais pour l'instant je veux te serrer contre moi. Dis-moi où tu es, je vais aller te chercher.

— Ça ne sera pas nécessaire. Mais Marc, je dois te dire que je ne suis pas seule. J'ai aussi quelqu'un d'autre dans ma vie.

— Ah bon ! Le chagrin et la souffrance s'entendaient dans sa voix.

— Tu ne peux voir l'autre personne encore, mais elle est avec moi. En fait elle grandit en moi encore pour quelques semaines expliqua rapidement Samantha pour ne pas le faire souffrir davantage.

— Tu es… enceinte? devina-t-il, mi-rassuré, mi-inquiet.

Percevant ce qu'il ressentait, elle le rassura en lui expliquant qu'elle n'avait été ni violée, ni maltraitée. Celui qui l'avait enlevée la prenait pour sa fille disparue dans un accident d'avion. Elle ne désirait pas lui parler de Robert maintenant. Elle avait trop hâte de se blottir dans les bras de celui qu'elle aimait tant.

— Et je t'assure, cet enfant a été conçu la dernière nuit que nous avons passée ensemble. Je le sais. C'est ton enfant mon amour. À présent la question est ceci: veux-tu encore de nous? J'ai décidé de garder l'enfant mais, Dieu sait que je t'aime, pourtant je ne veux aucunement te l'imposer surtout à quelques semaines d'avis.

Le jeune homme demeura silencieux quelques secondes comme s'il réfléchissait. Pourtant son idée était déjà faite. Il tentait seulement de retrouver de l'assurance dans sa voix. Ses yeux brillaient de larmes. Il les essuya rapidement et prit une longue respiration puis demanda encore une fois où elle se trouvait afin qu'il aille retrouver ses deux amours.

Sachant où se situait son bureau, elle fixa la fenêtre du cinquième étage. Elle lui demanda de regarder à travers et de lui décrire ce qu'il voyait. Plutôt réticent à lui décrire le paysage de la ville, il se rendit à la fenêtre devant son insistance. Conservant le combiné sur son oreille, elle s'extirpa de la voiture après qu'il lui eut confirmé qu'il voyait une auto de police de l'autre côté de la rue.

Puis il la vit s'avancer vers le devant de la voiture de l'autre côté de la rue ses longs cheveux flottant au gré du vent. Il découvrit son ventre, gros de plusieurs mois. Le souffle coupé devant ce qu'il voyait, il laissa son front tomber doucement contre la fenêtre. Le vent ramenait sur son visage des mèches rebelles qu'elle dégageait de la main en souriant. Il la trouvait encore plus belle.

Puis il vit cette même main s'élever vers lui. Lentement, il appuya sa main contre la fenêtre, puis ses lèvres. Il laissa ensuite tomber l'appareil et quitta son bureau en courant, laissant Pierre-Antoine qui sortait de la salle de conférence prendre des nouvelles, perplexe. Il lui lança « *C'est elle, Samantha est là* » au passage, ce qui fit applaudir tous ceux déjà au fait du drame qu'il vivait et qui étaient présents dans la salle.

Samantha rendit son téléphone au policier qui sortait de l'automobile en le remerciant pour tout et en promettant de rester en contact. Elle traversa la rue déserte en courant à son tour.

En passant devant Nathalie, il la pria de tout annuler pour la journée et même pour la semaine à venir. Tout.

— Même le voyage?

— Absolument tout.

— Et que vais-je dire à…

— Dis-lui que je suis mort, lança-t-il en lui faisant un clin d'œil. Il savait bien qu'elle trouverait une excuse.

À présent, il n'était vivant que pour Samantha. Et combien vivant! Oui, il avait l'impression de ressusciter. Sam enfin.

Lorsque l'ascenseur s'ouvrit sur elle dans le hall d'entrée, il lui tendit les bras qu'elle s'empressa de combler, le propulsant dans son élan contre le mur de l'ascenseur. Ils se serrèrent un moment en pleurant de bonheur puis leurs lèvres s'unirent doucement puis si passionnément que l'espace d'un instant ils eurent peur que tout bascule.

Marc-Alec recula pour caresser le ventre de Samantha avouant qu'il était fort probablement l'homme le plus heureux du monde. Leurs yeux, leurs mains se cherchèrent, puis Marc-Alec prit le visage de Samantha et leurs lèvres se scellèrent à nouveau. Tout semblait tourner autour d'eux. Leurs corps tremblaient. Emportés dans ce tourbillon leurs jambes vibraient jusqu'à ce qu'ils réalisent que quelqu'un avait commandé l'ascenseur.

Fin

Épilogue

Samantha ouvrit les yeux. Il faisait encore sombre, mais elle pouvait distinguer la pièce. Elle lui était familière. Les murs vert pomme, les meubles blancs, la douillette blanche, verte et turquoise. Elle tremblait encore du terrible cauchemar qu'elle venait à peine de faire et la vision de sa chambre la rassura.

Un homme dormait paisiblement à ses côtés. Installé dos à elle sous la couette, Samantha ne percevait que sa tête blonde et bouclée. Avec regret, Samantha émergea du confort de ses draps et se rendit à la salle de bain. Après s'être soulagée, elle se lava les mains et laissa couler l'eau dans le lavabo. Elle s'aspergea la figure d'eau froide, ferma le robinet et retourna à sa chambre.

En chemin, le calendrier sur le mur attira son attention. Sur la partie supérieure de la page ouverte, de magnifiques fleurs s'offraient au vent dans un champ verdoyant. Elle lut avril 2006 sur la moitié inférieure de la page. Sous la date du neuf, lequel était encerclé, elle avait noté: annonce gagnante prix de San Francisco. Frissonnant soudainement, elle croisa les bras et se hâta de regagner son lit.

Pendant qu'elle glissait sous les couvertures, l'homme se réveilla et se tourna vers elle.

— Bonjour ma colombe. Déjà réveillée?

Samantha lui sourit. Si c'était une prémonition se disait-elle? Si le prix à payer était de vivre cet affreux cauchemar? Elle ne sautera tout de même pas à pieds joints dans cette épouvantable et sordide histoire d'enlèvement. Elle ne voulait pas devenir la fille de monsieur Lacroix. Elle n'acceptera pas ce privilège. Elle refusera ce prix, ce voyage à San Francisco. C'était décidé, elle l'annoncera à Robert plus tard, lorsqu'ils se lèveront. Maintenant, elle souhaiterait dormir encore un peu.

— J'ai fait un cauchemar, mais ça va. J'aimerais me rendormir.

Robert acquiesça à sa demande. Il se pencha sur elle pour l'embrasser. Leurs lèvres s'unirent en un doux baiser. Samantha bougea la tête pour se dégager. Elle voulait dormir. Mais Robert la tint fermement et l'embrassa plus fougueusement. Samantha se débattait gentiment pour qu'il la laisse tranquille. Fou de désir, ce dernier ne semblait pas s'en formaliser. Elle commençait à étouffer, mais l'autre la tenait plus fermement. Elle réussit à crier puis Robert la lâcha.

— Ça ne va pas ma chérie? tes cauchemars reviennent?

Elle regarda son mari, légèrement désorientée puis se mit à sangloter. Il l'enlaça et elle se blottit volontiers dans ses bras.

— Ça va aller mon amour, disait-il. Ça va aller. C'est encore un de ces terribles cauchemars. Je le sais, tu as poussé le même genre de cris, mais c'est fini maintenant. Je suis là. Je croyais qu'ils étaient enfin terminés; il y a si longtemps que tu en as fait.

Il lui caressait les cheveux en lui murmurant des paroles réconfortantes et Samantha se laissait bercer par elles. Elle se calma bientôt et cessa ses sanglots. Être la ménechme de quelqu'un ne pose généralement de problème pour personne, mais pour Samantha, sa forte ressemblance avec la fille de Monsieur Lacroix lui avait fait vivre une effroyable expérience qui la troublait encore parfois. Heureusement, son époux se montrait compréhensif.

Soudain elle sursauta. À la radio, sur sa table de chevet, il lui sembla que quelqu'un braillait, interrompant le cours de ses pensées. Son mari étira un bras pour faire taire la chanteuse, mais continuait de l'enlacer de l'autre.

— Je crois qu'il est l'heure de se lever, dit-il en l'embrassant sur le nez.

Samantha recula un peu et regarda son homme dans les yeux.

— Je t'ai fait passer tant de nuits blanches. As-tu quand même été heureux, Marc? L'es-tu encore?

— Quelle question! s'exclama-t-il en riant. Puis il réalisa que sa question était vraiment sérieuse, qu'elle cachait une réelle inquiétude.

Il songea à la naissance de leur fille Mathilde survenue six semaines après leurs émouvantes retrouvailles. Ce jour béni leur avait apporté une magnifique fille, âgée de près de dix ans maintenant. Mise à part la flamboyante chevelure de sa mère, elle était le portrait de son père au grand bonheur de Samantha.

Peu de temps après avait suivi un mariage de rêve, puis leur emménagement dans une nouvelle maison, dans un nouveau quartier de la rive sud de Québec afin d'éloigner les mauvais souvenirs et les mauvaises surprises. Puis l'espiègle Larissa, adorable mélange de ses deux parents avait agrandi la famille. Enfin, le petit Lucas qui allait bientôt entrer à la maternelle, seul enfant à posséder les yeux de sa mère complétait leur merveilleux petit groupe.

Leurs enfants, pourvus d'une bonne santé, possédaient une vive intelligence et un caractère plutôt facile. Samantha, bonne mère et épouse aimante, le gratifiait de sa patience, de sa compréhension et de sa bonne humeur et de bien d'autres choses encore.

Il avait découvert avec sa femme de nombreux pays lors d'agréables voyages. Et par-dessus tout, ils s'aimaient encore comme au premier jour. Oui, ces cauchemars récurrents ternissaient un peu leurs nuits, mais c'était compréhensible après ce qu'elle avait vécu. Les coupables avaient payé leurs dettes et n'existaient plus pour eux. Il se savait infiniment heureux avec elle et il ne changerait de place avec personne pour rien au monde.

Il regarda tendrement Samantha et caressa ses cheveux, qu'elle modifiait fréquemment depuis leurs retrouvailles. Elle tenait à ne plus être la ménechme de personne, encore moins la sosie de la fille de monsieur Lacroix. Ces temps-ci, elle les portait plus courts et les avait parsemés de quelques mèches un peu plus foncées.

— Samantha Cartier, votre époux Marc-Alec Fortin vous aime énormément et il est heureux avec vous pour plein de raisons. Il lui énuméra tout ce à quoi il venait de penser en l'embrassant entre chaque énoncé.

En se collant contre lui, elle lui sourit sincèrement, avouant qu'elle était la femme la plus chanceuse de l'avoir rencontré. À ces mots le radio se mit à chanter une fois de plus. Cette fois, il laissa la chanteuse terminer son refrain, car il était trop occupé à embrasser son amour, sa vie.

— Nous avons une autre raison de nous réjouir aujourd'hui, dit-il après avoir laissé ses lèvres à regret.

Samantha lui sourit joyeusement.

— Oui, nous partons trois semaines dans une villa en Sicile. Mais comme j'ai l'expérience des voyages, les valises sont prêtes, alors nous ne sommes pas pressés monsieur mon mari, l'amour de ma vie, ajouta-t-elle en s'allongeant contre lui.

Aux Éditions Belle Feuille
68, chemin Saint-André
Saint-Jean-sur-Richelieu (Québec) J2W 2H6
Tél.: 450.348.1681
Courriel: marceldebel@videotron.ca
www.livresdebel.com/catalogue

Distribué par Bayard Novalis Distribution
www.bayardcanada.com
Ginette Saindon
Tél.: 514.844.2111 poste 247
Fax: 514.278.0072
Courriel: ginette.saindon@bayardcanada.com

Distribution numérique: Agrégateur Anel-DeMarque
www.vitrine.entrepotnumerique.com/editeurs/181-les-editions-belle-feuille/publications

Titre par catégorie	Auteurs	ISBN
Nouvelles		
Lumière et vie	Marcel Debel	2-9807865-1-9
La Vie	Marcel Debel	2-9807865-0-0
Quelqu'un d'autre que soi	Micheline Benoit	2-9807865-4-3
Une femme quelque part	Micheline Benoit	2-9807865-2-7
Essais		
Univers de la conscience	Yvon Guérin	2-9807865-7-8
Les Jardins, expression de notre culture	Pierre Angers	2-9807865-3-5
Au jardin de l'amitié	Collectif	978-2-9810734-2-6
Vivre sur Terre, le prix à payer	Alexandre Berne	978-2-9811696-3-1
Romans		
Méditation extra-terrestre	Olga Anastasiadis	2-9807865-9-4
Rose Emma	Gisèle Mayrand	978-2-9810734-4-0
Les millions disparus	Bernard Côté	978-2-9811696-0-0
La Ménechme	Chantal Valois	978-2-9811696-8-6
Anecdotes de vie		
La magie du passé	Marcel Debel	978-2-9811696-9-3

Cas vécus

L'instinct de survie de Soleil	Gabrielle Simard	978-2-9810734-3-3
L'insomnie une lueur d'espoir	Carole Poulin	978-2-9810734-7-1
Récit d'un fumeur de cannabis	Stéphane Flibotte	978-2-9811696-4-8

Récits

L'Arnaquée	Gisèle Roberge	978-2-9811696-6-2

Recueils de fantaisie pour enfant

L'anniversaire de Marilou	Hélène Paraire	978-2-9810734-5-7
Les oreilles de Marilou	Hélène Paraire	978-2-9811696-2-4

Recueils de contes

Le Diamant inconnu	Pierre Barbès	978-2-9810734-6-4
Contes de l'au-delà		
L'aventure de Vent des Neiges	Sophie Bergeron	978-2-9811696-7-9

Poésie

Fantaisies en couleur	Marcel Debel	978-2-9810734-1-9
Bonheur condensé	Magda Farès	2-9807865-8-6
Arc-en-ciel d'un ange	Diane Dubois	978-2-9810734-0-2
À la cime de mes racines	Mariève Maréchal	2-9807865-5-1
Un miroir sur ma tête		
Voyage au centre de la pensée	Louis Rodier	978-2-9810734-8-8
Amalg'âme	Angéline Bouchard	978-2-9811691-1-7

transcontinental